碩文化

Excel VBA 教科書

一本能使你真正奠定基礎的 VBA 解說書

古川順平一著

顏志融一譯

U0136011

▶ 實現自動化操作　　　　▶ 外部資料庫連結

▶ 使巨集加速執行　　　　▶ 使用者表單與控制項

▶ 熟悉 Excel 的結構與習慣　▶ 錯誤處理及自我防護手段

本書範例檔
請至
博碩官網
下載
▼

☑ 適合需要開發公司系統的系統工程師，以及想成為專業程式設計師承接系統開發的讀者

作　　者：古川順平
譯　　者：顏志融
責任編輯：黃俊傑

董 事 長：陳來勝
總 編 輯：陳錦輝

出　　版：博碩文化股份有限公司
地　　址：221 新北市汐止區新台五路一段 112 號 10 樓 A 棟
　　　　　電話 (02) 2696-2869　傳真 (02) 2696-2867

發　　行：博碩文化股份有限公司
郵撥帳號：17484299　戶名：博碩文化股份有限公司
博碩網站：http://www.drmaster.com.tw
讀者服務信箱：dr26962869@gmail.com
訂購服務專線：(02) 2696-2869 分機 238、519
（週一至週五 09:30 ～ 12:00；13:30 ～ 17:00）

版　　次：2022 年 11 月初版一刷

建議零售價：新台幣 780 元
I S B N：978-626-333-256-0
律師顧問：鳴權法律事務所 陳曉鳴律師

本書如有破損或裝訂錯誤，請寄回本公司更換

國家圖書館出版品預行編目資料

Excel VBA 教科書 / 古川順平著；顏志融譯. --
初版. -- 新北市：博碩文化股份有限公司，
2022.11
　　面；　公分. --

　　譯自：Excel VBAの教科書
　　ISBN 978-626-333-256-0(平裝)

　　1.CST: EXCEL(電腦程式)

312.49E9　　　　　　　　　　111014282

Printed in Taiwan

博 碩 粉 絲 團　歡迎團體訂購，另有優惠，請洽服務專線
(02) 2696-2869 分機 238、519

序

　　本書是寫給想以 Excel 為基礎改善工作方式，或有意願製作系統的人看的 VBA 解說書。內容涵蓋廣泛，從 VBA 的基礎面，乃至實作導向的程式設計均會介紹。適合需開發公司系統的系統工程師，或想成為承包系統製作案件的外包 VBA 程式設計師等讀者閱讀。

　　VBA 是種以程式操作 Excel 的工具，具有兩個不同於其他程式語言或開發環境的特徵。

　　第一個是「開發與執行環境都在『Excel』中」。VBA 主要是以程式來操作「Excel 的功能」，因此若一開始不先打好「熟悉 Excel 的結構與習慣」這個基礎，難免就會因不懂內容而感到茫然。所以在寫程式時，不是寫出從無到有建構出計算方法跟顯示介面，而是以「我要使用 Excel 的那個功能」或是「我要取消那個動作」這樣的觀點來寫。有鑑於此，本書將會介紹透過 VBA 使用 Excel 功能的方法與機制，還有該如何找到對應的 VBA 程式碼。

　　第二個是「VBA 雖然是個歷史悠久的程式語言，但其實內容不算是很有條理」。通常在學習程式語言時，會先給出一條明確的規則，再有條有理地解說這個規則讓使用者學習。VBA 在這點卻意外地隨意。畢竟在漫長歲月中一點一滴地改變了方針，也或多或少新增或刪除了一些功能。說實話，不免會有學過其他語言的人看了覺得「為什麼啊？」的地方。本書也會帶領讀者領略這些「令人感到無奈，但也只能接受」的，屬於 VBA 的特殊之處，再介紹實際的程式碼。

　　當然，也不是從頭到尾都圍繞著以上兩個特徵介紹，這樣就變成一本介紹「VBA 冷知識」的書了。本書還是會把焦點放在 VBA 的基本結構與條件分支、迴圈處理等程式流程的實作方式上，請各位讀者放心。

　　筆者與 VBA 打交道已經有 20 年了。VBA 是筆者經常使用且知之甚詳的工具，因此包含一些「稍嫌難纏」的部份也會在書中分享給各位，希望大家在輕鬆翻閱的過程中能夠更加理解 VBA。當然，也會提供許多在工作中派得上用場的實用知識，請務必帶一本回家幫助學習。

Contents

基礎篇

Chapter3 　走進程式的世界 ～ **VBA** 的基礎文法 ～

Chapter6　什麼時候執行巨集？

Chapter7　程式的錯誤處理與除錯

Chapter8　以外部函式庫擴充 **VBA** 的功能

Chapter9　巨集組件化與自訂函數

實踐篇

Chapter10　　**存取目標儲存格**

Chapter12　以 VBA 進行資料處理

Chapter15　**與外部資料的協作處理**

Chapter16　**匯入 Web 上的資料**

Chapter17　提升巨集的執行速度

Chapter18　資料輸入介面

Chapter19 ## 自訂表單

Chapter 1

VBA 的前置作業與功能

「VBA（Visual Basic for Applications）」是用來編寫巨集功能與內容的程式語言。本章將會介紹 VBA 的基礎知識，以及如何在 Excel 中設定使用環境。由於 VBA 是搭載在 Excel 的標準配備，因此環境的設定也是非常簡單。接下來，就讓我們一起進入 VBA 的世界吧！

1-1　了解 **VBA** 的功能及使用目的

　　讓我們開始學習如何在 Excel 中使用 VBA 吧！ VBA 是「**Visual Basic for Applications**」的縮寫，簡單的說就是「**為了操作 Excel（Office 產品）而開發的程式語言**」。

　　Excel 是歷史悠久的試算表軟體，具備琳瑯滿目的功能。有些人利用試算表功能來管理及分析資料、製作含有圖表的報告，有些人用來當作日常筆記或靈感記錄本。或許我們可以說在「一千個使用者的眼中，就有一千種不同的用途」，雖然是略顯誇張，但 Excel 無疑擁有數量龐大的使用方式。因此當被問到「我可以用 Excel 來做什麼？」越了解 Excel 的人，反而越不知道該如何回答，畢竟「能做的事情」真的太多了。

　　在功能繁多的 Excel 當中，VBA 擁有「利用程式來實現自動化操作」的能力。只要是 Excel 中所具備的功能，幾乎都能用程式來操作。也就是說，即使用途如上述般的多樣化，只要是平時能在 Excel 中完成的操作，就能透過 VBA 實現自動化，使日常工作變得更為方便。

　　當然，自動化的核心功能——「**瞬間完成大量操作**」的遞迴處理（迴圈），以及「**依據儲存格的值或其他條件改變程式流程**」的條件分支（If 敘述、Select 敘述）——也都能透過 VBA 來實現。此外，不限於 Excel 本身，就連 Windows 系統的行為都能透過 VBA 來執行，例如檔案重新命名、新增或刪除資料夾等。當碰上這種「通常不會只用 Excel 來完成的行為」時，VBA 就會呼叫所需的功能來使用，這種機制便稱為自動化。

　　最後還有一點，在 VBA 中還有各種組件（控制項），能夠用來製作如「按鈕」、「清單方塊」、「核取方塊」這類「**協助使用者進行操作**」的 UI（使用者介面）。

▶ VBA 的功能一覽表

功能	用途及簡介
將 Excel 的功能程式化	將平時以 Excel 進行的工作編寫為程式，只需執行即可迅速完成工作
控制程式的流程	例如重複執行「循環 100 次」、「在所有工作表中循環」、「在所有活頁簿中循環」的功能，以及「依據儲存格的值決定執行哪個程式」、「將以往需要人工判斷的部分改為自動化」等，依據條件來改變作業流程
擴充 Excel 的功能	例如針對檔案或資料夾的行為，以及 Access 的資料庫操作、使用正規表示式等，能透過擴充功能來執行這類無法僅用 Excel 來完成的行為
自訂使用者介面	能在試算表上設置按鈕、核取方塊等製作出特定用途的表單頁面，並透過 Excel 進行利用

　　VBA 的功能和 Excel 同樣包羅萬象，因此最初必須先釐清「我到底想利用這個程式完成什麼事情？」若能藉此掌握「應該針對哪些功能進行學習？」那麼離編寫出自己所需的程式也就不遠了。

Column 「VBA」與「巨集」

　　每次談到 Excel 自動化這個主題時，就會聽到「VBA」與「巨集」這兩個名詞。「巨集」是 Excel 的功能之一，能夠達到「將多個動作錄製成一組操作，並重複執行」的效果。不僅是 Excel，其它軟體也將這類「錄製多個動作並重複執行的功能」稱為巨集。

　　在 Excel 中，我們能用程式自由地紀錄並編輯巨集所執行的內容，此時用來編輯的規則（程式語言）就是「VBA」。也就是說，兩者之間的關聯是「VBA 是編寫巨集內容的程式語言」。只是在一般人的認知當中，常把「VBA」與「巨集」都當成是「使 Excel 自動化的功能」。因此雖然也要看前後文，但只要一看到這兩個名詞，能意會到「啊，這是在講自動化吧」，就沒問題了。

1-2 **VBA** 概述與使用前的準備

接下來將要開始學習 VBA，但在此之前，希望各位能先記住以下這些 VBA 的「特徵」。

- 用來「操作 **Excel**」的程式語言。
- 基本上是物件導向。
- 但也有不是物件導向的部分（特別是那些舊時代的產物）。
- 從好壞雙重意義上來說，就算「程式寫得有點隨意」還是能跑。

最大的特徵是，Excel 的 VBA 是「奠基於 Excel」且用於操作 Excel 的程式語言。使用者需要將 Excel 的各種功能視為物件，類似「操作目標功能的負責人」，再利用「指定負責人並分派工作給他」的模式來下命令。只要能掌握這個概念，就能巧妙地完成想要運用的功能。

▶ 撰寫對於物件的指令

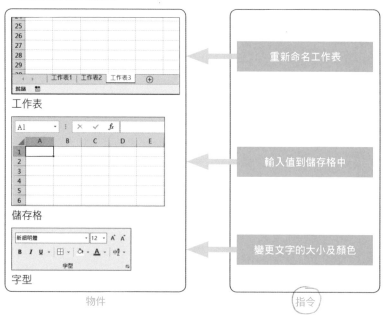

物件　　　　　　　　　　　　　指令

　　只是，畢竟 Excel 這個軟體歷史悠久，經歷了數不清的版本變更，不僅追加了各式各樣的功能，偶爾還會移除部分功能。因此 VBA 語言也必須隨著版本的更新去追加、移除這些功能。這就好像每次只進行局部裝潢、重建的房子一般，多少會顯得雜亂無章。也因此，VBA 相較於其他程式語言來說，有些較為缺乏條理的地方。

　　例如想依序排列（排序）工作表中的資料，或是擷取特定內容（篩選）時，可能會遇到兩種不同的寫法，或者版本不同導致部份指令無法通用等。畢竟，這是用了超過 20 年的程式語言。

　　也因此有很多人，特別是個性一板一眼的人在學習 VBA 的過程中，應該會想著「到底哪一種才是『正確的』啊？」「沒有一條『有條理而統一』的規則能遵循嗎？」而感到煩惱吧。事實上，這兩個問題的答案是「其實哪一種都可以」、「因為新增這個指令的時代不同，所以不能用相同規則概括」。所以在學習過程中，如果能在腦海中抱持著「這是很久以前創造出來、經歷了漫長歲月的語言」的印象，再帶著「反正就是這樣」的心態去面對，一路上或許能更為順遂。

　　還有，VBA 在好壞雙重意義上，是一種「即使寫得隨意點還是能跑」的程式語言，但同時也具有「好好寫的話能跑得更快」的性質。因此學習的門檻很低，但也能在不斷琢磨內容之下得到優秀的成品。所以我們起初會先學習「較為隨意」的寫法，想辦法寫出想做的操作，在這個基礎上再逐漸轉換成「嚴謹」的寫法，最後就能寫出自己所需的程式。

■ 使用 VBA 的前置作業

　　Excel 原本就含有能使用 VBA 的環境。為了能更順利地進行開發工作，先新增「**開發人員**」這個索引標籤到功能區裡吧。使用 VBA 開發時會用上的各種方便功能，都整合在「開發人員」索引標籤中。

　　首先點選**檔案**→**選項**打開「Excel 選項」對話框，點選畫面左側功能表中的自訂功能區，就會在右側開啟**功能區項目列表**，接著只要勾選**開發人員**，再按下**確定**即可。

▶「開發人員」索引標籤

▶「Excel 選項」對話框

①點選自訂功能區　　②勾選開發人員　　③按下確定

　　新增「開發人員」索引標籤後,即使關閉 Excel 依然會維持相同狀態,也就是只要設定這一次,之後就會一直留在功能區。

　　例如要執行巨集(使用 VBA 撰寫的程式會儲存為巨集)、撰寫或檢視程式,只要是跟 VBA 有關的功能,點開「開發人員」索引標籤都能找到。

1-3　VBE 的使用方式

使用專屬編輯器 VBE（Visual Basic Editor）可以檢視或編輯巨集。在「開發人員」索引標籤中，點選最左邊的 **Visual Basic**，就會顯示 VBE 畫面。

▶ VBE 畫面

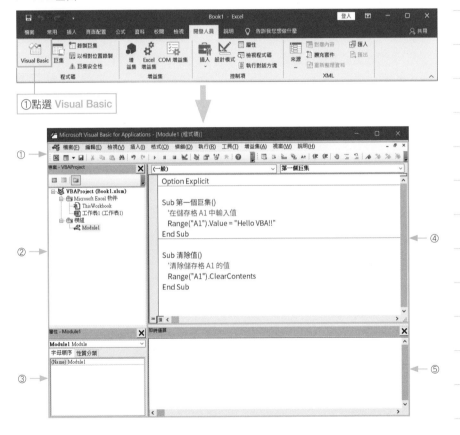

①點選 Visual Basic

VBE 畫面大致分為以下五個部分，用滑鼠拖曳每個視窗的邊界，就能調整視窗的大小。

▶ **VBE 畫面中每個區域的用途**

位置	用途
①功能表與工具列	使用 VBE 的各種功能
②專案總管	能檢視或編輯活頁簿內的「模組」結構
③屬性視窗	能設置指定的物件或控制項（主要用於製作自訂表單）
④程式碼視窗	VBE 中最主要的視窗，用以檢視、設定程式
⑤即時運算視窗	能在除錯時確認值，也能寫入簡單的程式碼直接執行，也就是所謂的控制台

　　若要從 VBE 畫面返回 Excel 畫面，可以點選 VBE 畫面右上角的 ╳，或是點選工具列左邊的 **Excel 圖示**。此外，按下快速鍵 **Alt ＋ F11** 可以切換 VBE 與 Excel 的畫面。

▦ 功能表與工具列

　　VBE 和 Excel 同樣在畫面上方有功能表，其下的工具列則有對應到各種常用功能的按鈕（不同於目前 Excel 等 Office 產品使用的功能區介面，VBE 使用的是舊式工具列）。

　　下面的畫面分成四個視窗。

▦ 專案總管

　　專案總管位於 VBE 畫面的左上方，用於檢視、編輯開啟中的 Excel 活頁簿裡的模組（撰寫程式碼的地方）結構（模組於第 10 頁介紹）。

▦ 屬性視窗

　　屬性視窗位於 VBE 畫面的左下方，用於檢視目前選定物件的屬性，其實只製作巨集的話幾乎不會用到這個區塊。那何時才會用上呢？例如製作自訂表單

時要在表單上配置按鈕、文字方塊等**控制項**，屬性視窗就是用來調整這些控制項的大小及位置。物件及屬性會在 30 頁，自訂表單則會在 472 頁進行解說。

程式碼視窗

　　程式碼視窗位於 VBE 畫面的右上方，是製作巨集時的主要視窗，會顯示在專案總管中選取的模組內容。程式碼視窗是個如同「記事本」的純文字編輯器，可以在這裡檢視、編輯程式的文字內容（以下簡稱程式碼）。

即時運算視窗

　　即時運算視窗位於 VBE 畫面的右下方，如果製作巨集時想簡單地確認動作狀態，或者檢視「變數」的值，可以輸出到這個地方，同時也能顯示程式的執行結果。它的定位就如同程式開發環境中，常用於簡單確認值與程式碼的「控制台」。

1-4 最簡單的巨集結構

接著來體驗利用 VBE 製作結構最簡單的巨集吧。

首先打開 Excel 並新增活頁簿，點選「開發人員」索引標籤中的 **Visual Basic** 開啟 VBE 畫面。

建立標準模組

在 VBE 的功能表中點選**插入**→**模組**，就會在專案總管裡的「模組」欄位中建立名為「**Module 1**」的模組，並將「Module 1」的內容顯示在程式碼視窗中。因為才剛剛建立，Module 1 的內容還是空白的。

首次接觸 VBA 的讀者，讀到這裡應該會想問「什麼是模組？」姑且先把它當作「撰寫巨集的地方」，來進行下一步作業吧。

▶ 插入「模組」

1
2
3
4
5
6
7
8
9
10
11
12
13
14
15
16
17
18
19

Column　透過工具列建立模組

其實點選工具列上的「模組」按鈕也可以建立模組。此外，工具列顯示的按鈕會隨著先前建立的模組而改變。

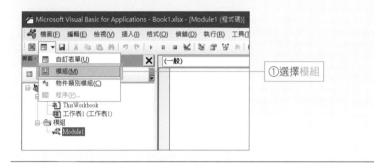

①選擇模組

██ 輸入程式碼

在程式碼視窗中適當的位置輸入下列程式碼。

```
sub macro1
```

輸入程式碼時要先切換成英文模式，無論用大小寫輸入均可，「sub」、「macro1」之間要輸入半形空格。還有輸入前，記得先確認是否已在專案總管點選方才新增的 **Module 1**。

輸入完成後按下 **Enter** 鍵，程式碼就會變成如下圖般，自動加上了「()」以及「End Sub」的狀態。

▶ 輸入標題

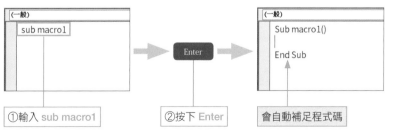

①輸入 sub macro1　　②按下 Enter　　會自動補足程式碼

　　這時候表達文字輸入位置的文字游標（正在閃爍的直條）應該會位於「Sub」和「End Sub」之間。在這裡按一下 **Tab** 鍵新增縮排，接著輸入以下程式碼。

```
MsgBox "Hello VBA!!"
```

　　「MsgBox」與「"Hello VBA!!"」之間同樣要有半形空格。而在預設設定中，縮排會輸入四個半形空格。

　　輸入以後就完成了，我們已經做出了具有一行指令的巨集。

　　這個巨集會彈出寫著「Hello VBA!!」的訊息方塊，稍後再來解釋裡面的內容。

巨集 1-1

```
Sub macro1()
    MsgBox "Hello VBA!!"
End Sub
```

▶ 完成了簡單的巨集

```
(一般)
Sub macro1()
  MsgBox "Hello VBA!!"
End Sub
```

執行巨集

　　既然做好了就試著執行看看吧。首先要確定文字游標位於「Sub」到「End Sub」之間。如果跑出去了，就點一下「Sub」到「End Sub」之間任一行把它拉回來。

　　在這個狀態按下工具列中的**執行 Sub 或 UserForm**。就能執行剛剛完成的巨集。這個巨集會切回 Excel 畫面，並彈出寫著「Hello VBA!!」的訊息方塊。

　　還可以點選功能表中的**執行→執行 Sub 或 UserForm** 來執行巨集。

▶ 執行巨集

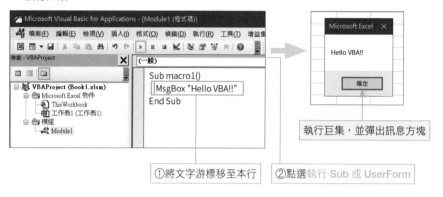

①將文字游標移至本行 　②點選執行 Sub 或 UserForm

執行巨集，並彈出訊息方塊

從「巨集」對話框執行

若按下「執行 Sub 或 UserForm」時文字游標不在「Sub」到「End Sub」之間，就會彈出「巨集」對話框。裡面會列出目前可執行的巨集列表，可以從中選擇要執行的巨集再按下「執行」。

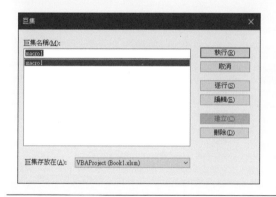

▥ 巨集的製作流程

以上一連串過程就是典型的巨集製作流程，我們依序歸納一下重點。

● 準備巨集的「容器」

VBA 的程式碼要寫在稱為模組的地方。用來製作巨集的模組也稱為**標準模組**，可以在活頁簿中自由新增或刪除。多數情況下，製作巨集的第一步都是先建立標準模組。

除了標準模組之外，VBA 中還有「物件模組」、「類別模組」等。下面的 Column 會介紹物件模組，類別模組則會在 231 頁進行說明。

Column 內建的「物件模組」

剛剛建立模組時，應該很多人會注意到列表裡已經有「工作表」跟「ThisWorkbook」這兩個模組了吧。

「工作表」跟「ThisWorkbook」就是稱為「物件模組」的模組。物件模組和標準模組類似，點兩下就能在程式碼視窗中顯示內容及進行編輯。

物件模組的用途主要是用於撰寫「事件處理（172 頁）」。例如「想在開啟活頁簿時執行某種行為」或者「想在變更 Sheet1 裡儲存格的內容時執行某種行為」，只要選取對應物件並撰寫程式碼即可。

另外，在 Excel 中新增／移除活頁簿及工作表時，會同時新增／移除對應的物件模組。

● 搭建巨集「框架」

因為可以在一個模組中製作多個巨集，所以為了決定每個巨集的程式碼「從哪裡開始到哪裡結束」，需要搭建巨集的「框架」。

■ 巨集框架

```
Sub 巨集名稱 ()
    在這個範圍的程式碼就是巨集執行的內容
End Sub
```

在「Sub」後面空一個半形空白，再寫下有別於其他巨集的巨集名稱。巨集名稱不管是用英文或日文命名都無所謂，但是有「不能用數字開頭」和「禁止使用 _（底線）之外的符號」等等限制。

在 VBA 中有「**每個巨集要從『Sub』開始，到『End Sub』結束**」這個規則，因此兩者間的程式碼就是巨集執行的內容。

此外，就像剛剛體驗過的，只要輸入「Sub 巨集名稱」再按下「Enter」，就會自動填入後面的括號跟「End Sub」。再補充一點，即使把「Sub」的部份打成小寫的「sub」或是全形的「Ｓｕｂ」，都會自動修正為「Sub」。

▶ 可以在一個模組中製作多個巨集

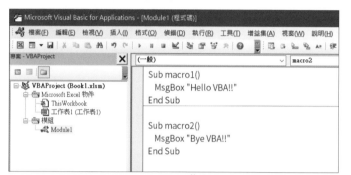

Module - 模組

還有，如果在一個模組中製作了多個巨集，按下「執行 Sub 或 UserForm」按鈕時會執行文字游標所在的巨集。如果此時文字游標不在任何巨集內，則會跳出「巨集」對話框，可以從列表中選擇想執行的巨集。

● 撰寫巨集的內容

框架搭好後，就只剩下在「Sub」到「End Sub」之間填入程式碼這個步驟了。雖然剛剛寫的巨集只有一行，但要撰寫多行程式碼也沒問題，原則上程式碼會依照由上而下的順序執行。

如上所述，**建立標準模組→決定巨集名稱及搭建「框架」→撰寫巨集的內容**，就是製作程式的流程。

Column 巨集名稱會顯示在「巨集」對話框裡

雖然説除了英文、數字之外,也可以使用日文來幫巨集命名,但曾經有寫程式經驗的人,或許會對使用日文這類全形文字有所抗拒。這種情形當然只用半形英文或數字來命名也沒問題。

但在 VBA 裡也是有下面這種情況,按下 Excel「開發人員」功能區中的「巨集」按鈕時,彈出的「巨集」對話框會顯示在 VBE 中做好的巨集列表,可以從列表中選擇執行任意巨集(按下「執行 Sub 或 UserForm」按鈕也會彈出同一個對話框)。

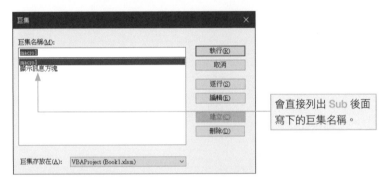

列表中顯示的就是寫在「Sub」後面的巨集名稱。因此如果採用「取個讓人好懂的日文名字」這種命名風格,有時會讓使用巨集的人更容易理解用途。因此在命名這方面,記得將「是誰要使用,以及會如何使用巨集」納入考量。

使用「註解」和換行

接著要介紹兩個對於製作 VBA 巨集,以及閱讀範例程式碼來學習時很方便的功能。

● 註解

只要在 VBA 程式中輸入「'(單引號)」,那一行剩下的程式碼就會全部被視為註解。註解不會影響程式的結果,純粹是類似「筆記」的功能,而且在 VBE 中會標示為綠色。

註解有各式各樣的用途。像是「記錄巨集的內容及用途」、「在開發期間記錄待辦清單」等,還請多加利用。

▶ 註解功能

```
(一般)                          ∨ | macro1
Sub macro1()
  '從單引號開始的部分就是註解

  '在儲存格 A1 中輸入值
  Range("A1").Value = "Hello VBA!!"
End Sub
```

　　順帶一提，使用註解說明程式碼時，分成「將註解寫在上方，以說明下面的程式碼」及「將註解寫在下方，以說明上面的程式碼」兩派，本書採用「將註解寫在上方」的方式進行說明。

　　還有，註解也可以從一行中間開始寫。例如一次宣告多個變數時，想用註解記錄個別變數的用途，就可以採用這種寫法。

▶ 從一行中間開始註解

```
'宣告變數
Dim nameStr As String      '處理姓名的字串
Dim birthDay As Date       '處理生日的姓名值
```

Column　一次將多行設成註解

　　若想設定多行註解，如果要一行一行輸入「'」也挺麻煩。這時候只要利用「使程式行變為註解」這個功能，就能一次將多行設成註解。

　　先選取想註解的部份，並依序從功能表中選擇檢視→工具列→編輯，就會顯示「編輯」工具列，再按下使程式行變為註解按鈕即可。若要移除註解，則需按下使註解還原為程式按鈕。

①選取要註解的行　　②選取檢視→工具列→編輯　　③點選使程式行變為註解

● 撰寫跨行程式碼的方式

　　VBA 的程式碼原則上都是「以一行為一個單位」的格式。這行程式碼就稱為敘述。但如果一行程式碼過長，也可以在兩個單字之間**換行**。

　　使用「◯（半形空格、底線）」可以換行，例如下面這個稍長的程式碼。

```
Set rng = Application.InputBox(Prompt:=" 選擇處理對象儲存格 ", Type:=8)
```

　　這段程式碼可以像下面這樣寫成兩行。

```
Set rng = _
    Application.InputBox(Prompt:=" 選擇處理對象儲存格 ", Type:=8)
```

　　甚至還能像下面這樣，分成三行以上來寫（雖然這個例子是有點極端啦）。

```
Set rng = Application.InputBox( _
    Prompt:=" 選擇處理對象儲存格 ", _
    Type:=8 _
)
```

　　VBA 中有透過引數來傳遞多個參數的機制，像上面這段程式碼就用了兩個引數。這種情況下，利用換行的技巧能清楚展現出每個引數，還有要傳遞的參數值，也就是為了以後方便維護程式碼，才對這一行程式碼分行。所以程式碼中常常出現「半形空格、底線」就是因為這些原因。還有一個在講解 VBA 的「書籍」中常會有的原因，就是「如果一行程式碼太長，會卡到書頁底端被迫換行」，因此採用換行作為對策（在本書中也時常利用）。

　　所以看到末端有「底線」的程式碼時，要帶著「啊，這句還要接下一行程式碼」的認知去讀它。

1-5　儲存做好的巨集

要儲存含有巨集的活頁簿時，步驟和一般的活頁簿略有不同。

儲存活頁簿時，要將「存檔類型」選為 **Excel 啟用巨集的活頁簿**（***.xlsm**）才能儲存。

▶ 指定存檔類型

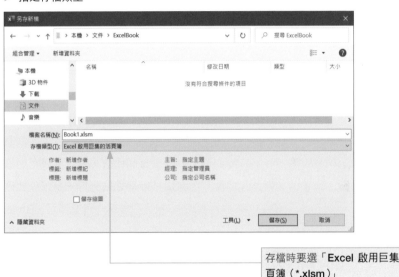

存檔時要選「**Excel 啟用巨集的活頁簿**（***.xlsm**）」

儲存後的活頁簿副檔名會是「***.xlsm**」，圖示會比一般的 Excel 圖示上多出一個「！」。

▶「*.xlsm」形式的活頁簿

內含巨集的活頁簿會以「**檔案名稱 .xlsm**」的形式儲存

第一個巨集.xlsm

　　說起為何需要這個步驟，是因為要在使用者準備開啟這個活頁簿時，提醒他「這個活頁簿內含巨集，要是不加思索地打開，說不定會啟動裡面的惡意程式喔」以喚起使用者的警覺心。

　　其實有一段時期，常有人在網路上意外開啟了內藏惡意程式碼的檔案，而導致電腦受害，也就是所謂的「巨集病毒」（其實現在也很常見）。而 VBA 身為擁有巨集軟體的代名詞，很容易被人盯上成為目標，也引發了很多問題。

　　因此才添加了「必須以不同副檔名儲存內含巨集的活頁簿」、「開啟內含巨集的活頁簿前會實施安全性確認」這些措施，以作為增強安全性的對策。

　　但也正因為這些措施，如果在現有活頁簿中加入了巨集，就必須另存成「*.xlsm」檔，而不能覆寫原來的檔案。

Column　要將活頁簿自動化，非得一個一個寫巨集才行嗎？

　　可能有些人聽完「巨集要在活頁簿中建立模組來製作」這個規則會感到不安，「那如果我有好幾個活頁簿想用巨集來自動化，不就得一個一個建立模組、寫巨集，再另存成『*.xlsm』才行？」

　　這個問題的答案要說「對」或「錯」都行。其實根據巨集的寫法不同，也有能操作「並非巨集所在的活頁簿」的方式。甚至還有「個人巨集活頁簿」這種專門保存「所有活頁簿都能共用的巨集」的工具。

Column　如何開啟內含巨集的活頁簿

　　開啟內含巨集的活頁簿時，要不就是會彈出警告，或是就算打開了，也會在公式列下方顯示警告訊息，這些都是防止巨集突然執行的方式。如果這個活頁簿是來自可信賴的來源，可以點選「啟用巨集」或「啟用內容」按鈕，來啟用內含的巨集。

Chapter 2

透過物件存取
Excel 的功能

本章將介紹利用 VBA 撰寫程式的基本概念,譬如「物件導向」與 Excel 各
個功能的關聯性、物件導向程式設計中常見的「點記法」,以及 Excel 各種
功能化為物件後的基本存取規則。

2-1 如何使用即時運算視窗

當產生「我要開始學習 VBA！」的想法時，就該先記住「即時運算視窗的用法」這個實用技能。即時運算視窗就顯示在 VBE 畫面右下方，如果沒有顯示的話，可以點選功能表中的**檢視→即時運算**視窗讓它回來。

▶ 即時運算視窗

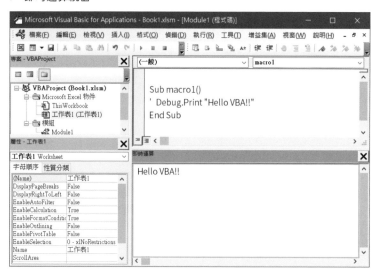

顯示巨集的執行結果

可以用下列程式碼將值輸出到即時運算視窗中。

■ 顯示值

```
Debug.Print 值
```

還可以用「,（逗號）」分隔同時輸出多個值。

■ **顯示多個值**

```
Debug.Print 值1, 值2, …
```

例如寫出下列巨集並執行,就能將值顯示在即時運算視窗中。執行巨集的方法請參閱 26 頁。

巨集 2-1

```
Sub Macro2_1()
    Debug.Print "Hello VBA"
End Sub
```

▶ **顯示結果(值)**

即時運算
Hello VBA!!

例如只想簡單測試程式碼,或是想在巨集執行中確認特定儲存格或變數值都非常方便。

直接輸入程式碼並執行

即時運算視窗不僅能輸出值,還具備「輸入單行指令能直接執行」的功能。例如在即時運算視窗中輸入下列程式碼。

```
ActiveCell.Clear
```

這句程式碼的內容是「清除當前儲存格的值」。像這樣,直接輸入程式碼到即時運算視窗中再按下 **Enter** 鍵,就會直接執行這行程式碼。

▶ 在即時運算視窗中直接執行

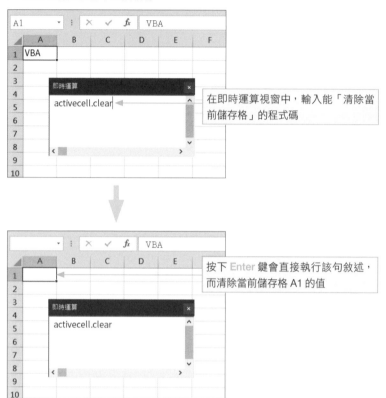

在即時運算視窗中，輸入能「清除當前儲存格」的程式碼

按下 Enter 鍵會直接執行該句敘述，而清除當前儲存格 A1 的值

在 VBA 的學習階段中，時常需要簡單測試程式碼，這時只要運用在即時運算視窗中直接執行程式碼的功能，就能輕鬆進行測試。

此外，使用即時運算視窗時有個值得記住的實用功能，就是改用「？（問號）」來寫。在即時運算視窗中「？」能當成前述「Debug.Print」的簡短語法（語法糖／Syntactic sugar）來使用。只要在「？」後面加上半形空格再接想輸出的內容，就會將這個內容輸出到即時運算視窗中。

所以可以用「？」取代每次都要寫的「Debug.Print」，這樣就能快速地查看想知道的值，或是檢視程式碼的輸出結果。

▶ 利用「?」的語法糖

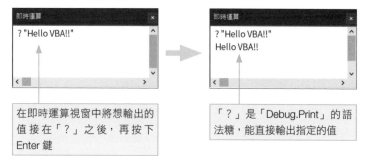

在即時運算視窗中將想輸出的值接在「?」之後，再按下 Enter 鍵

「?」是「Debug.Print」的語法糖，能直接輸出指定的值

Column　VBA 是種不區分大、小寫的程式語言

上文中介紹過「ActiveCell.Clear」這句程式碼用以清除當前儲存格的內容，我們先回頭再看一次上一頁的圖，寫在即時運算視窗中的「activecell.clear」全都是小寫。即使如此，按下「Enter」鍵之後還是能順利執行程式碼。

其實 VBA 是種「不區分大、小寫的程式語言」，對 VBA 來說，「ActiveCell」和「activecell」毫無差別。特別是只想用即時運算視窗做點簡單測試時，不用在輸入時顧慮大小寫，輕鬆多了。

Column　VBE 會自動修正輸入的內容

VBE 會自動修正輸入到程式碼視窗裡的內容。例如全用小寫輸入時如果滿足 VBA 的關鍵字（在 VBA 的語法規則中含有特定意義的內容），就會將大、小寫自動修正成符合該關鍵字的形式。其他像是利用逗號分隔引數時，也會自動在每個逗號後面加上半形空白。

雖然像首行縮排或是沒有內容的空白行等，在 VBA 語法規則中不具特別意義故不會被修正，但其他地方還滿常幫我們自動修正的。

因此也可以利用這個功能，採用「刻意以小寫輸入關鍵字，要是 VBE 沒有自動修正大概就是拼錯字了」的手法來寫程式。

2-2 操作儲存格的值

前面我們學完測試程式碼的方法，現在該開始學習 VBA 的基本語法了。首先先看幾個實際程式碼跟執行結果，後面會再解釋它們的原理。這節的主題是可稱為 VBA 基礎的「操作儲存格的值」。

底下的程式碼都能直接輸入到即時運算視窗中執行。另外，本書的範例程式碼請至博碩官網下載，可從中複製貼上，執行及檢視結果。

將值輸入儲存格

首先來看看能輸入值到儲存格中的程式碼。下列程式碼會輸入「Hello VBA!!」這個值（字串）到儲存格 A1 中。

巨集 2-2

```
Range("A1").Value = "Hello VBA!!"
```

實例 輸入「Hello VBA!!」到儲存格 A1 中

下列程式碼會輸入「1000」這個值（數值）到第二列、第一欄的儲存格中。

巨集 2-3

```
Cells(2, 1).Value = 1000
```

實例 輸入「1000」到第二列、第一欄的儲存格中

◢	A	B	C	D
1				
2				
3				
4				
5				

◢	A	B	C	D
1				
2	1000			
3				
4				
5				

下列程式碼會輸入「2018/6/5」這個值（日期）到儲存格範圍 A1:B2 中。

巨集 2-4

```
Range("A1:B2").Value = #2018/6/5#
```

實例 輸入「2018/6/5」到儲存格範圍 A1:B2 中

◢	A	B	C	D
1				
2				
3				
4				
5				

◢	A	B	C	D
1	2018/6/5	2018/6/5		
2	2018/6/5	2018/6/5		
3				
4				
5				

雖然這三個程式碼各有些許不同，但全都是分成

- 指定操作對象的位置
- 指定欲操作特徵的位置
- 指定輸入值的位置

這三個位置來撰寫的。

▶ 指定操作對象的位置

```
Range("A1").Value = "Hello VBA!!"
Cells(2, 1).Value = 1000
Range("A1:B2").Value = #2018/6/5#
```

▶ 指定欲操作特徵的位置

```
Range("A1").Value = "Hello VBA!!"
Cells(2, 1).Value = 1000
Range("A1:B2").Value = #2018/6/5#
```

▶ 指定輸入值的位置

```
Range("A1").Value = "Hello VBA!!"
Cells(2, 1).Value = 1000
Range("A1:B2").Value = #2018/6/5#
```

上述三個部分之後會分別稱為「指定物件」、「指定屬性」、「賦值」,我們可以先看成「指定操作對象、指定特徵、指定值」,寫程式時再遵循「到底要操作哪個對象」為原則。

■■ 輸入值的種類

雖然上面三個程式碼全都是「輸入值到儲存格中」,但輸入值分別是「字串」、「數值」、「日期」這三種類型,這時候就得用寫法來區分。下面會說到在 VBA 中用到這三種「值」時該怎麼寫。另外,這種直接用在 VBA 程式碼中的值(和後面介紹的「變數」不同,是「那個值本身」),我們稱為常值。

▶ 這三種「值(常值)」的寫法

值的種類	寫法	範例
字串	用雙引號框起來	"Excel" "VBA" " 試算表 "
數值	直接寫	100 1500 -50
日期、時間	用井字號框起來	#2018/1/10# #14:00#

之後還會詳細介紹,總之是以

- 字串要用「" "」框起來
- 數值直接寫就行
- 日期或時間要用「# #」框起來

這樣的規則來撰寫。

■■ 清除儲存格的值

剛剛看了輸入值到儲存格的程式碼,現在來看看能去除(清除)輸入值的程式碼。

下列程式碼將會清除儲存格 B2 的值。

巨集 2-5

```
Range("B2").ClearContents
```

實例 清除儲存格 B2 的值

	A	B	C	D
1				
2		VBA		
3				
4				
5				

	A	B	C	D
1				
2				
3				
4				
5				

清除值的程式碼結構跟輸入值時有些不同。用以「指定操作對象」的「Range("B2")」這部份相同，但後面卻只接了「ClearContents」這個語法。其實「ClearContents」這部分指的是「只清除儲存格的值」，以 Excel 的功能來說，就是把按下「Delete」鍵時發生的動作（或是點選功能區中「常用」→「清除」→「清除內容」時發生的動作）程式化之後的結果。在 VBA 中就像這樣，把 Excel 的一般功能整理成方法，再分配到特定對象（物件）身上。

所以想用程式「執行」Excel 擁有的功能時，就需要「指定完操作對象後，再指定想要操作的功能」。

這時也是想著「先指定操作對象」後「再指定功能」，依然是以「到底要操作哪個對象」的角度來撰寫程式。

雖然不斷重申這句話，但要進入下一個環節之前，請先記住從「指定操作對象」開始寫程式這個原則。

Column　日期常值的自動修正

將以井字號框起來的日期值輸入程式碼視窗時，會自動修改成「# 月 / 日 / 年 #」的形式。例如輸入「#2018/9/3#」會修改成「#9/3/2018#」的形式（會在 136 頁進行詳細解說）。

2-3 Excel 的功能由物件分門別類

利用 VBA 運用 Excel 功能的程式碼，都要從「指定操作對象」開始寫，這個「操作對象」就稱為物件。

▶ 典型的物件

物件	用途
Range	針對儲存格的操作
Worksheet	針對工作表的操作
Workbook	針對活頁簿的操作
Application	針對 Excel 整體設定與功能的操作
Font	針對字型的操作
Interior	針對儲存格格式的操作
Sort	針對排列順序（排序）設定的操作
AutoFilter	針對篩選設定的操作

例如，在 VBA 中使用 **Range** 物件能處理和儲存格有關的操作，使用 **Worksheet** 物件則能處理和工作表有關的操作。

另外，雖然提到物件（物品）給人一種「能看到的東西」的印象，但其實也有「處理字型的 **Font** 物件」或「設定儲存格格式的 **Interior** 物件」，甚至還有「進行排序設定的 **Sort** 物件」和「取得篩選器中各欄設定的 **Filter** 物件」等。真要說的話，也許視為「人」而不是「物」，想成像是「Excel 每個部件或功能的負責人」會更好。

只要帶著「先找到想操作的部件或功能的負責人（物件），再請負責人幫我完成」的想法，就能操作像 Excel 這樣多功能的軟體。

物件的屬性與方法

每個物件都帶有屬性及方法。屬性用以處理值、狀態這類的「特徵、狀態」，方法則用以處理每個物件各自的「功能、指令」。

以下列出負責儲存格的 Range 物件身上主要的方法與屬性。

▶ **Range** 物件的屬性（摘錄）

屬性	用途
Value	取得／設定儲存格的值
Width	取得／設定儲存格寬度
Interior	存取關於儲存格格式資訊的 Interior 物件

▶ **Range** 物件的方法（摘錄）

方法	用途
Clear	完全清除儲存格
ClearContents	僅清除儲存格的值或公式
Delete	刪除儲存格

要使用屬性或方法時，指定物件後需要加上「.（點）」再接上想使用的屬性或方法，這也就是俗稱的點記法。

■ 指定屬性

物件 . 屬性

■ 指定方法

物件 . 方法

設定取得屬性值

只要「先指定屬性再設定變更後的值」，就能變更物件的狀態。設定屬性值時要在屬性名稱後寫上「= 新值」。

■ 設定屬性值

物件 . 屬性 ＝ 新值

下列程式碼會將管理儲存格 A1 的值的「Value 屬性」，設定成「Hello VBA!!」這個值。結果等同於將「Hello VBA!!」輸入到儲存格 A1 中。

巨集 2-6

```
Range("A1").Value = "Hello VBA!!"
```

實例 將儲存格 A1 的「Value 屬性」設定成「Hello VBA!!」

◢	A	B	C	D
1	Hello VBA!!			
2				
3				
4				
5				

像是「想知道儲存格的值」、「想知道工作表名稱」等，若要取得屬性值，就要「先指定該物件，再寫下屬性名稱」。

下列程式碼會在即時運算視窗中輸出儲存格 A1 的寬度。

巨集 2-7

```
Debug.Print Range("A1").Width
```

實例 在即時運算視窗中輸出儲存格 A1 的寬度

執行方法

只要「先指定物件再執行方法」就能使用與物件有關的功能。

執行方法時，要將方法名稱以「. 方法」的形式寫在物件名稱後面。

■ 執行方法

物件 . 方法

下列程式碼會執行 ClearContents 方法，以清除儲存格 B2 的值。其結果將清除儲存格 B2 的值，但只有值會被清除，格式會原樣保留。

巨集 2-8

```
Range("B2").ClearContents
```

實例　清除儲存格 B2 的值

◢	A	B	C	D
1				
2		VBA		
3				
4				
5				

◢	A	B	C	D
1				
2				
3				
4				
5				

使用屬性及方法時指定引數

在部分屬性及大多數方法中可以使用引數。執行屬性及方法時所用到的引數，主要是用來指定每個功能的「選項設定」。

例如 Range 物件中的 **Delete** 方法能用來「刪除儲存格」，來看看引數該如何使用。

首先是不使用引數的普通 Delete 方法。執行後會刪除儲存格 B2，並使原來在 B2 下方的儲存格「上移」。

巨集 2-9

```
Range("B2").Delete
```

實例 **Delete** 方法的執行結果

▲	A	B	C	D
1	1	2	3	
2	4	5	6	
3	7	8	9	
4				
5				

▲	A	B	C	D
1	1	2	3	
2	4	8	6	
3	7		9	
4				
5				

接著用了引數來指定刪除儲存格後的位移方向。這次刪除儲存格 B2 後，會使原來在 B2 右方的儲存格「左移」。

巨集 2-10

```
Range("B2").Delete Shift:=xlShiftToLeft
```

實例 指定了引數 **Shift** 的 **Delete** 方法的執行結果

▲	A	B	C	D
1	1	2	3	
2	4	5	6	
3	7	8	9	
4				
5				

▲	A	B	C	D
1	1	2	3	
2	4	6		
3	7	8	9	
4				
5				

上述程式碼中，接在「Delete」後的「Shift:=xlShiftToLeft」這部分就是引數。只要在引數名稱與指定值之間加上「:=（冒號、等號）」，寫成「引數名稱 := 值」的組合，就能指定引數。

■ 方法的引數

> 物件 . 方法 引數名稱 := 值

在引數組中間利用「,（逗號）」分隔，就能指定多個引數。

■ 使用多個引數

> 物件 . 方法 引數名稱 1 := 值 1，引數名稱 2 := 值 2

每個屬性及方法能指定的引數個數、引數名稱均各自不同，這時也只能一個一個背了。但其實 VBE 裡只要輸入方法名稱後，再輸入一個空格就會顯示引數的彈出提示框，所以倒也不必真的記到一字不差。

▶ 引數的彈出提示框

輸入「Delete」再輸入一個空格，就會顯示 Delete 方法的引數彈出提示框。

此外，引數分成「必須設定的引數」和「若不設定就會按預設設定執行，所以是否設定都無妨的引數（可以省略的引數）」兩種。上述 Delete 方法的引數就屬於後者。

如果省略了必須設定的引數就會產生錯誤，這也是提醒我們不要「忘記指定」重要設定的機制。但相對的也讓我們不容易發現忘記指定可以省略的引數，要小心才行。順帶一提，在引數提示框裡，可以省略的引數會被「[]（方括號）」框起來。

在本書展示屬性及方法的語法時，針對可以省略的引數只會列出較常用到的幾個。若想得知其他引數的詳情，還請利用後面會提到的幫助功能進行查詢（50頁）。

管理「常數」的「列舉」工具

　　屬性跟方法的引數，大多用來「指定 Excel 內建功能的選項」。例如前面 Delete 方法的例子，就是利用 VBA 來實行 Excel 裡的「刪除」功能。為了確認這件事，來看看手動刪除儲存格時彈出的對話框。

▶ 刪除儲存格時的選項

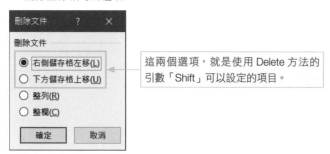

這兩個選項，就是使用 Delete 方法的引數「Shift」可以設定的項目。

　　使用功能區裡的**常用→刪除→刪除儲存格**等操作時，彈出的「刪除文件」對話框有四個選項，上方的「右側儲存格左移」和「下方儲存格上移」兩者，就是 Delete 方法的引數「Shift」能夠指定的項目。

　　也就是說，為了知道方法中「能指定哪些引數」、「分別有哪些用途」以及「可以設定什麼值」，只要實際在 Excel 中執行對應的功能，看看彈出的對話框就能知道大概了。

　　另外，像「刪除」這種採用「從複數選項中擇一的方式」的機制，在每個選項中都設有可對應的常數。

▶ 引數 **Shift** 中可以設定的常數

常數名稱	含義
xlShiftToLeft	右側儲存格左移
xlShiftUp	下方儲存格上移

　　xlShiftToLeft 這個常數對應「右側儲存格左移」，**xlShiftUp** 則對應「下方儲存格上移」。像這種「為了設定選項等而事先建立的常數」又稱為**內部常數**。

內部常數大多以「xl」或「vb」為前綴，後面再根據其用途取了容易分辨的名字……雖說如此，但畢竟是英文單字的組合，對於非英語圈的開發者而言，往往很難理解箇中含義。所以請先記下「設有內部常數對應到複選式的引數」這個規則。而且一旦了解了這個規則，在看範例或別人寫的程式碼時，至少能看得出「『英文單字 :=xl ○○』這部分是在設定選項」。

Column　將內部常數分組的「列舉」

　　內部常數會根據所對應的功能選項不同，定義出稱為「列舉」的分組。像前面 Delete 方法的引數 Shift 所能設定的兩個內部常數，就合併成了「XlDeleteShiftDirection 列舉」這一組。

　　當遇上第一次使用的屬性或方法時，只要在範例或自動錄製的程式碼中找到內部常數，再加上「列舉」為搜尋關鍵字，就能找到對應其他設定項目的內部常數。

■■ 讓設定引數更省事的機制

　　在 VBA 中指定引數有兩種方式。例如，用來篩選一片儲存格範圍的 **AutoFilter** 方法：需要用兩個引數指定「要篩選哪一欄」還有「要篩選的內容」這兩個資訊。

　　下列兩個程式碼，都能在儲存格範圍 B2:D20 中，以「第二欄」是「蘋果」這個條件進行篩選。

巨集 2-11

```
' 寫明引數名稱的程式碼
Range("B2:D20").AutoFilter Field:=2, Criteria1:=" 蘋果 "
```

巨集 2-12

```
' 利用引數順序的程式碼
Range("B2:D20").AutoFilter 2, " 蘋果 "
```

　　兩個程式碼執行的結果一模一樣。

在 VBA 中，有「若有定義引數，當省略引數名稱只填入值，等同依事先定義的順序分別指定引數」這種機制。

例如前述 AutoFilter 方法所定義的第一引數是「指定篩選哪一欄的 **Field**」，第二引數則是「指定欲篩選條件的 **Criteria1**」。也因此，寫明每一組「引數名稱 := 值」的程式碼，以及在方法名稱後只依序列出值的程式碼結果會相同。

像第一個程式碼這種寫明每組引數名稱與值的方式，又稱為**具名引數形式**；不寫出引數名稱的形式並沒有特別稱呼（但常聽到「標準引數形式」這個說法）。

寫成具名引數形式時，優點是從外觀就能「了解引數的用途，還有需要設定什麼值」，缺點就是輸入比較麻煩。

而寫成按引數順序指定的形式，優點當然是容易輸入，反之也有「不易理解設定這些引數值的目的及用途」的缺點。

說實話，要用哪一種全憑「個人喜好」，就兩種都試試看，再選擇適合自己的方式吧！

Column　還能「中途開始改用具名引數形式」來寫

指定引數時，其實也可以先用標準引數形式，中途才改用具名引數形式。例如前面用過的 AutoFilter 方法，也可以採用「第一引數不寫出『Field』，從第二引數才寫明『Criteria1』的寫法」這種方式。

巨集 2-13

```
Range("B2:D20").AutoFilter 2, Criteria1:=" 蘋果 "
```

這種寫法依舊可以看出「擷取第『二』欄的『蘋果』」。在標準引數形式中，有時想設定的引數順序偏後，得先在前面填入空值才能設定目標引數，但現在這個方式就能直接指定後面的引數了。但只要寫了具名引數，其後的引數就必須全部使用具名引數來指定。

雖然自己不一定會這樣寫，但腦袋中還是要先了解，像這樣子的寫法也是可以的。

2-4 # 存取目標物件

透過 VBA 操作 Excel 功能的程式碼，會先從「指定操作對象的物件」這部分開始。剛剛介紹過「利用屬性及方法」的機制，現在是時候學習該怎麼指定物件了。大致上可以分成以下兩種模式。

▶ 兩種指定物件的模式

方法	概述
從集合進行存取	利用「集合」這種工具來指定物件的方式
從任意物件的層次結構進行存取	利用物件間的層次結構來指定物件的方式

透過集合指定物件

在 VBA 中提供了集合這種工具，用於一起處理同類物件。集合通常命名為「物件名稱＋複數形『s』」。

▶ 集合的例子

集合	概述
Worksheets 集合	整合處理工作表的 Worksheet 物件
Workbooks 集合	整合處理活頁簿的 Workbook 物件

例如，用來處理工作表的物件是「Worksheet」，就會有「Worksheets」這個集合包含整個活頁簿中的所有工作表。

只要在 Worksheets 集合後面加上括號，並填入指定集合內的成員（個別物件）**索引值**或是**名稱**，就可以藉此存取個別工作表。

■ 透過集合指定物件

集合（索引值／名稱）

舉個例子，假設如下圖般內含三張工作表的活頁簿，工作表名稱分別為「Sheet1」、「Sheet2」、「Sheet3」。

▶ 活頁簿的結構

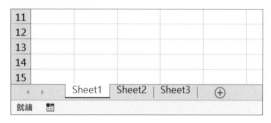

這時就可以用下列方式之一來存取第一張工作表「Sheet1」。

```
' 利用索引值進行存取
Worksheets(1)
```

```
' 利用工作表名稱進行存取
Worksheets("Sheet1")
```

這兩個方式都是透過 Worksheets 集合，把程式碼寫成「集合內的○○」的形式。

一般會按照建立順序，自動分配索引值給集合內的成員。如果是工作表，會以最左邊的工作表為索引值「1」，接著向右依「2」、「3」的順序遞增。如果是活頁簿，則以最先開啟的活頁簿為索引值「1」，接著依開啟順序分配「2」、「3」等索引值。

此外，集合中的索引值也會變動。以工作表為例，交換或移動工作表順序時，會根據移動後的狀態，設定最左邊為「1」再重新依序編號。

綜上所述，規則是「在 VBA 中，能透過集合指定要操作的物件」。

▊▊ 透過物件的層次結構指定物件

除了利用集合來指定物件以外，另一個同樣常用的方式就是「透過與某物件相關的其他物件身上的對應屬性來指定」。典型的例子就是「以某個儲存格為起點存取相關物件」的程式碼。

VBA 的物件可以沿著層次結構前往其他物件，以管理軟體（Excel 本身）的 **Application** 物件為頂點，其下設有「**Workbook → Worksheet → Range → Font**」這樣的層次關係。每個父物件中都定義了對應到子物件的屬性，因此可以透過父物件來存取子物件。

▶ 可以透過儲存格取得其他物件的屬性（摘錄）

屬性	存取對象
Interior	和儲存格有關的 Interior 物件（格式）
Font	和儲存格有關的 Font 物件（字型）
Borders	和儲存格有關的 Borders 物件（框線）
Validation	和儲存格有關的 Validation 物件（條件式格式）

下列兩個程式碼，都是以儲存格 A1 為起點，存取管理格式資訊的 **Interior** 物件，還有管理字型資訊的 **Font** 物件。執行後會變更儲存格 A1 的背景顏色及字型大小。

巨集 2-14

```
' 存取格式資訊來變更背景顏色
Range("A1").Interior.Color = RGB(255,0,0)
```

巨集 2-15

```
' 存取字型資訊來變更文字大小
Range("A1").Font.Size = 14
```

要用這個形式時，因為通常都會有跟目標物件同名的屬性，只要指定基準物件，再聯想著層次結構，抱持「以○○物件為起點去找 ×× 物件」這種想法，就可以指定到想要的物件了。

就像這樣，規則是「在 **VBA** 中，能以某個物件為起點，沿著階層結構指定要操作的物件」。

██ 以「Range」指定儲存格

雖然剛剛有說明過「可以用集合或層次結構來指定物件」，但就只有儲存格（Range 物件）跟別人不一樣。

其實 Range 物件並沒有對應的「Ranges 集合」，無論是單一儲存格或儲存格範圍通通都是「Range 物件」。而且有許多手段可以取得操作對象儲存格，其中最具代表性的就是 **Range 屬性**。

■ 利用 Range 指定儲存格／儲存格範圍

Range (位址字串)

在指定儲存格／儲存格範圍時，需要指定表達儲存格位址的位址字串為引數。位址字串與平時在工作表上寫進函數等的形式相同，也就是指定單一儲存格用「A1」這種形式；指定儲存格範圍則用「A1:C5」這種，用「:（冒號）」連接範圍中左上與右下儲存格位址的形式。下列程式碼會存取儲存格 A1 與儲存格範圍 C1:E3 並輸入值。

巨集 2-16

```
' 設定儲存格 A1 的值
Range("A1").Value = 100

' 設定儲存格範圍 C1:E3 的值
Range("C1:E3").Value = "VBA"
```

實例 存取儲存格

◢	A	B	C	D	E	F
1	100		VBA	VBA	VBA	
2			VBA	VBA	VBA	
3			VBA	VBA	VBA	
4						
5						

正如 Range（範圍）的字面意義，它原本就是以「一次指定一個儲存格範圍」為前提而製作的功能。因此在指定單一儲存格時，也就是指定了「僅含一

個儲存格的範圍」而已，就好像隸屬於某團體的藝人或諧星也可以是「個體戶」的存在。

Column　**Range 屬性**

前面一直用「Range("A1")」這種寫法來指定儲存格。但要注意一件事，這裡寫的「Range」其實不是物件，而是「屬性」。解釋起來還真有點繞口，實際上是「將指定欲處理儲存格範圍的『A1』這個引數傳遞到 Range 屬性中，藉此取得一個能處理儲存格 A1 的 Range 物件」。

同樣的，還有寫成像「Cells(1, 1)」這樣，利用 Cells 屬性取得處理「儲存格 A1」的 Range 物件的方式（詳見下節）。雖然「Range("A1")」跟「Cells(1, 1)」用的是不同屬性，但兩者都可以取得處理儲存格 A1 的「Range 物件」。

另外，想用 Range 屬性指定第一張工作表的儲存格 A1 就寫成「Worksheets(1).Range("A1")」，或想指定當前工作表中有套用篩選的儲存格就寫成「ActiveSheet.AutoFilter.Range」等等，可以透過各式各樣的物件存取 Range 物件。也就是「不管什麼物件，反正只要這個屬性是用來存取相關儲存格，就統一命名成『Range』」，因此很多物件上都有「名為 Range 的屬性」，讓我們可以不用記一堆不同名的屬性。

順便一提，要是直接寫成「Range("A1")」，會被視為「全域」這個特殊物件的屬性，而使「這個屬性能取得目前工作表上的物件」。如果想知道除了 Range 之外還有哪些「全域」的屬性或方法（函數），可以在瀏覽物件中，「物件類別」區塊最上面的「<globals>」來確認有哪些成員（瀏覽物件的說明請參照 68 頁）。

▓▓ 以「Cells」指定儲存格

除了 Range 之外，也能用 **Cells** 屬性來指定單一儲存格。有些人看到這個名字會想「Cells 屬性？莫非是由處理單一儲存格的『Cell 物件』共同形成的集合嗎？」。但其實 VBA 中並沒有「Cell 物件」，從頭到尾都是 Range 物件負責管理儲存格。

稍微離題了，先來看看怎麼用 Cells 屬性。Cells 是在 Worksheet 等物件身上的屬性，只要指定「第幾列」、「第幾欄」兩個引數，就能存取能處理該位置儲存格的 Range 物件。

■ 利用 Cells 屬性指定儲存格

```
Cells(第幾列, 第幾欄)
```

指定第幾欄時除了使用數值，也可以填入工作表上每一欄對應的字母。下列程式碼分別能存取儲存格 B3 及 C3 並輸入值。

巨集 2-17

```
' 輸入值到第 3 列、第 2 欄的儲存格 ( 儲存格 B3)
Cells(3, 2).Value = "Excel"

' 輸入值到第 3 列、第 C 欄的儲存格 ( 儲存格 C3)
Cells(3, "C").Value = "VBA"
```

實例 利用 Cells 屬性來輸入值

◢	A	B	C	D
1				
2				
3		Excel	VBA	
4				
5				

有時用 Cells 屬性來處理像迴圈這種一次處理大量儲存格的操作，會比 Range 屬性更方便些（85 頁）。

其他還有好幾個能指定儲存格的 Range 物件的方法（將在第十章進行介紹）。真不愧是 Excel 最主要的操作對象，總之請記得「有很多指定儲存格的方法」這件事。

存取眼前和不在眼前的目標

前面介紹過利用 Range 及 Worksheet 等功能可以存取欲操作物件，但至今介紹的那些方式，全都是「以眼前的目標（當前目標）為基準來選擇對象」。

例如下列程式碼會輸入值到「儲存格 A1」中。

```
Range("A1").Value = "VBA"
```

如果活頁簿內有多張工作表，在執行這句程式碼時當前工作表是「Sheet1」，就會以「Sheet1 的儲存格 A1」為操作對象；是「Sheet2」，就會以「Sheet2 的儲存格 A1」為操作對象。

同理，下列程式碼會將「第一張工作表」的名稱輸出到即時運算視窗中。

```
Debug.Print Worksheets(1).Name
```

當開啟了複數活頁簿，就會以「當前活頁簿中第一張工作表」為操作對象。也就是說，這些都是「操作當前目標的程式碼」，即「如果當前目標改變，操作對象也可能隨之改變的程式碼」。

但是「想處理非當前工作表上的資料」時，該怎麼辦呢？這時就要用到物件的層次結構了，必須指明「想處理哪張工作表的儲存格」。

■ 指明對象工作表再指定儲存格

對象工作表 . 對象儲存格

下列程式碼中，會輸入值到「統計」工作表內的儲存格 A1，無論是否為當前工作表。

巨集 2-18

```
Worksheets(" 統計 ").Range("A1").Value = " 本期銷售量統計 "
```

同樣地，指定範圍還可以擴張到「要處理哪一個活頁簿的資料」。

■ 指明對象活頁簿、對象工作表再指定儲存格

對象活頁簿 . 對象工作表 . 對象儲存格

下面的程式碼在開啟多個活頁簿時，無論當前活頁簿為何，都會複製「東京本店 .xlsx」第一張工作表中的儲存格範圍 A1:C5。

巨集 2-19

```
Workbooks(" 東京本店 .xlsx").Worksheets(1).Range("A1:C5").Copy
```

就像這樣，只要利用層次結構來指定，就能將「非當前目標」指定為操作對象。

還請記住，指定操作對象「要根據物體是否在眼前，去改變程式碼寫法」。

▋▋ 以「當前目標」或「選擇中的目標」為對象

在開發巨集時，有時會想要「處理選擇中的儲存格」或「處理當前工作表」，這時用下面這些屬性會相當方便。

▶ 能指定「目前使用中的○○」為操作對象的屬性

屬性	操作對象
ActiveCell	當前儲存格
Selection	選擇中的儲存格範圍。選擇圖形時則是選擇中的圖形
ActiveSheet	當前工作表
ActiveWorkbook	當前活頁簿
ActiveWindow	當前視窗

其中 ActiveCell 跟 Selection 都能指定選擇中的儲存格，差別是 ActiveCell 只能處理「單一儲存格」，而 Selection 連「儲存格範圍」也能處理。

例如說從儲存格 B2 開始拖曳，選取儲存格範圍 B2:D5 後，分別執行下列兩個程式碼，會產生不一樣的結果。

巨集 2-20

```
' 使用 ActiveCell 指定當前單一儲存格為操作對象
ActiveCell.Value = "VBA"

' 使用 Selection 指定所有選擇中的儲存格範圍為操作對象
Selection.Value = "VBA"
```

▶ **ActiveCell 和 Selection 的差別**

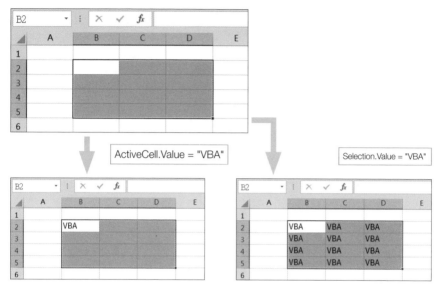

這些屬性對於實作「針對選擇對象做常見處理」相當有用。其他像是想操作巨集所在地「之外」的活頁簿內物件,或是「要先手動選擇或指定操作對象才執行巨集」這些情形也能派上用場。

2-5 如何找到想要的功能？

前面介紹過「要靠存取物件來使用 Excel 中的功能」，不過還有一個很重要的問題是「想要的功能到底是在哪個物件上」。

這個就真的只能靠自己查了。不過 VBA 其實也提供了方便「查詢目標物件」的功能。

「錄製巨集」就是最強的老師

在「開發人員」功能區左側的「程式碼」區塊中，有個「錄製巨集」按鈕。功能是將「自己所做的操作，錄製成 VBA 的程式碼」。

▶「錄製巨集」按鈕

這個功能除了能重現自己做過的操作，同時也能提供「自己所做的操作，到底寫成什麼樣的程式碼」的線索。

在執行「錄製巨集」期間的所有操作，會形成對應的巨集（VBA 的程式碼），因此可以確認這些操作會形成什麼樣的程式碼。開始錄製前按下**錄製巨集**，就會彈出「錄製巨集」對話框。

在錄製期間所做的操作，會以「巨集名稱」欄位上所輸入的名字，儲存到「將巨集儲存在」欄位所選定的活頁簿。如果目標是要查詢程式碼，那名稱使用預設值，再存到「現用活頁簿」就可以了。

▶ 「錄製巨集」對話框

　　按下**確定**後，「開發人員」功能區中的「錄製巨集」按鈕就會變成「停止錄製」。之後直到按下「停止錄製」為止所做的操作，全部都會錄製成巨集。

▶「停止錄製」按鈕

在按下這個按鈕前所進行的操作，全部都會錄製成程式

　　巨集會錄製成像下圖這樣。

▶ 錄製完成的巨集

這個巨集錄製了「從儲存格範圍 B2:D20 的資料中，篩選出「第二欄是葡萄」的操作。

實際打開錄製好的巨集，大概就能看出對應到目標操作的程式碼。例如接在指定儲存格範圍的「ActiveSheet.Range("儲存格位址")」後面的「AutoFilter」，大概就是用來做篩選的方法，更後面的「Field:=2」，大致能從寫法上推測出是具名引數格式與其設定值。

像這樣，先錄製操作、推測程式碼的意思，再活用下面要介紹的幫助或瀏覽物件，應該就能順利找到目標程式碼的寫法。

雖然「錄製巨集」功能很方便，不過錄製出來的內容卻有「彷彿直播般資訊過多」的缺點。例如「輸入值到儲存格 A1」這個操作，錄製完會是「選擇儲存格 A1」、「輸入值到儲存格 A1」、「儲存格 A1 的值輸入完成後移動到下方儲存格」，像這樣連多餘的操作也會被錄製進去。

若需求是尋找目標功能的程式碼，記得儘可能「只執行目標功能就馬上停止錄製」。這樣的話，從自動錄製的程式碼中找到自己想要的部份就會簡單一些。

此外，在 190 頁介紹的「逐行執行」功能，對於確認自動錄製的巨集內容也很有幫助。

■ 在幫助裡檢視參考文件

想查詢錄製結果或範例等程式碼的意思，可以在 VBE 裡選取想查詢的部分再按下 **F1**，就會在瀏覽器中顯示對應到反白處的參考文件。只要利用這個功能，就能以「翻字典找意思」的感覺來搜尋程式內容。

▶ **顯示幫助**

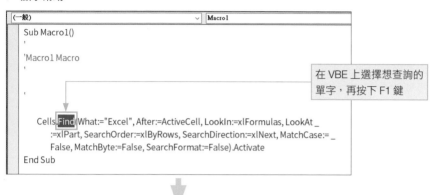

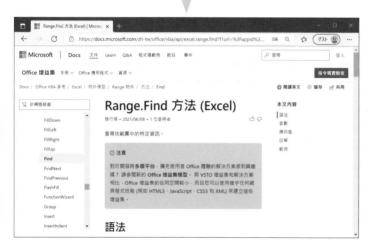

　　由於是 VBE 自動判斷「應該是要找這個吧？」顯示的參考文件頁面，或多或少會判斷錯誤。此外，習慣看參考文件的人會覺得結構容易閱讀，但還沒習慣的人或許會覺得冗長而艱澀。

　　總之養成「碰上第一次看到的單字（屬性或方法）就選取起來再按『F1』鍵」的習慣，就能逐漸理解各式各樣的程式碼了。

■ 更專業的字典「瀏覽物件」

在 VBE 中還有瀏覽物件這個工具，能用來獲得物件的詳細情報。

按下 VBE 工具列上的瀏覽物件就能開啟**瀏覽物件**。使用方式很像瀏覽器的搜尋引擎，在左上第二格的**搜尋框**輸入要查詢的單字，再按下右邊的搜尋按鈕。

▶ 開啟與使用瀏覽物件

此時畫面下方會劃分成三個區塊，上方會顯示包含所查詢單字的物件名稱、屬性名稱、方法名稱、常數名稱、函數名稱等候選內容。

按下這些候選內容，就會在下方兩個區塊中顯示所選對象的資訊。左下會顯示所選對象的從屬物件，右下則會顯示屬性、方法、常數、函數等。

例如，所選對象包含了引數，就會在下方空欄顯示資訊（或者說定義）。而且在此處以綠色顯示的資訊能連結到該對象，只要點一下就會在瀏覽物件中顯示資訊。順帶一提，在瀏覽物件中選取欲查詢目標再按「F1」鍵，也會顯示所選對象的參考文件。

以上的方法，在還沒習慣時確實是不太好懂，但遇到像「我記得物件好像要接『Va什麼的』……」或是「用在訊息方塊上的常數似乎是『vb什麼的』……」用這種記憶含糊的資訊來搜尋，並試著在搜尋結果列表中翻找，看著看著就會確認到「啊，就是這個！」進而找到目標程式碼，相當有用。

也可以在瀏覽物件中搜尋特定物件，確認該物件有哪些屬性跟方法。

瀏覽物件功能對於像筆者這種，還沒記清楚每個細節就開始寫程式的工程師而言，是個相當有幫助的功能，還請多加利用。

Column　新手，先從書本或網路入門

剛剛介紹了一些方式告訴我們怎麼在 VBA 中找到對應目標功能的物件，但對於剛開始學習或接觸 VBA 的人來說，比起使用這些工具，建議還是先找一本工具書或教學網頁來看。

除了能看到目標功能的嚴謹程式碼，也可以獲得「原來還有這種指令啊」的預備知識。並且在瀏覽大量 VBA 程式碼的過程中，也能有「似乎抓到了一點 VBA 程式的感覺」的效果。

其實不管學習哪個程式語言，這種「似乎抓到一點感覺」的感受相當重要。而且不大量接觸程式碼，是無法獲得這種感受的。

「首先要熟悉那個感覺」雖然聽起來是個有點過時的訣竅，但確實先熟悉那些感覺、語法、習慣的話，在寫程式的過程中會成為很有用的知識，請務必嘗試看看。

Chapter 3

走進程式的世界
〜 VBA 的基礎文法 〜

本章將介紹如何在 VBA 中，實現變數和控制結構（條件分支、迴圈）等更
像是程式的工具。只要使用它們，就不會被侷限於只能依序執行 Excel 的
功能，而是能進行更加精確的操作，或是統一處理大量的工作。

3-1 變數的使用方式

VBA 和很多程式語言一樣可以使用變數，我們先大致瀏覽一下有哪些用法。

■■ 宣告、賦值及重新賦值的方法

起初先看一個宣告變數並賦值的例子。宣告「foo」變數，並指定其值為「10」。

```
Dim foo As Long      ' 宣告變數
foo = 10             ' 指定其值
```

接著是將「foo」的原值乘上「5」並指定回原變數中，輸出結果。

```
foo = foo * 5                     ' foo 的值乘上「5」並重新賦值
Debug.Print "foo 的值：", foo     ' 輸出變數值進行確認
```

▶ 顯示利用變數計算後的結果

如同第一章所介紹的，為了執行上面介紹的 VBA 程式碼，要先建立巨集框架（14 頁），在內部撰寫程式碼並執行（12 頁）。本書的範例檔提供每個巨集的程式碼，可以在博碩官網上下載來使用。

例如，為了執行剛剛介紹的處理，需要製作以下巨集。

巨集 3-1

```
Sub macro3-1()
    Dim foo As Long                    ' 宣告變數
    foo = 10                           ' 指定變數值
    foo = foo * 5                      ' 將 foo 的值乘上「5」的結果重新賦值
    Debug.Print "foo 的值：", foo       ' 輸出變數值進行確認
End Sub
```

用變數來處理物件

下列程式碼會宣告一個物件型態變數「rng」，並指定為一個儲存格範圍（Range 物件）進行操作。將儲存格範圍 A1:C3 指定到變數「rng」中，並在這個範圍內輸入值。

巨集 3-2

```
Dim rng As Range              ' 宣告成 Range 這種特定物件變數
Set rng = Range("A1:C3")      ' 指定物件到變數中
rng.Value = "VBA"             ' 透過變數來操作物件
```

實例 利用變數輸入值

▲	A	B	C	D
1	VBA	VBA	VBA	
2	VBA	VBA	VBA	
3	VBA	VBA	VBA	
4				

像上面這樣，「宣告變數以後，再指定值或物件進行賦值或重新賦值」就是 VBA 基本的變數用法，接著來看看更詳細的使用方式。

VBA 的變數限制其實挺寬鬆的

使用 **Dim** 敘述能宣告變數。在「Dim」後面寫下變數名稱後，就能把值或物件指定到這個變數裡來使用。

■ 宣告變數

```
Dim 變數名稱
```

變數名稱除了用英文、數字，還能用日文這類全形字元。

```
Dim foo    '宣告「foo」變數
Dim 折數   '宣告「折數」變數
```

雖然命名相當自由，但也和巨集名稱一樣，有著「開頭不能使用數字」、「不能使用底線以外的符號」等限制。

VBA 的變數即使不指明表達用途的資料型態也能用，但像下面這樣結合 **As** 關鍵字，就可以在宣告時指明資料型態。

■ 指明資料型態的變數

```
Dim 變數名稱 As 資料型態
```

如果指明了資料型態，電腦每次用到這個變數時就不用先確認值的型態，有望提升處理速度。另外在 VBE 中處理變數時，會因應宣告的資料型態改變程式碼提示框的內容，還有若指定不符變數資料型態的值會彈出警告等優點。

▶ 預先宣告資料型態，就會跳出程式碼提示框

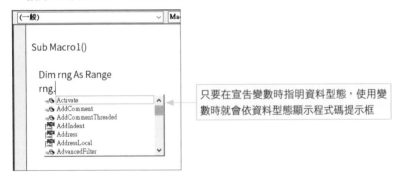

只要在宣告變數時指明資料型態，使用變數時就會依資料型態顯示程式碼提示框

經常使用的資料型態

VBA 中有以下這些經常使用的資料型態。

▶ 經常使用的資料型態

資料型態	用途
String	字串型態
Integer	整數型態。在 -32,768 ～ 32,767 這個範圍裡的整數
Long	長整數型態。在 -2,147,483,648 ～ 2,147,483,647 這個範圍裡的整數
Single	單精度浮點數。 正值：1.401298E-45 ～ 3.4028235E+38 ／ 負值：-3.4028235E+38 ～ -1.401298E-45
Double	雙精度浮點數。 正值：4.94065645841246544E-324 ～ 1.79769313486231570E+308 ／ 負值：-1.79769313486231570E+308 ～ -4.94065645841246544E-324
Date	日期型態。處理年月日、時分秒。西元 100 年 1 月 1 日～西元 9999 年 12 月 31 日
Boolean	布林值。True 表正確、False 表錯誤
Object	一般物件型態。可指定為任意物件
Variant	萬用型態。可指定為任意值或物件
特定物件	像 Range 或 Worksheet 等，特定種類的物件

此外，部分程式語言能在宣告變數的同時指定初始值，但 VBA 並沒有這個機制。因此下列程式碼會發生錯誤。

```
Dim foo As Long = 10    '錯誤
```

如果像下面這樣，在一行 Dim 敘述裡面用「,（逗號）」分隔每組變數名稱及定義資料型態，就能同時宣告多個變數。下列程式碼中同時宣告了字串型態變數「foo」，以及長整數型態變數「bar」。

```
Dim foo As String, bar As Long
```

■■ 不宣告直接使用變數

剛剛簡介了變數的宣告方法，但 VBA 中其實「不宣告」還是可以使用變數。下列程式碼未經宣告就直接指定變數「foo」的值為「10」，並輸出到即時運算視窗中，但還是可以正確運作。

巨集 3-3

```
foo = 10
Debug.Print "foo 的值：", foo
```

實例 變數未經宣告就直接使用

宣告變數時，用 As 關鍵字來指明資料型態是個「不做也行」的機制。宣告時未指明資料型態的變數，會被視為 **Variant** 資料型態，是一種「能容納任何東西的資料型態」。

所以說 VBA 要使用變數時，其實限制還滿寬鬆的。不經宣告也能用、不指定資料型態也能用：應該有些人會覺得「很簡單、很棒」，但也應該會有人覺得「這樣很危險」。其實，這個機制很容易引起像這樣的失誤。

巨集 3-4

```
Dim num As Long          '宣告用以處理數值的變數「num」
num = 10                 '將值指定成「10」
nun = num * 5            '將值乘以「5」並重新賦值
Debug.Print "num 的值：", num   '顯示結果
```

實例 不小心拼錯字導致的結果

上面的程式碼，原先的意圖是利用變數「num」計算「10 乘以 5」並顯示結果，但最後輸出的結果卻是「10」。這是因為第三行程式碼的開頭把「num」打成了「nun」導致的。

由於變數可以不經宣告直接使用，所以 VBE 會把第三行解讀成「建立新變數『nun』，並把值指定成『num』乘以『5』的答案」。使用 VBA 時，常常會發生這種錯誤。

但請安心──VBE 有防止這種拚寫失誤的機制。只要在模組開頭加一句「**Option Explicit**」，就能強制使這個模組需要宣告變數，而未經宣告的變數就無法使用。像上面那種拼寫錯誤的例子，要執行時就會彈出「變數未定義」的錯誤。

▶ 可以強制要求宣告變數

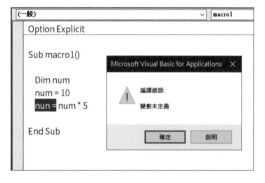

這個設定也可以點選 VBE 工具列上的**工具→選項**，在「選項」對話框的「編輯器」分頁勾選**要求變數宣告**，從此之後新增的標準模組，都會自動加上「Option Explicit」。

要求變數宣告的選項只要設定這一次就會保留下來，所以剛開始先設定好，就能防止之後出現不必要的失誤。

▶ 從「選項」對話框中設定

①勾選要求變數宣告

■ 在變數中指定值

使用「=（等號）」運算子，能對已宣告的變數賦值或重新賦值。下列程式碼就用來指定變數 foo 的值為「10」。

```
Dim num As Long          ' 宣告數值變數「num」
num = 10                 ' 指定變數 num 的值為「10」
```

想將字串或日期這些值（常值）指定給變數時，同樣需要使用等號。下列程式碼能宣告字串型態變數「str」與日期型態變數「dateVal」，並分別指定字串與值。

巨集 3-5

```
Dim str As String, dateVal as Date      ' 宣告處理字串與日期的變數
str = " 指定日期："                       ' 指定字串給變數 str
dateVal = #10/05/2018#                   ' 指定日期給變數 dateVal
Debug.Print str, dateVal                 ' 輸出變數值
```

實例 **指定字串與日期**

即時運算
指定日期：　2018/10/5

　　此外，雖然其他程式語言中常有下面這種**遞增**、**遞減**的語法，但不能用於 VBA 中。

```
num++              '這樣會出錯
num--              '這也會出錯
```

　　若想對變數逐步加 1，必須寫成下面這樣。

```
Dim num As Long    '宣告變數
num = 1            '指定初始值
num = num +1       '加上 1(遞增)
```

　　想做加法賦值與乘法賦值時，如果仿照其他語言寫成下面這樣也會出錯。

```
num += 10          '這樣會出錯
num *= 5           '這也會出錯
```

　　所以也要改成下面這種寫法。

```
Dim num As Long    '宣告變數
num = 1            '指定初始值
num = num + 10     '將原值加上 10 之後重新賦值 (加法賦值)
num = num * 5      '將原值乘以 5 之後重新賦值 (乘法賦值)
```

將物件指定到變數中

　　想利用變數操作物件，就要將變數宣告為該物件型態。還有，若要將物件指定（設定）到變數中，就不能和指定值一樣用等號，要改用 **Set** 敘述。

■ **將物件設定到變數中**

```
Set 物件變數 = 想設定的物件
```

下列程式碼能將變數「rng」設定成「儲存格範圍 A1:C3」。

```
Dim rng As Range          ' 宣告 Range 這種內建物件型態變數
Set rng = Range("A1:C3")  ' 將物件指定（設定）到變數中
```

跟處理值（常值）的變數有點不一樣呢！

此外，起初還不熟悉的時候，可能會不知道要宣告哪個資料型態的變數。這時只要宣告成 **Object** 型態，就會成為「可以處理任意非值物件的通用變數」。

```
Dim rng As Object         ' 總之宣告成物件型態變數
Set rng = Range("A1:C3")  ' 把 Range 物件指定（設定）到變數中
```

所有物件都能設定到 Object 型態的變數中。但此時 VBE 不能判斷這個變數是處理哪種物件型態，於是無法和指明物件型態時一樣顯示程式碼提示框。

Column 物件用「Set」，常值用「Let」

或許有些人讀完上面會覺得「明明處理物件要用 Set 敘述，但處理值卻只要放個等號就好，總覺得看起來不對稱、不太舒服」。其實如果寫得完整些，也有下面這種使用「Let 敘述」指定值的寫法。

```
Let num = 10  ' 將 10 指定到變數 num 中
```

所以就只是指定值的語法規則上可以省略「Let」而已。因為等於運算子在 VBA 中身兼判斷「相等」的比較運算子（72 頁），如果想明確表達「在此並非比較，而是要指定變數值」的意圖，就可以使用上面這種方式。

另外，雖然有部分語言使用「Let」來宣告變數，但 VBA 中就只有「指定值」的功能。

Column 宣告變數同時指定初始值的權宜之計

在前文中也說過，VBA 不能在 Dim 敘述宣告變數的同時指定初始值，因此宣告跟指定必須寫成兩行。

```
Dim foo As Long
foo = 10
```

但這樣寫多少有點繁瑣，也容易一時粗心就忘了設定初始值。所以應該很多人還是希望能把宣告變數跟指定初始值寫在一起。

不得已只好採用下面這種寫法了。下面這個例子就能宣告變數「foo」並指定初始值為「10」。

```
Dim foo As Long: foo = 10
```

其實在 VBA 中將「:（冒號）」夾在敘述中間，就能把通常要分兩行的敘述連接成一行。上述程式碼就是把前面兩行敘述用冒號整形成一行。

用這個寫法在一行內「同時」進行宣告和指定初始值，就不會忘記指定了。但說實話，這個寫法以 VBA 的語法來說比較特別，會變得有點難讀。所以依照自己的習慣，如果不排斥這種寫法的話，那麼嘗試看看也無妨。

變數的作用範圍原則上只在巨集內部

原則上，VBA 的變數具有「在一個巨集內宣告的變數，就只能在那個巨集裡面使用」的規則。即使變數名稱相同，只要分別在不同的巨集裡宣告，就會被當作不同的變數。

如果想宣告能在多個巨集內共用的變數，就要將 Dim 敘述寫在巨集外面。

▶ 在巨集內宣告的變數就只在該巨集內能用

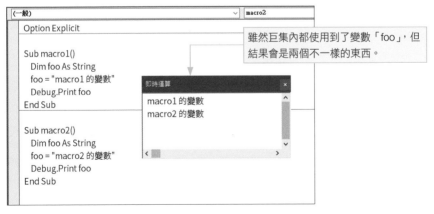

雖然巨集內都使用到了變數「foo」，但結果會是兩個不一樣的東西。

下列程式碼在巨集外宣告了變數「foo」，並同時在兩個巨集「macro1」、「macro2」中使用 foo 變數。

巨集 3-6

```
Dim foo As Long              ' 在巨集外宣告 foo 變數

Sub macro1()
    foo = 10                 ' 使用並未宣告在巨集內的 foo 變數
    Debug.Print "macro1:", foo
End Sub

Sub macro2()
    foo = foo + 15           ' 使用並未宣告在巨集內的 foo 變數
    Debug.Print "macro2:", foo
End Sub
```

依序執行 macro1 → macro2，就會輸出如下圖般的結果。

實例 在多個巨集中共用變數

像這樣用 Dim 敘述宣告在巨集外面的變數，就稱為**模組層次變數**。模組層次變數的值在「巨集停止前」都會保留。

這邊提到的「巨集停止前」，指的是因錯誤而導致巨集停止，或是按下 VBE 上重新設定鈕的情況。此外，其實 VBA 的巨集「停止」的機會還滿多的，所以想把模組層次變數當成「在 Excel 啟動時，值能永遠保留的功能」是很不實際的，還請注意。

Column 讓值永遠保留的功能？

既然模組層次變數「不適合當作讓值永遠保留的功能」，那有沒有「適合」作這件事的功能呢？

最單純的選項，應該是「直接把值寫在工作表的儲存格裡」。建立一張用來管理想保留的值的工作表，並把這些值都輸入進去，就能當成「能檢視設定的工作表」來用，而且還能把這張工作表隱藏起來。

另外，也有利用「SaveSetting 敘述」及「GetSetting 函數」把值寫到登錄檔裡的方式。在本書中並未介紹，有興趣的人請自行在網路上搜尋看看。

■■ 使用常數

在 VBA 中，使用 **Const** 敘述就能自訂常數。

■ 定義常數

```
Const 常數名稱 As 資料型態 = 值
```

例如，想把消費稅率「0.08」，命名為「TAX」常數使用，可以寫成以下的程式碼。

巨集 3-7

```
' 宣告作為消費稅的常數
Const TAX As Double = 0.08
' 利用這個常數來計算
Debug.Print "1000 日圓商品的消費稅：", 1000 * TAX
```

實例 使用常數

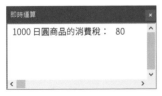

即時運算

1000 日圓商品的消費稅： 80

　　常數具有只要在宣告時設定了值，就不能再變更的特性。所以適用於「將一個固定值取個簡單明瞭的名稱」時。

■ 先決定變數的命名規則

　　使用變數時，建議先決定自我風格的命名規則。底下這些例子都是常見的命名規則。

▶ 命名規則的例子

變數名稱	目標・理由
str、num 等等	容納字串（string）、數值（number）的變數。為了表明資料型態而以其簡寫來命名
tmp、buf 等等	只需暫時使用的變數名稱。因英文裡面的「temporary（暫用）」、「buffer（緩衝）」而得名
rng、sh、bk 等等	分別用以處理 Range、Worksheet、Workbook 的變數名稱，以物件名稱的簡寫來命名。順帶一提，sh 或 bk 在事件處理（172 頁）時也會用在引數名稱上
i、j、k	執行迴圈（79 頁）時使用的變數名稱。傳統上多使用「i」或「j」
arr、strList、numList 等等	使用陣列（132 頁）時常用的變數名稱。以「Array（陣列）」等簡稱接上「List（列表）」組成變數名稱，目的是清楚表達它是陣列
scoreNumber、targetRange 等等	以「用途＋資料型態」的形式取名，以便清楚表達用途跟資料型態。由於目的以表達清楚為主，會特別用完整單字來命名
銷售額、折數等等	直接用中文等全形文字來命名
myStr、myNum 等等	命名時給所有變數統一的前綴，目的是讓人一看就知道「這個是變數」

其他還有各式各樣的規則，但目標還是要決定「自我風格的規則」。進行團隊開發時只要在團隊內部統一變數的命名規則，那審視各自的程式碼時，自然就能從變數名稱中看出「哪個部份是變數」、「這是做什麼用的變數」或者「這是誰建立的變數」這些事情。

此外，曾有其他程式語言經驗的人要當心「**VBA** 不區分大、小寫」這件事。也就是說，像是「既然是 String 型態的變數，那就用小寫命名為『string』吧」這種用物件名稱（或類別名稱）的小寫，來命名變數的方式是行不通的。

還有，變數名稱雖然可以使用「_（底線）」，但是「變數名稱不能以底線開頭」。使用所謂的私有變數時，有種命名風格是在變數名稱前加上底線，形成「_name」或「_price」，但不能在 VBA 中使用，還請注意。

Column　Excel 的獨家功能「除了變數，還有儲存格」

變數是種能夠「保存值並用於程式裡」的工具，但不同於其他程式的開發環境，Excel 還有一個能保存值的位置。沒錯，就是儲存格。將值輸入到特定工作表的特定儲存格中，在程式中要用到時就直接取用該儲存格的值，這也是一種方式。

如果採用這個方式，設定配置跟調整程式參數，不只可以由程式設計師本人來做，還能讓使用者進行調整。另外，如果修改值之後有存檔，下次再開啟活頁簿時設定值依然會繼續保留。

雖然對於後續維護與運用面上令人有些不安，執行速度上也讓人擔心，但依照用途不同有時卻相當實用，更重要的是做起來很容易。所以把「值也能保存在儲存格」這件事記在腦袋裡的話，在 VBA 上進行開發就能更順利了。

3-2 程式內完結計算的 運算子

　　Excel 是試算表軟體，可以在工作表上計算，另外也有直接在程式中計算的方式。

　　如果要直接在程式中計算，就會利用到各種運算子。

用來計算的算術運算子

　　以四則運算為首，可以用下列這些**算術運算子**進行算術計算。

▶ VBA 的算術運算子

運算	運算子	範例	結果
加法	+	5 + 2	7
減法	-	5 - 2	3
乘法	*	5 * 2	10
除法	/	5 / 2	2.5
取商的整數部分	\	5 \ 2	2
除法取餘數	Mod	5 Mod 2	1
乘冪	^	5 ^ 2	25

　　運算子要依「數值 1 運算子 數值 2」這個順序使用。

■ 算術運算子的使用方式

數值 1 運算子 數值 2

　　以下是用算術運算子進行計算的例子。

```
Range("E3").Value = 5 + 2        '加法
Range("E4").Value = 5 - 2        '減法
Range("E5").Value = 5 * 2        '乘法
```

```
Range("E6").Value = 5 / 2        ' 除法
Range("E7").Value = 5 \ 2        ' 取商的整數部分
Range("E8").Value = 5 Mod 2      ' 除法取餘數
Range("E9").Value = 5 ^ 2        ' 乘冪
```

▶ 利用算術運算子進行計算

▲	A	B	C	D	E	F
1						
2		運算	運算子	使用範例	結果	
3		加法	+	5 + 2	7	
4		減法	-	5 - 2	3	
5		乘法	*	5 * 2	10	
6		除法	/	5 / 2	2.5	
7		取商的整數部分	\	5 \ 2	2	
8		取餘數	Mod	5 Mod 2	1	
9		乘冪	^	5 ^ 2	25	
10						

██ 字串連接運算子與元字符

　　若要把兩個字串連接成一個字串，就要使用「&」運算子。其實用「+」運算子也能連接字串，但很容易跟加法運算混淆，所以只採用 & 來連接會比較好。

　　此外，Excel 在儲存格中輸入時按下「Alt」＋「Enter」，就能在儲存格內換行，若使用表達換行字元的元字符「**vbLf**」，就能在 VBA 中實作儲存格內換行。

　　下面是連接字串的例子，每一句都能連接「Excel」跟「VBA」這兩個字串。

```
Range("C3").Value = "Excel" & "VBA"
Range("C4").Value = "Excel" + "VBA"
Range("C5").Value = "Excel" & vbLf & "VBA"
```

　　結果如下圖，在此為了讓結果容易理解，所以在輸出程式結果的儲存格之外也有輸入內容。

▶ 使用字串連接運算子的結果

	A	B	C	D
1				
2		運算子／元字符	結果	
3		用 & 連接	ExcelVBA	
4		用 ＋ 連接	ExcelVBA	
5		連接時以 vbLf 分隔	Excel VBA	
6				

<u>Column</u> **用 & 運算子來連接數值與字串**

用 & 運算子連接數值與字串或日期與字串時，會自動將數值或日期轉換成字串。以下是個用 & 運算子連接字串與數值並輸出的例子。

```
MsgBox "庫存量：" & 15
```

比較運算子基本上也是用等號

在 If 敘述等條件式（80 頁）中也會用到的比較運算子有下面這些。都是結合「=（等號）」與「<」、「>」這兩個不等號來用。

比較運算子要寫成「左式比較運算子右式」的形式來使用，若運算成立、為「真」就會回傳「True」；若不成立、為「偽」就會回傳「False」。也就是所謂的布林值。布林值會是 Boolean 這個資料型態。

■ 比較運算子的使用方式

值1 運算子 值2

▶ **VBA 的比較運算子**

判定的種類	運算子	範例	結果
等於	=	5 = 2	False
不等於	<>	5 <> 2	True
小於	<	5 < 2	False
以下	<=	5 <= 2	False
大於	>	5 > 2	True
以上	>=	5 >= 2	True

以下是使用比較運算子對值進行判斷的例子。

```
Range("E3").Value = 5 = 2 '等於
Range("E4").Value = 5 <> 2 '不等於
Range("E5").Value = 5 < 2 '小於
Range("E6").Value = 5 <= 2 '以下
Range("E7").Value = 5 > 2 '大於
Range("E8").Value = 5 >= 2 '以上
```

▶ **使用比較運算子的計算**

	A	B	C	D	E	F
1						
2		運算	運算子	使用範例	結果	
3		等於	=	5 = 2	FALSE	
4		不等於	<>	5 <> 2	TRUE	
5		小於	<	5 < 2	FALSE	
6		以下	<=	5 <= 2	FALSE	
7		大於	>	5 > 2	TRUE	
8		以上	>=	5 > 2	TRUE	
9						
10						

有個需要注意的地方，就是判斷是否「相等」時所用的這個等號，同時也身兼能指定變數值的指定運算子。也就是說同樣的運算子，有兩個不同的用途。

▦ 物件間的比較

如果不是比較值,而是要比較兩個物件是否相等,就要使用「Is」運算子。

■ 物件間的比較

物件 A Is 物件 B

當左右物件相同就會回傳「True」,不同則會回傳「False」。

例如,利用 Is 運算子比較「第一張工作表」與「Sheet1」,理所當然會得到「True」的結果。

```
MsgBox Worksheets(1)Is Worksheets("Sheet1")
```

▶ 物件間的比較

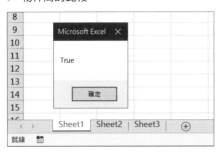

在此有個很實用的關鍵字「**Nothing**」,可以跟 Is 運算子一起記起來。「Nothing」這個值在 VBA 中用來表達「物件不存在的狀態」。

例如 Range 物件的 Find 方法會搜尋指定的儲存格範圍,若找到目標值,就會回傳指向該儲存格的物件;若找不到目標值,就會回傳「Nothing」。也就是靠回傳值「是否為 Nothing」就能判斷「有沒有找到目標值」。

接下來的程式碼就利用了關鍵字「Nothing」來判斷是否存在目標儲存格。而在此使用 Cells 屬性時不加引數,以存取指向「工作表上所有儲存格」的 Range 物件。

```
If Cells.Find("VBA") Is Nothing Then
    Debug.Print " 沒有找到值為「VBA」的儲存格 "
End If
```

而想製作「當任意儲存格範圍改變，就執行巨集」這種功能，也會用到和 Nothing 作物件比較的方式（177 頁）。

所以把「用『○○ Is Nothing』來判斷物件不存在」這個模式直接記下來吧！

比較 Range 時要很小心

雖說可以利用 Is 運算子來比較物件，但在比較儲存格（Range 物件）時要很小心。例如下列程式碼想比較儲存格 A1 與儲存格 A1，那結果會是「True」還是「False」呢？

```
Range("A1") Is Range("A1")
```

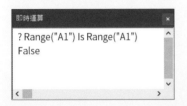

其實結果會是「False」。讓人覺得「比較儲存格 A1 與儲存格 A1 怎麼會是 False？」對吧，但這其實是 Excel 的特殊機制。每次以「Range（儲存格位址）」的形式獲取 Range 物件，都會有類似產生「當下能處理指定儲存格／儲存格範圍的物件」的行為。因此 VBA 認為第一個「Range("A1")」和第二個「Range("A1")」是不同物件。舉例來說，就好像「當下找來一位負責人，再交代他要處理的儲存格範圍」的感覺。所以雖然處理的目標相同，但負責人卻不同，所以才被當成「不同的東西」。

綜上所述，不推薦使用 Is 運算子來判斷「是不是同一個儲存格」。可以用別的方式，像是比較目標儲存格的 Address 屬性值等。

```
Range("A1").Address = Range("A1").Address
```

利用邏輯運算子處理複合條件式

使用邏輯運算子，可以綜合判斷多個條件是「全部滿足」還是「有部分條件滿足」。

▶ **VBA 的邏輯運算子**

判定的種類	運算子	範例	結果
邏輯乘法（全為 True）	And	a = a And b = b	True
邏輯加法（有部分條件為 True）	Or	a <> a Or b = b	True
邏輯否定（反轉邏輯值）	Not	Not a = a	False

※a、b 為任意數值

如果以中文來思考，**And** 運算子是判定「○○且 ××」，**Or** 運算子則是判定「○○或 ××」。

下列程式碼會在滿足「儲存格 A1 裡有值且儲存格 A1 為數值」時回傳 True。第一個條件式用了比較運算子判定儲存格的值（Value）不等於（<>）空白（""）。第二個條件式中的 IsNumeric 函數，能判斷指定到引數裡的值是否能轉換為數值。

```
Range("A1").Value <> "" And IsNumeric(Range("A1").Value)
```

「And」左邊是第一個條件式，右邊則是第二個條件式。

下列程式碼會在滿足「儲存格 A1 的值是『Excel』或儲存格 A2 的值是『VBA』」時，回傳 True。

```
Range("A1").Value = "Excel" Or Range("A2").Value = "VBA"
```

還有，可以使用 **Not** 運算子來反轉邏輯值，以中文來想就是「不是○○的時候」。

下列程式碼會在儲存格 A1 的值不是「Excel」時回傳 True。

```
Not Range("A1").Value = "Excel"
```

　　Not 運算子常常用來判定「會回傳物件的方法」的結果。例如 Range 物件的 Find 方法會執行 Excel 的「搜索」功能。若找到目標儲存格，就會回傳指向該儲存格的 Range 物件；若搜尋不到，則會回傳「Nothing」。

　　如果想在 Find 方法搜尋到目標時進行某種處理，就可以用下面這種寫法表達「方法的結果不是『Nothing』」。

```
Not Cells.Find("Excel") Is Nothing
```

　　這個「不是 **Nothing**」的寫法可以用在很多地方，所以最好是先將它記起來。

Column　函數・方法・敘述

　　曾經有人問我「函數跟一些方法都能回傳值，那要怎麼分辨誰是函數、誰是方法呢？」

　　一般來說，可以區分成「不用透過物件就能直接呼叫的是函數」、「定義在物件身上，得透過物件呼叫的是方法」。此外，也有人會問「包含 Call 敘述（234 頁）在內，有些敘述用的寫法很像函數，它們真的不是函數嗎？」不同於函數和方法，敘述是一種定義成 VBA 語法的機制。

　　此外，函數與方法還可以用瀏覽物件上查到的定義來區分。一般來說，在 VBA 的瀏覽物件上，定義在「模組」上的是「函數」，而定義在「物件」上的是「方法」或「屬性」（當然，這也只是其中一種分類方式）。

3-3 程式的核心功能── 條件分支**與**迴圈

許多程式語言中，均擁有能改變程式流程的「控制結構」，即條件分支與迴圈，當然在 VBA 中也有提供，先讓我們瀏覽一下用法概述。

■ 給予流程不同走向

起初是一個使用 If 敘述實行條件分支的例子。下列程式碼中，只有當儲存格 A1 的值為「10」才會彈出訊息。

巨集 3-8

```
If Range("A1").Value = 10 Then
    MsgBox " 儲存格 A1 的值為「10」"
End If
```

下列程式碼，會依據儲存格 A1 的值是否為「10」改變彈出的訊息內容。

巨集 3-9

```
If Range("A1").Value = 10 Then
    MsgBox " 儲存格 A1 的值為「10」"
Else
    MsgBox " 儲存格 A1 的值不為「10」"
End If
```

實例 If 敘述的結果

重複執行指定的次數

接下來是利用 **For** 敘述來執行迴圈（重複執行）。下列程式碼中，<u>先建立</u><u>迴圈計數器，接著重複輸出五次變數值</u>。

巨集 3-10

```
Dim i As Long      '迴圈計數器
For i = 1 To 5
    Debug.Print "處理次數：", i
Next
```

實例 利用 **For** 敘述的處理

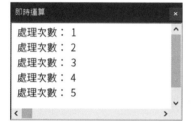

利用 **For Each** 敘述，可以對指定列表中的每個元素進行重複處理。下面會對儲存格範圍 B3:B7 中輸入的內容進行字串連接（在姓氏的後面加上「先生」）。

巨集 3-11

```
Dim rng As Range
For Each rng In Range("B3:B7")
    '在儲存格的值後面加上「先生」
    rng.Value = rng.Value & " 先生"
Next
```

實例 使用 For Each 敘述的處理

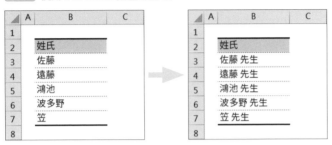

利用控制結構時，重點就是用特定的關鍵字「包住並指定」條件分支或迴圈的範圍。來看看更詳細的介紹。

利用 If 敘述進行條件分支

在 VBA 中程式碼會由上到下逐行執行。但利用 If 敘述或 Select 敘述，就能讓這個流程在滿足特定條件時，走向不同的路線。

● If 敘述

If 敘述要寫成下面這樣。

■ If 敘述

```
If 條件式 Then
條件式為 True 時執行的程式碼
End If
```

重點是以「If」開始，從「Then」的下一行開始寫滿足條件式時要執行的處理，最後再用「End If」包住以指定範圍。此外，可以利用各種比較演算子（72 頁）來寫條件式。下列程式碼會在儲存格 A1 為空白時顯示訊息。

巨集 3-12

```
If Range("A1").Value = "" Then
    MsgBox "請在儲存格 A1 中輸入值"
End If
```

　　如果結合 **Else** 關鍵字，就能依據條件式是 True 及 False 分別設定不同路線。條件式為「True」時，會執行「**Then ～ Else**」之間的程式碼；條件式為「False」時，則會執行「**Else ～ EndIf**」之間的程式碼。

■ **If 敘述（Else 關鍵字）**

```
If 條件式 Then
    條件式為 True 時要執行的程式碼
Else
    條件式為 False 時要執行的程式碼
End If
```

　　下列程式碼會依據儲存格 A1 是否為空白，改變彈出的訊息。

巨集 3-13

```
If Range("A1").Value = "" Then
    MsgBox "請在儲存格 A1 中輸入值"
Else
    MsgBox "儲存格 A1 中已有輸入值"
End If
```

　　還可以利用 ElseIf 關鍵字，設定更多條件式來改變程式流程。

■ **If 敘述（ElseIf 關鍵字）**

```
If 條件式 1 Then
    條件式 1 為 True 時要執行的程式碼
ElseIf 條件式 2 Then
    條件式 2 為 True 時要執行的程式碼
Else
    所有條件式都為 False 時要執行的程式碼
End If
```

　　使用 ElseIf 時，要以「**ElseIf 新條件式 Then**」的形式設定條件式，更可以使用多個 ElseIf 來設定三個以上的條件式。設定多個條件式時會由上而下依序判斷，並執行第一個為 True 的條件式區塊內的程式碼，於完成後離開 If 處理。此外，使用 ElseIf 時同樣可以結合 Else 關鍵字，會在「所有條件式都是『False』」時執行 Else 區塊內的程式碼。

● **Exit Sub 敘述**

利用 If 敘述實行條件分支時，有時會想在滿足特定條件時跳過剩下的巨集內容，直接終止巨集。有這種需求時可以利用 ExitSub 敘述。

下列程式碼會在儲存格 A1 的值不是「完成」時彈出訊息，並終止巨集。

巨集 3-14

```
If Range("A1").Value <> " 完成 " Then
    MsgBox " 請在輸入完成後再執行巨集 "
    Exit Sub
End If
' 下面寫儲存格 A1 的值是「完成」時要進行的處理
```

特別是執行巨集的前提是「必須先在特定儲存格輸入值」或「想先確認必要的活頁簿或工作表是否存在」時，在巨集開頭運用這個技巧會相當方便。

Column　代替三元運算子的 IIF 函數

許多程式語言中都有能因應判定式結果，從兩個不同值回傳其一的「三元運算子」這種機制，但 VBA 中並沒有三元運算子。

但可以用功能相似的「IIF 函數」。IIF 函數需要指定三個引數，第一引數是條件式，第二引數是條件式為 True 時的回傳值，第三引數是條件式為 False 時的回傳值。

■ **IIF 函數**

```
IIF( 條件式 , True 時的值 , False 時的值 )
```

下列程式碼會在現在時刻早於 12:00 時，顯示「上午」字串；若不是，就顯示「下午」字串。

巨集 3-15

```
Debug.Print IIF(Time<#12:00#, " 上午 ", " 下午 ")
```

慣用三元運算子的人，可以學會這個方式用來替代。此外，若是熟悉工作表函數的人，也可以利用這個類似於「If 工作表函數」的方式來寫。

▓ 利用 Select Case 敘述進行條件分支

　　利用 Select Case 敘述，可以關注特定值的不同而細分程式走向。**Select Case** 敘述要在起初的「**Select Case**」後面指定關注對象，接著以「**Case 值 1**」的形式指定所需的值，並在後面寫下若關注對象為「值 1」時要執行的處理。後面還可以將將每組目標值及滿足後的處理，以「**Case 值 2**」、「**Case 值 3**」……的形式添加進去。

　　另外，使用「**Case Else**」語法，可以指定若關注對象不滿足上面所有值時所要執行的處理。

　　最後要用「**End Select**」來「關閉」Select Case 敘述。

■ Select Case 敘述

```
Select Case 關注對象
     Case 值 1
          若對象為值 1 時的處理
     Case 值 2
          若對象為值 2 時的處理
     Case Else
          若對象不滿足上述所有值時的處理
End Select
```

　　下列程式碼會關注儲存格 A1 的值，並因應「編輯中」、「完成」，或者其他值這三種情形分別彈出不同的訊息。

巨集 3-16

```
Select Case Range("A1").Value
     Case " 編輯中 "
          MsgBox " 請輸入必要項目 "
     Case " 完成 "
          MsgBox " 以輸入的資料為基礎開始進行計算 "
     Case Else
          MsgBox " 輸入值不符預期，請重新確認 "
End Select
```

　　此外，要指定目標值列表時，也可以用下面這些方式指定範圍。

▶ 在 Case 敘述句中可以用來指定範圍的語法

範圍	語法	內容
特定值	Case 1	值是「1」
多值之一	Case 1, 3, 5	值是「1」、「3」、「5」其中一個
範圍指定①	Case Is < 5	值小於「5」
範圍指定②	Case 1 To 5	值是「1」～「5」
在上面列出的值以外	Case Else	在上面列出的值以外

下列程式碼會關注儲存格 A1 的值，檢查這個值是否在特定範圍，並顯示對應的訊息。

巨集 3-17

```
Select Case Range("A1").Value
    Case 1
        MsgBox " 值是 1"
    Case Is < 5
        MsgBox " 值不是 1，且小於 5"
    Case 6, 8, 10
        MsgBox " 值是 6、8、10 其中一個 "
    Case 15 To 20
        MsgBox " 值在 15~20 之間 "
    Case Else
        MsgBox " 值不在上述提及的範圍內 "
End Select
```

Select Case 敘述會由上而下逐段確認是否滿足 Case 敘述句，若符合就執行該段敘述，並於完成後離開此 Select 敘述。

例如上述程式碼中，若儲存格 A1 的值是「1」，會通過第一組 Case 敘述句「Case 1」，並執行「MsgBox " 值是 1"」這句，但不會執行 Select 內剩下的處理。即使只看條件也滿足「Case Is < 5」，但並不會執行這部分。

通常 If 敘述會以「If ～ Endif」的形式劃分出一個程式碼區塊，但也有下面這種只用一行寫完的寫法。

```
If num<10 Then Debug.Print "num 的值小於 10"
```

如果「Then ～ Endif」之間要寫的程式碼短到只需一行就能寫完，也可以直接寫在「Then」的後面。在這種情況下就不用寫「Endif」了。

但這樣會讓因應條件式改變的處理不明顯，所以不太建議各位使用。但如果是尊崇「能寫進一行的程式碼必寫進一行」這種單行至上理念的人，那就用這種方式吧。

三種重複執行、迴圈的方式

說起程式的便利之處，那就是迴圈了吧！純手動得做到天荒地老的耗時工作，用迴圈卻能瞬間完成。在 VBA 中，提供了三種迴圈處理的方式。

● 指定「數」的 For ～ Next 敘述

第一種方式就是 **For ～ Nex** 敘述。這種方式可以指定迴圈的「數」或「次數」。

■ For ～ Next 敘述

```
For 迴圈計數器 = 起始值 To 終止值
    想重複執行的處理
Next
```

想重複執行處理，就要在「**For**」起始的這行建立一個迴圈計數器，並指定起始值及終止值。這樣就會將這行到「**Next**」之間的程式碼，重複執行從起始值到終止值為止的次數。

例如想重複執行五次處理，程式碼就要寫成下面這樣。把起始值設為「1」，終止值設為「5」，那就會執行 1 ～ 5 共五次處理（在儲存格中顯示重複執行的次數）。

巨集 3-18

```
Dim i As Long          '迴圈計數器
'迴圈計數器「i」會由 1 ～ 5 依序遞增並重複執行處理
For i = 1 To 5
    Cells(i, 1).Value = "第 " & i & " 次處理 "
Next
```

實例 重複執行五次處理

▲	A	B	C	D
1	第 1 次處理			
2	第 2 次處理			
3	第 3 次處理			
4	第 4 次處理			
5	第 5 次處理			
6				

每次執行完「For ～ Next」之間的程式碼,都會使迴圈計數器增加「1」,並在超過終止值以前持續重複執行。也因此,如果在迴圈處理中利用迴圈計數器,就可以改變處理的內容。

特別是 VBA 中可以用「Cells(第幾列,第幾欄)」來指定操作對象儲存格,所以像是「想用迴圈從第○列處理到第 X 列的儲存格」這類情況就非常實用。上述程式碼中,藉由起始值「1」、終止值「5」操作了儲存格 A1 ～儲存格 A5。如果改為起始值「6」、終止值「10」,操作對象就會變成儲存格 A6 ～儲存格 A10。

● 可以用 Step 關鍵字指定迴圈計數器增減的方向與間隔

若在 For ～ Next 敘述裡結合 Step 關鍵字,就能指定迴圈計數器增減的方向與間隔。

例如,想設定起始值是「5」、終止值是「1」且每次減去「1」的迴圈,程式碼就要寫成像下面這樣。

巨集 3-19

```
Dim i As Long
For i = 5 To 1 Step -1
    Debug.Print " 迴圈計數器的值：", i
Next
```

實例　邊做減法邊重複執行

下列程式碼會以儲存格範圍 B2:D2 為基準，每隔三列就畫底線。敘述較長因此途中有換行（18 頁）。

巨集 3-20

```
Dim i As Long
For i = 0 To 10 Step 3
    Range("B2:D2").Offset(i). _
        Borders(xlEdgeBottom).LineStyle = xlContinuous
Next
```

實例　只針對特定列執行處理

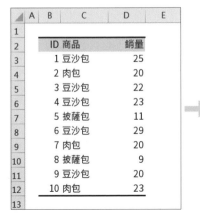

利用這個功能，就可以完成像「每隔三列就畫框線」、「每十筆紀錄就轉存、統計」這種「每經過固定次數，就執行某種處理」的行為。

● 用以遍歷列表中各元素的 For Each 敘述

第二種方式就是 **For Each** 敘述。能對特定列表中的每個元素重複執行處理。

■ For Each 敘述

```
For Each 索引變數 In 列表
     對應列表中每個元素的處理
Next
```

作為迴圈目標的列表，可以指定成儲存格範圍，也可以指定成 Worksheets 集合（整個工作表）等各種集合或陣列。

下列程式碼會以儲存格範圍 B3:B7 為迴圈目標列表重複執行處理（在名字的後面加上「先生」）。

巨集 3-21

```
Dim rng As Range
For Each rng In Range("B3:B7")
    '在儲存格的值後面加上「 先生」
    rng.Value = rng.Value & " 先生 "
Next
```

實例 針對列表重複執行處理

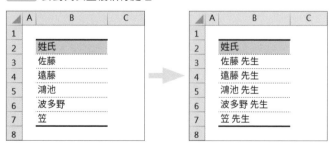

使用 For Each 敘述時，首先要將處理對象整合為列表，再建立一個變數以存放列表中的元素（以下稱為索引變數）。將程式碼寫成「**For Each** 索引變數

In 列表」的形式，那麼到「**Next**」為止所寫的程式碼，就會依據列表中的元素個數執行相同的次數。

　　執行時，每次會指定一個列表內的元素到索引變數中，再透過變數對該元素執行想做的處理。上述程式碼中，就對個別儲存格執行「在原值的後面加上『先生』」，使得指定的儲存格範圍內，每個儲存格的值後面都加上了「先生」。

　　此外，如果只想建立簡單的列表，並對其中所有值執行迴圈，結合 Array 函數（163 頁）使用會更方便。下列程式碼就利用 <u>Array 函數來建立陣列，並依序輸出陣列中的元素</u>。

巨集 3-22

```
' 建立兩個 Variant 型態的變數，作為容納列表的變數及索引變數
Dim tmpList As Variant, tmp As Variant

' 利用 Array 函數建立包含值或物件的簡易列表 ( 陣列 )
tmpList = Array(" 巨人 ", " 阪神 ", " 廣島 ", " 養樂多 ", " 中日 ", " 橫濱 ")

' 對列表中的每個元素執行迴圈
For Each tmp In tmpList
    Debug.Print tmp
Next
```

實例 結合 **Array** 函數重複執行處理

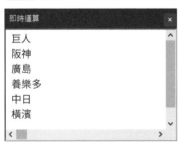

　　雖然 VBA 有著「不僅建立陣列很麻煩而且還不容易操作」的弱點，但使用 Array 函數來實作「對列表中的所有元素執行迴圈」多少會輕鬆一點。這時需要注意的是，要容納列表的變數，以及索引變數雙方都要宣告成 **Variant** 型態（萬用型態）。

For Each 敘述中的索引變數，只能使用 Variant 型態物件或者物件型態（Object 型態，或者如 Range 物件等特定物件型態這兩類）。即使處理的是字串列表，索引變數還是得宣告成 Variant 形態。寫法是有點特別，但就先記起來吧！

Column 不存在 Continue 敘述

很多程式語言中，都有用來達成「在迴圈中跳過剩下的部分」的「Continue 敘述句」。但 VBA 裡卻不存在「Continue 敘述」。

雖然有類似的「Exit For 敘述」能夠「在執行迴圈時跳過整個迴圈」，但這個功能會無視迴圈剩下的次數而直接終止迴圈。

如果「只想跳過剩下的部分」可以試試運用 If 敘述，在碰到特定值時跳過「剩下的部分」不要執行。

● 在滿足條件式的期間重複執行的 Do Loop 敘述

第三種執行迴圈的方式是 **Do Loop** 敘述。事先決定迴圈的終止條件，就能在滿足終止條件的期間（或是未滿足的期間）持續執行迴圈。

■ **Do Loop 敘述**

```
Do While 條件式
    想重複執行的處理
Loop
```

Do Loop 敘述要以「**Do While 條件式**」的形式開頭，直到「**Loop**」為止的所有程式碼就是會重複執行的範圍。迴圈在條件式為「True」的期間會持續重複執行，這時要注意也可以在重複執行的程式碼中，變更條件式的結果。

下列程式碼會在「當前儲存格存在輸入值」的期間，重複執行在當前儲存格旁邊的儲存格填入「○」。

巨集 3-23

```
Do While ActiveCell.Value <> ""
    ActiveCell.Next.Value = "○"
    ' 使下方儲存格成為新的當前儲存格
    ActiveCell.Offset(1).Select
Loop
```

實例 在當前儲存格存在輸入值的期間重複執行

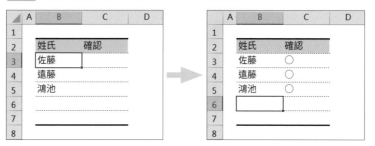

迴圈中的「ActiveCell.Offset(1).Select」這行，會執行「將下一列的儲存格選為當前儲存格」，繼續檢測其滿足終止條件。

此外，指定迴圈終止條件時，也可以用 Until 關鍵字代替 While 關鍵字。使用 **Until** 關鍵字能做出「在條件式為『**False**』的期間持續重複執行」這樣的迴圈。

■ Do Loop 敘述（**Until**）

```
Do Until 條件式
    想重複執行的處理
Loop
```

● 可以藉由變更條件式的位置，來保證「最少執行一次」迴圈

Do Loop 敘述的條件式也可以不寫在開頭的 Do 關鍵字後面，而是改寫在最後的 Loop 關鍵字後面。這種寫法會先執行一次「Do」～「Loop」之間的處理，才判定條件式的結果。也就是說會成為「最少也會執行一次內部程式碼的迴圈」。

例如下列程式碼，會像骰子般生成 1～6 間的隨機數值，在出現「6」以前持續重複執行。

巨集 3-24

```
Dim diceNum As Long
' 在模擬骰子骰出「6」以前持續重複執行
Do
    ' 生成 1～6 間的隨機數值
    diceNum = Int(Rnd * 6) + 1
    Debug.Print "骰子點數：", diceNum
Loop Until diceNum = 6
```

實例 最少也會執行一次的迴圈

因為迴圈的終止條件「Until diceNum = 6」寫在 Do Loop 敘述的最後面，所以最少也會丟一次模擬骰子並輸出結果。

Column 迴圈與螢幕更新的關係

當在迴圈中大量修改儲存格的值，或是改變工作表、活頁簿的配置時，如果調整螢幕更新或重新計算這類 Excel 獨有的設定，那就能讓處理速度及「可讀性」更好（444 頁），記得要一併確認這些細節。

3-4　與使用者對話

在執行巨集時，偶爾會有需要向使用者確認的時候吧？像是「此處理無法復原，是否仍要繼續執行？」「是否已經完成備份？」的確認，或者是「要設定折數為多少進行模擬？」「想統計的儲存格範圍是哪裡？」甚至是「要統計哪個活頁簿？」「處理哪個資料夾內的活頁簿才好呢？」這類需要指定目標檔案等，各式各樣的情況（選擇檔案的說明請參閱 369 頁）。

接下來，將會介紹像這樣與使用者進行「對話」的功能。

使用訊息方塊顯示訊息

利用 **MsgBox** 函數可以彈出訊息方塊，將引數中指定的字串顯示於對話框中。

■ **MsgBox** 函數

```
MsgBox  欲顯示字串
```

下列程式碼能彈出訊息方塊並顯示「Hello VBA!!」。

巨集 3-25

```
MsgBox "Hello VBA!!"
```

實例 彈出訊息方塊

　　彈出的訊息方塊上會看到「確定」按鈕。MsgBox 函數的特徵就是「在對話框顯示的期間，會暫停執行下方程式碼」這點。

　　例如下面這個有兩行程式碼的巨集。第一行利用 MsgBox 函數彈出訊息方塊，第二行則會輸入值到儲存格 F3 裡。

```
MsgBox  " 想想算式的結果吧，已經得到答案了嗎？ "
Range("F3").Value = 35
```

　　若執行這個程式碼，第一行會彈出訊息方塊，同時暫停巨集。直到使用者按下「確定」，才關閉訊息方塊並執行第二行程式碼。

▶ 顯示訊息方塊的期間會暫停處理

　　雖然説成「邊跟使用者對話邊進行處理」是有點誇張，但依然是能「等待使用者反應才進行處理」的功能。

● 要怎麼顯示帶選項的訊息取得使用者回應？

　　如果想顯示帶有「是」、「否」、「取消」等按鈕的訊息方塊，就要利用 MsgBox 函數的引數。

▶ **MsgBox 函數的三個引數**

引數	可以指定的內容
Prompt	要顯示的字串
Buttons	按鈕。可以藉由常數來指定要顯示的按鈕組合（可省略）
Title	標題。會顯示在對話框上方的標題字串（可省略）

■ **MsgBox 函數（包含按鈕或標題）**

```
MsgBox 字串 [, 按鈕 ][, 標題 ]
```

　　例如，要彈出帶有「是」、「否」按鈕的訊息方塊，並指定其標題，程式碼就要寫成像下面這樣。

> **巨集 3-26**

```
MsgBox Prompt:=" 比起狗你更喜歡貓嗎？ ", _
       Buttons:=vbYesNo, Title:=" 汪喵調查 "
```

實例 指定顯示的按鈕跟標題

　　在 **Buttons** 引數中指定 **VbMsgBoxStyle** 列舉中的常數，就能選擇要顯示的按鈕組合。請參閱 97 頁的表格確認可以使用的常數。

　　既然指定了按鈕種類，那自然也會想知道「使用者按了哪個按鈕」，這就得靠 MsgBox 函數的回傳值來判斷了。按下每個按鈕時所回傳的對應值，都會是 **VbMsgBoxResult** 列舉內的常數（98 頁）之一。

　　下列程式碼會使用變數「result」接收使用者所按按鈕的回傳值，並因應其值改變程式流程。

巨集 3-27

```
Dim result As VbMsgBoxResult
'顯示含有「是」、「否」按鈕的訊息方塊，並取得選擇結果
result = MsgBox("比起狗你更喜歡貓嗎？", Buttons:=vbYesNo)

'依據結果改變程式流程
If result = vbYes Then
    MsgBox "你是個喜歡貓的人呢"
Else
    MsgBox "你是個喜歡狗的人呢"
End If
```

實例 依據按鈕改變程式流程

　　這個處理有兩個關鍵。第一個是要寫成像「變數 = MsgBox(各引數)」這樣，「用括號把 MsgBox 函數的所有引數框起來」。

　　VBA 中，想用變數來接收或使用函數、方法的回傳值時，要以括號把用到的引數全部框起來。如果只是要彈出訊息方塊的話就不需要使用括號，還請注意這個差異。

　　第二個是變數 result 所接收到的回傳值，要拿來跟按鈕的對應常數做比較，以改變程式流程。上面的例子顯示了「是」、「否」兩個按鈕，當使用者按下「是」，變數會接收到「vbYes」這個回傳值；按下「否」，則會接收到「vbNo」。

▶ **VbMsgBoxStyle** 列舉中的常數

名字	說明	值
跟顯示的按鈕組合有關的項目		
vbOKOnly	「確定」按鈕（預設值）	0
vbOKCancel	「確定」、「取消」按鈕	1
vbAbortRetryIgnore	「中止」、「重試」、「略過」按鈕	2
vbYesNoCancel	「是」、「否」、「取消」按鈕	3
vbYesNo	「是」、「否」按鈕	4
vbRetryCancel	「重試」、「取消」按鈕	5
跟按鈕圖示有關的項目		
vbCritical	警告訊息圖示	16
vbQuestion	問號訊息圖示	32
vbExclamation	注意訊息圖示	48
vbInformation	情報訊息圖示	64
跟預設按鈕有關的項目		
vbDefaultButton1	將第一個按鈕設為預設按鈕（預設值）	0
vbDefaultButton2	將第二個按鈕設為預設按鈕	256
vbDefaultButton3	將第三個按鈕設為預設按鈕	512
vbDefaultButton4	將第四個按鈕設為預設按鈕	768
其他		
vbApplicationModal	指定為應用程式層次互動對話框（預設值）	0
vbSystemModal	指定為系統層次互動對話框	4096
vbMsgBoxHelpButton	顯示「說明」按鈕	16384
VbMsgBoxSetForeground	將訊息方塊設定為前景視窗	65536
vbMsgBoxRight	將訊息靠右對齊	524288
vbMsgBoxRtlReading	將訊息由右而左書寫（用於阿拉伯語系）	1048576

▶ VbMsgBtnResult 列舉

名字	說明	值
vbOK	「確定」按鈕	1
vbCancel	「取消」按鈕	2
vbAbort	「中止」按鈕	3
vbRetry	「重試」按鈕	4
vbIgnore	「略過」按鈕	5
vbYes	「是」按鈕	6
vbNo	「否」按鈕	7

上述設定中同一組項目只能指定其中一項，但「其他」的項目可以同時指定（但依使用環境不同，也可能有無法生效的常數）。此外，要使用列舉等所含的常數，除了使用常數名稱以外，也可以透過對應常數的值來設定。

使用輸入方塊供使用者輸入值

使用 InputBox 函數，可以彈出輸入方塊讓使用者輸入值，再將值運用在巨集中。

InputBox 函數

```
變數 = InputBox ( 欲顯示字串 )
```

下列程式碼能讓使用者輸入「商品名稱」，再輸出以供確認。

巨集 3-28

```
Dim result As String
result = InputBox(" 請輸入商品名稱 ")
Debug.Print " 輸入值：", result
```

實例 彈出輸入方塊

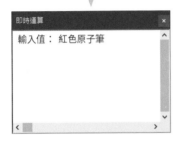

InputBox 函數能在執行巨集的途中,讓使用者輕易輸入必要的值,是個很方便的功能。此外,若指定引數還可以顯示標題及預設輸入內容等。

▶ **InputBox 函數的引數(摘錄)**

引數名稱	說明
Prompt	要顯示的字串
Title	標題。顯示在對話框上方的標題字串(可省略)
Default	預設文字。指定輸入框中顯示的預設輸入內容(可省略)

■ **InputBox 函數(含標題或預設文字)**

```
InputBox 要顯示的字串 [, 標題 ][, 預設文字 ]
```

● 讓使用者選擇儲存格範圍

作為 Excel 獨特的行為，在執行巨集的途中，有時會希望讓使用者選擇巨集的目標儲存格範圍。這時就要用到 Application 物件的 **InputBox** 方法。

InputBox 方法是比 InputBox 函數「稍微多了點功能的輸入方塊」。雖然名字相同讓人有點混亂，但讓使用者選擇儲存格範圍時要用的是 InputBox 方法，此時要在指定目標資料型態的 **Type** 引數中，輸入代表儲存格參照（Range 型態）的數值「8」。

■ **InputBox 方法**

```
Set Range 型態變數 = _
    Application.InputBox(" 欲顯示字串 ", Type:=8)
```

下列程式碼會利用 InputBox 方法彈出輸入方塊，並在使用者所選的儲存格範圍旁邊的儲存格輸入「○」。

巨集 3-29

```
' 宣告用以接收所選儲存格範圍的變數
Dim selectedRange As Range, rng As Range

' 顯示選擇儲存格對話框
Set selectedRange = _
    Application.InputBox(" 請選擇目標儲存格範圍 ", Type:=8)

' 針對選擇的儲存格範圍執行迴圈
For Each rng In selectedRange
    rng.Next.Value = " ○ "
Next
```

實例 能選擇儲存格範圍的輸入方塊

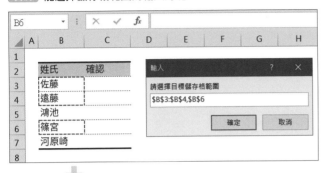

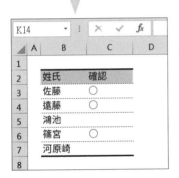

Column 還有工作表跟自訂表單這兩個選擇

訊息方塊或輸入方塊，都是能在執行巨集時讓使用者輕易指定必要情報的功能。但如果只是想在執行前讓使用者先輸入必要的值，也可以不使用對話框，而讓使用者直接輸入值到特定儲存格中。

另外，如果想製作更詳細的自訂對話框來用，也可以利用自訂表單的功能（472 頁）。就依自己的目的分別使用這些功能吧！

Chapter 4

「字串」、「日期」與「時間」的處理方法

Excel 經常需要處理「字串」或「日期」、「時間」等資料。本章先從基本的寫法開始複習，接著再介紹如何在 VBA 中處理字串、數值、日期。學會後，將變得更容易處理這些值的函數。

4-1 字串的處理方法

「對人類而言」字串、文章在軟體的使用上是非常重要的元素。不過，對電腦來說卻是「不太重要」的內容。

畢竟我們是人類而非電腦。為了要清楚表達或整理 Excel 或 VBA 中的計算結果，字串是不可或缺的，因此在 VBA 中提供了各式各樣處理字串的方式。

字串的基礎就是要用雙引號「框起來」

前面也介紹過，在 VBA 中處理字串要用「""（雙引號）」把字串框起來。

下列程式碼會在儲存格 A1 中輸入「字串」，而表達儲存格範圍的「A1」和輸入內容的「VBA」都用雙引號框了起來。

```
Range("A1").Value = "VBA"
```

再進一步複習，使用 & 運算子可以連接字串。下列程式碼會將「Excel」與「VBA」連接成「ExcelVBA」並輸入到儲存格 A1 中。

```
Range("A1").Value = "Excel" & "VBA"
```

還有一點，使用常數 **vbLf** 能進行 Excel 特有的「儲存格內換行」。下列程式碼會在儲存格 A1 中輸入「Excel（換行）VBA」。

```
Range("A1").Value = "Excel" & vbLf & "VBA"
```

其他各種表達特殊字串的常數如下表。

▶ 表達特殊字串的常數（摘錄）

常數	值（**Chr** 函數）	內容
vbCr	Chr(13)	回車符號
vbLf	Chr(10)	換行符號
vbCrLf	Chr(13) & Chr(10)	回車與換行符號
vbNewLine	Chr(13) & Chr(10) 或 Chr(10)	在 Windows、Mac 平台上的標準換行符號
vbTab	Chr(9)	Tab 字元

※Chr 函數能因應字元代碼回傳字串

取得字串資訊或擷取部份字串的函數

接著要介紹用以處理字串的函數。使用下列這些函數可以計算字串長度，或是從擷取目標字串的特定部份等等。

▶ 處理字串的函數

函數	說明
想計算字串的字元數	
Len	計算字串的字元數
想搜尋任意字串的所在位置	
InStr	在目標字串中搜尋特定字串的所在位置
InStrRev	在目標字串中由後往前搜尋特定字串的所在位置
想擷取任意字串	
Right	從最右邊開始擷取字串的指定字元數
Left	從最左邊開始擷取字串的指定字元數
Mid	從指定的位置開始擷取字串的指定字元數

▶ 處理字串的函數與其結果

	A	B	C	D	E	F
1						
2		函數	程式碼	結果		
3		Len	Len("VBA")	3		
4		InStr	InStr("168.0.0.1",".")	4		
5		InStrRev	InStrRev("168.0.0.1",".")	8		
6		Right	Right("Excel VBA", 3)	VBA		
7		Left	Left("Excel VBA", 3)	Exc		
8		Mid	Mid("Excel VBA", 3, 3)	cel		
9						

● 計算字串長度

使用 **Len** 函數可以計算字串的長度（字元數）。無論是 1 Byte 文字（半形字母、數字等）或是 2 Bytes 文字（全形文字等），都是以「一個字元計為『長度 1』」來計算。

■ **Len** 函數

```
Len ( 目標字串 )
```

下列程式碼可以計算「VBA」這個字串的長度。

```
Len("VBA")            ' 結果為「3」
```

此外，若要確認這節介紹的函數結果，可以製作下面這樣的巨集。結果會將函數結果指定到變數裡，並顯示於即時運算視窗中。

巨集 4-1

```
Sub Macro4_1()
    Dim str As String
    str = Len("VBA")
    Debug.Print str
End Sub
```

或者像下面這樣直接寫在即時運算視窗裡也可以（22 頁）。

```
Debug.Print Len("VBA")
```

● 搜尋文字的位置

使用 **InStr** 函數可以在目標字串中，搜尋任意文字的所在位置。指定 InStr 函數的第一引數為目標字串，第二引數為任意字串，就能在目標字串中尋找第二引數中的字串，並回傳「最早出現的位置」。此外，回傳值會以「第一個字元是『1』」的方式表達位置。

■ InStr 函數

```
InStr( 目標字串 , 任意字串 )
```

InStrRev 函數則能搜尋字串「最後出現的位置」。

■ InStrRev 函數

```
InStrRev( 目標字串 , 任意字串 )
```

下列程式碼會在「192.168.0.1」這個字串中搜尋「.」出現的位置。

```
InStr("192.168.0.1", ".")      ' 結果為「4」
InStrRev("192.168.0.1", ".")   ' 結果為「10」
```

上述兩個函數在找不到第二引數中指定的字串時都會回傳「0」，所以只要檢查「回傳值是否為 0」就能判斷「是否包含特定字串」。下列程式碼會在變數 str 中含有「VBA」時彈出訊息方塊。

巨集 4-2

```
Dim str As String
str = "VBA"

If InStr(str, "VBA") > 0 Then
    MsgBox " 變數 str 中包含「VBA」字串 "
End If
```

實例 是否包含特定字串？

● 擷取字串

使用 **Right** 函數與 **Left** 函數，分別能擷取任意字串的「最右邊○個字元」及「最左邊○個字元」。

■ Right 函數

```
Right ( 目標字串 , 任意字元數 )
```

■ Left 函數

```
Left ( 目標字串 , 任意字元數 )
```

下面的程式碼會擷取「Excel VBA」這個字串的前後各「3」個字元。

```
Right("Excel VBA", 3)      ' 結果為「VBA」
Left("Excel VBA", 3)       ' 結果為「Exc」
```

利用 **Mid** 函數則能「從第○個字元開始擷取△個字元」。

■ Mid 函數

```
Mid ( 目標字串 , 開始位置 [, 字元數 ])
```

下列程式碼會從「Excel VBA」這個字串中，從第「3」個字元開始擷取「3」個字元。

```
Mid("Excel VBA", 3, 3)     ' 結果為「cel」
Mid("Excel VBA", 3)        ' 結果為「cel VBA」
```

此外，第二引數「字元數」可以省略，若不指定就會從第一引數指定的開始位置算起，擷取剩下的所有字串內容。

Column　在函數中使用變數

在 Len 與 Right 等函數中，都要指定字串為引數。指定字串時也可以使用變數，下面的例子就宣告了字串（String 型態）變數，並指定為目標字串。

巨集 4-3

```
Dim str1 As String, str2 As String
str1 = "Excel VBA"
str2 = Right(str1, 3)
Debug.Print str2, Len(str2)    '結果為「VBA 3」
```

加工字串的函數

也有函數可以修整字串，或將任意值轉換成「具特定格式的字串」，想加工求得的計算結果，顯示成讓使用者容易理解的形態時十分方便。

▶ 用來修整、轉換字串的函數

函數	說明
想去除多餘空白	
Trim	去除字串左右的多餘空白
Ltrim	去除字串左側的多餘空白
Rtrim	去除字串右側的多餘空白
想取代任意字串	
Replace	取代目標字串中的任意字串
想統一字串形式	
StrConv	將字串統一成大寫、小寫、平假名、片假名、全形、半形
想將字串轉換成指定的格式	
Format	將指定的值轉換成以任意表達格式顯示的字串

▶ 加工字串的函數與其結果

	A	B	C	D	E
1					
2		函數	程式碼	結果	
3		Trim	Trim(" Excel VBA ")	Excel VBA	
4		Ltrim	LTrim(" Excel VBA ")	Excel VBA	
5		Rtrim	RTrim(" Excel VBA ")	Excel VBA	
6		Replace	Replace("Excel VBA", "Excel", "試算表")	試算表 VBA	
7		StrConv	StrConv("E x c e l vba", vbNarrow + vbUpperCase)	EXCEL VBA	
8		Format	Format(18, "VBA-000")	VBA-018	
9			Format(150000, "#,###")	150,000	
10					

● 去除多餘的空白

使用 **Trim**、**LTrim**、**RTrim** 函數分別能去除字串中左右、左側、右側的多餘空白，並回傳結果。

■ Trim 函數

```
Trim( 目標字串 )
```

■ LTrim 函數

```
LTrim( 目標字串 )
```

■ RTrim 函數

```
RTrim( 目標字串 )
```

下列程式碼會去除「Excel VBA」這個字串左右側不需要的空白。

```
Trim(" Excel VBA ")        ' 結果為「Excel VBA」
LTrim(" Excel VBA ")       ' 結果為「Excel VBA 」
RTrim(" Excel VBA ")       ' 結果為「 Excel VBA」
```

● 取代字串

使用 Replace 函數能將目標字串中的任意字串取代成其他字串。要依序指定「目標字串」、「欲取代字串」、「取代成字串」作為引數。

■ **Replace 函數**

```
Replace ( 目標字串 ,  欲取代字串 ,  取代成字串 )
```

下列程式碼會將「Excel VBA」這個字串中的「Excel」取代為「試算表」。

```
Replace("Excel VBA", "Excel", " 試算表 ")        ' 結果為「試算表 VBA」
```

● 統一字串形式

使用 **StrConv** 函數能在字串中統一「平假名／片假名」、「全形／半形」、「大寫／小寫」等格式。

■ **StrConv 函數**

```
StrConv ( 目標字串 ,  轉換規則 )
```

在 StrConv 函數的第二引數中,可以利用以下常數來指定轉換規則。只要規則間不會產生矛盾,就可以用「+」連接以同時指定多個規則。而且也可以在第二引數裡,指定每個規則所對應的常數進行加法(或運算)的結果。

▶ **可指定到 StrConv 函數第二引數裡的常數**

常數	值	形式
vbUpperCase	1	轉換成大寫
vbLowerCase	2	轉換成小寫
vbProperCase	3	把所有單字首字母轉換成大寫
vbWide	4	轉換成全形文字
vbNarrow	8	轉換成半形文字
vbKatakana	16	轉換成片假名(僅日文語系可用)
vbHiragana	32	轉換成平假名(僅日文語系可用)
vbUnicode	64	從系統預設編碼轉換成 Unicode
vbFromUnicode	128	從 Unicode 轉換成系統預設編碼

下列程式碼會將「Ｅｘｃｅｌ vba」這個字串統一成「半形、大寫」的形式。

```
StrConv("Ｅｘｃｅｌ vba", vbNarrow + vbUpperCase)'結果為「EXCEL VBA」
```

Column 把常數值加起來

StrConv 函數中，「轉換規則」可以同時指定多個常數，像上述程式碼就同時指定了「轉換成半形（vbNarrow）」跟「轉換成大寫（vbUpperCase）」。

```
StrConv("Ｅｘｃｅｌ vba", vbNarrow + vbUpperCase)
```

這句程式碼也可以像下面這樣，以常數「值」來指定。

```
StrConv("Ｅｘｃｅｌ vba", 8 + 1)
```

在函數、列舉中的常數，都會設定各自對應的數值。而將常數指定到引數中時都是利用這些對應的值。也就是說，上面程式碼中指定的「vbNarrow + vbUpperCase」並非字串連接，而是「把兩個常數的值加起來」。其實還可以直接指定成常數的和，例如上述程式碼也可以改寫成下面這樣。

```
StrConv("Ｅｘｃｅｌ vba", 9)
```

或者像下面這樣把常數名稱和值混合使用，這裡顯然也是以值的方式處理常數。

```
StrConv("Ｅｘｃｅｌ vba", vbNarrow + 1)
```

● 轉換表達格式

若不是要轉換字串，而是將任意值放進預留位置（在後續想要放值的地方，先用預設字串留出空間）以製作符合格式的字串時，就要使用 Format 函數。

第一引數要指定值，第二引數則要指定表達格式的字串（以下稱為格式字串）。格式字串與工作表上可以設定的「儲存格格式」功能裡的形式幾乎相同。

■ Format 函數

```
Format(值 [, 格式字串])
```

下列程式碼，能將「18」這個數值套用「VBA-000」這個格式製作成字串。

```
Format(18, "VBA-000")        '結果為「VBA-018」
```

例如，「VBA-000」這個格式字串中的「000」就是預留位置。將「18」放進去就會變成「018」。預留位置以外的字串會直接輸出，因此結果會是「VBA-018」（可以當作預留位置的字串種類請參閱 291 頁）。

用同樣的方式，也可以製作將數值每三位數分隔的字串，或者將日期轉換成用民國年表示的字串等。

```
Format(150000, "#,###")                '結果為「150,000」
Format(#7/9/2018#, "ggge 年 m 月 d 日 ")  '結果為「平成 30 年 7 月 9 日」
                                         (ggge 格式僅日文語系可用 )
```

只要記住格式字串的規則，就能自由改變值的顯示格式。例如「儲存活頁簿時，想在檔案名稱後面加上日期」，只要搭配能取得執行日期的 **Date** 屬性，就可以如下圖般透過格式字串輕鬆將檔案名稱給 Format（圖上運用了簡短語法（24 頁）來顯示結果）。

▶ 在執行日期上套用格式的 Format

將「2018 年 5 月 6 日」轉換後，就會得到「每日銷售報表 _20180506.xlsx」這個字串。再以這個值來另存新檔就好了呢。

如何使用正規表示式

想在 VBA 中使用正規表示式，就要用到外部函式庫（212 頁）的 **RegExp** 物件。因為內容有點複雜，所以這一節剩下的主題，如果沒有興趣其實跳過也無妨。

在 **CreateObject** 函數的引數中指定 **VBScript.RegExp**，就能使用 RegExp 物件。

▶ **RegExp** 物件的屬性/方法（摘錄）

屬性/方法	用途
Global 屬性	指定成布林值，決定是要匹配字串中所有符合的值（True）或是匹配到第一個符合值後就跳出（False）。預設值是 False
Pattern 屬性	指定模式字串
Execute 方法	進行匹配，並回傳一個 Matches 集合容納所有匹配成功的結果
Replace 方法	針對目標字串，以在 Pattern 屬性中指定的模式用任意字串取代後，回傳結果字串
Test 方法	測試在目標字串中能否匹配成功，並回傳布林值作為結果

● 匹配與取得結果

　　正規表示式最基本的使用方式，就是以 **Pattern** 屬性指定模式字串，再用 **Execute** 方法進行匹配。在模式字串中可以使用以下這些元字符。

▶ **RegExp** 物件中可以使用的元字符（摘錄）

元字符	匹配的要素
.	除了換行字元外的任何單一字元
[ABC]	符合前述內容的任意字元（A 或 B 或 C）
[^ABC]	不符合前述內容的任意字元（除了 A、B、C 以外的字元）
?	重複其前方模式 0～1 次
+	重複其前方模式 1 次或以上
*	重複其前方模式 0 次或以上
^	字串開頭
$	字串結尾
\n	換行字元
\r	回車字元
\t	Tab 字元
\d	數字字元
\D	非數字字元

元字符	匹配的要素
\s	任意空白字元
\S	任意非空白字元
\	元字符的跳脫字元。「\?」會匹配「?」
( )	指定向後引用時的分組
$1 $2 ...	向後引用時的各組內容

匹配的結果會回傳為一個 **Matches** 集合，可以藉此存取每個匹配結果。

以下是進行匹配的例子。

巨集 4-4

```
Dim regExp As Object, matchList As Object
Dim str As String, patternStr As String
' 目標字串
str = "0123-4567"
' 模式字串（「連續數值」）
patternStr = "\d+"
' 建立正規表示式物件並進行匹配
Set regExp = CreateObject("VBScript.RegExp")
With regExp
    ' 設定匹配方式
    .Global = True
    .Pattern = patternStr
    ' 進行匹配並取得結果
    Set matchList = .Execute(str)
End With

' 輸出結果
Debug.Print "對象字串：", str
Debug.Print "模式字串：", patternStr
Debug.Print "匹配成功數：", matchList.Count
Debug.Print "匹配結果 1：", matchList(0).Value
Debug.Print "匹配結果 2：", matchList(1).Value
```

實例 利用正規表示式進行匹配

作為匹配結果的 Matches 集合，可以用 **Count** 屬性來取得匹配成功數。此外，可以用「**Matches** 集合（索引值）」的形式來存取每個匹配結果，這時索引值是由「0」開始。

每個匹配成功的結果，會儲存為 **Match** 物件進行管理，並可藉由 **Value** 屬性取得匹配成功的字串。

此外，用小括號進行向後引用時，可以用 **SubMatches** 屬性來取出小括號內的字串。例如，想將「靜岡縣富士市永田町 1-100」這個字串，分類為「縣」、「市」、「『市』以後不含數值的文字」、「剩餘部分」來進行向後引用，就要將匹配字串設定成「(.+ 縣)(.+ 市)(\D+)(.+)」這四個能夠向後引用的字串。

```
' 匹配對象字串
str = "靜岡縣富士市永田町 1-100"
' 模式字串
patternStr = "(.+ 縣 )(.+ 市 )(\D+)(.+)"
```

這個情況下，能匹配到每個小括號內模式的字串，就可以透過 Match 物件的 SubMatches 屬性，用以下的形式來取得。

```
Debug.Print " 向後引用 1：", matchList(0).SubMatches(0)
Debug.Print " 向後引用 2：", matchList(0).SubMatches(1)
Debug.Print " 向後引用 3：", matchList(0).SubMatches(2)
Debug.Print " 向後引用 4：", matchList(0).SubMatches(3)
```

實例 匹配結果（向後引用）

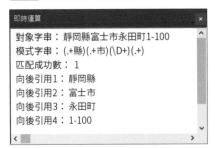

```
即時運算                                          ×
對象字串：靜岡縣富士市永田町1-100
模式字串：(.+縣)(.+市)(\D+)(.+)
匹配成功數：1
向後引用1：靜岡縣
向後引用2：富士市
向後引用3：永田町
向後引用4：1-100
```

● 利用正規表示式進行取代

使用 RegExp 物件（113 頁）的 **Replace** 方法就能執行取代處理。下列程式碼會將儲存格範圍 B3:B7 裡的值，以「非數字 (\D)」模式進行匹配，再將匹配到的文字全部取代成「""（空白字串）」後，輸入到相鄰儲存格中。其實就是「清除內容只留下數值」。

巨集 4-5

```vba
Dim rng As Range
'生成正規表示式物件
With CreateObject("VBScript.RegExp")
    '設定匹配「非數字」
    .Global = True
    .Pattern = "\D"
    '針對儲存格範圍 B3:B7 進行迴圈
    For Each rng In Range("B3:B7")
        '將「非數字」全部取代成空白內容，並輸入到相鄰儲存格
        rng.Next.Value = .Replace(rng.Value, "")
    Next
End With
```

實例 利用正規表示式進行取代

▲	A	B	C	D
1				
2		原值	取代後	
3		¥1,234	1234	
4		1234	1234	
5		1234 日圓	1234	
6		1,234 美元	1234	
7		1234 歐元	1234	
8				

綜合使用元字符中的「()」與「$ 編號」，就能將用了向後引用的值交換順序。下列程式碼會利用正規表示式，將「Jyunpei FURUKAWA」這個字串的順序改為「FURUKAWA Jyunpei」。

巨集 4-6

```
' 生成正規表示式物件
With CreateObject("VBScript.RegExp")
    .Global = True
    ' 將含有空白字元的字串前後交換，並輸出值
    .Pattern = "(\S+)\s(\S+)"
    Debug.Print .Replace("Jyunpei FURUKAWA", "$2 $1")
End With
```

實例 交換字串的順序

只要學會正規表示式，那麼以往只靠「取代」功能、Replace 函數，或者 Range 物件的 Replace 方法等做起來十分麻煩的字串操作，就會變得簡單許多。所以有興趣的人還請搜尋「正規表示式」這個關鍵字，或是翻閱 MSDN 的 RegExp 物件的參考文件等內容。

4-2 日期與時間的處理方法

要在 VBA 中處理日期跟時間，最好先掌握序列值這個概念。接下來還要介紹能從序列值中擷取「年」、「月」、「日」等特定要素的函數，以及用以進行日期計算的函數。

日期資料是以序列值管理的

在 VBA 中輸入日期常值時，要用「#（井字號）」框起來寫成「#2018/01/05#」，輸入後則會自動轉換成「#月 / 日 / 年 #」。雖然轉換成這種日本沒在用的寫法是有點多此一舉，不過因為是 VBA 的特性，也只能接受。

▶ 輸入日期常值

```
Dim myDate As Date
myDate = #2018/01/05#
```

```
Dim myDate As Date
myDate = #1/5/2018#
```

以「# 年 / 月 / 日 #」的形式輸入再按下「Enter」鍵，就會自動轉換成「# 月 / 日 / 年 #」的形式

日期值在電腦內部會以**序列值**（日期序列值）的方式管理。VBA 的序列值規則是定義「1899/12/310:00:00」為「1.0」，且每經過一天就增加「1」。

也就是說，在 VBA 裡「1」就是「1899 年 12 月 31 日」，「2」則是隔天「1900 年 1 月 1 日」。而「1.5」就是比「1」多半天，即「1899 年 12 月 31 日中午 12 點」。也就是整數部份處理日期，小數部份處理時間。

若試著把「2018 年 10 月 5 日」這個日期值轉換成數值，會是「43378」。（圖中的 CDbl 函數，能將指定為引數的值，轉換成處理小數的 Double 型態）

▶ 將日期值轉換成數值

即時運算

```
? CDbl(#2018/10/5#)
 43378
```

　　當然不用把這些數值背起來，但要熟悉「日期資料在內部以序列值的方式管理」這件事。

■ 轉換成日期的函數

　　有些函數能將表達年月日等字串或數值轉換成序列值。

▶ 轉換成序列值的函數

函數	說明
DateValue	將日期形式的字串轉換成日期序列值
TimeValue	將時刻形式的字串轉換成日期序列值
DateSerial	將傳遞到引數中的「年」、「月」、「日」轉換成日期序列值
TimeSerial	將傳遞到引數中的「時」、「分」、「秒」轉換成日期序列值

　　DateValue 函數能將日期形式的字串轉換成序列值。

■ **DateValue** 函數

```
DateValue ( 日期形式的字串 )
```

　　下列程式碼會將「2018 年 5 月 1 日」這個字串轉換成序列值。

```
DateValue("2018 年 5 月 1 日 ")    ' 結果為表示「2018/05/01」的序列值
```

　　TimeValue 函數能將時刻形式的字串轉換成序列值。

■ **TimeValue 函數**

```
TimeValue ( 時刻形式的字串 )
```

下列程式碼會將「12 時 30 分」這個字串轉換成序列值。

```
TimeValue("12 時 30 分 ")      ' 結果為表示「12:30:00」的序列值
```

DateSerial 函數能以傳遞到引數中的日期數值為基礎生成序列值。

■ **DateSerial 函數**

```
DateSerial(年 , 月 , 日 )
```

下列程式碼分別指定了「年 , 月 , 日」元素為「2018, 10, 5」來生成序列值。

```
DateSerial(2018, 10, 5)      ' 結果為表示「2018/10/05」的序列值
```

TimeSerial 函數能以傳遞到引數中的時刻數值為基礎生成序列值。

■ **TimeSerial 函數**

```
TimeSerial( 時 , 分 , 秒 )
```

下列程式碼分別指定了「時 , 分 , 秒」元素為「14, 25, 30」來生成序列值。

```
TimeSerial(14, 25, 30)      ' 結果為表示「14:25:30」的序列值
```

實例 **生成序列值的結果**

即時運算
```
2018/05/01
12:30:00
2018/10/05
14:25:30
```

　　如果覺得用井字號框住日期常值的形式不好讀，使用上述的函數，或許能提升程式碼的可讀性。

● 日期的進位

　　DateSerial 函數和 TimeSerial 函數各自需要指定三個引數「年」、「月」、「日」及「時」、「分」、「秒」，但這些值其實是能自動「進位」的。來看個具體的例子，在下列程式碼中，<u>「年」指定成「2018」、而「月」指定了「12+5」，即超過了 12 個月的「17」這個值</u>。

```
DateSerial(2018, 12 + 5, 1)    '結果為表示「2019/5/1」的序列值
```

　　這種情況會自動將「17 月」多出來的部份進位到年，視為「1 年 5 個月」處理，因此回傳了「2019 年 5 月 1 日」的序列值。只要記住這個機制，就能輕鬆計算跨月或跨年的需求。

■■ 擷取日期中特定要素的函數

　　以下這些函數，可以從序列值裡擷取「年」、「月」、「日」的數值。

▶ 從序列值中擷取特定要素的函數

函數	說明
Year	擷取「年」
Month	擷取「月」
Day	擷取「日」
Hour	擷取「時」
Minute	擷取「分」
Second	擷取「秒」

▶ 從序列值中擷取值

	A	B	C	D	E
1					
2		值	函數	結果	
3		2018/5/10	Year	2018	
4			Month	5	
5			Day	10	
6		14:30:22	Hour	14	
7			Minute	30	
8			Second	22	
9					

　　使用 Year 函數、Month 函數與 Day 函數，分別能從序列值裡擷取對應到「年」、「月」、「日」的值。

■ Year 函數

```
Year ( 日期序列值 )
```

■ Month 函數

```
Month ( 日期序列值 )
```

■ Day 函數

```
Day ( 日期序列值 )
```

　　下面的程式碼會從「2018/5/10」的序列值中擷取對應「年」的值。

```
Year (#2018/05/10#)        ' 結果為「2018」
```

Column 其實也能從日期形式的字串擷取資料

　　其實如果將「"2018/05/10"」這種能視為日期的字串指定成 Year 等函數的引數，也能順利取出年、月、日的值。

得到當天是星期幾的函數

　　使用 **Weekday** 函數，可以得到星期幾的資訊，回傳值會以星期日為「1」到星期六為「7」。**WeekdayName** 函數能取得 Weekday 函數的回傳值所對應的中文星期字串。

▶ **處理星期幾的函數**

函數	說明
Weekday	回傳表示星期幾的數值，如果不指定第二引數，就會以星期日為「1」到星期六為「7」
WeekdayName	回傳對應到數值的中文星期字串

● Weekday 函數

　　Weekday 函數要寫成下面的形式。

■ **Weekday 函數**

```
Weekday( 日期 [, 每週第一天 ])
```

　　例如「2018/5/10」是星期四，若指定為 Weekday 的引數，就會回傳「5」這個值。

```
Weekday(2018/5/10)      '結果為「5」
```

　　或是像下面這樣，先用第二引數把表示星期一的「2」指定成每週第一天，那星期四就會回傳「4」。

```
Weekday(2018/5/10, 2) '結果為「4」
```

　　以下的常數可以指定為每週第一天。

▶ **Weekday 函數的常數**

常數	值	星期幾
vbUseSystem	0	系統語言設定對應到的星期幾
vbSunday	1	星期日（預設值）
vbMonday	2	星期一
vbTuesday	3	星期二
vbWednesday	4	星期三
vbThursday	5	星期四
vbFriday	6	星期五
vbSaturday	7	星期六

● **WeekdayName 函數**

WeekdayName 函數要寫成下面這樣。

■ **WeekdayName 函數**

```
WeekdayName ( 表達星期幾的數值 [, 是否要省略 " 星期 "] [, 每週第一天 ] )
```

例如若傳遞「5」到 WeekdayName 函數的引數裡，就會回傳「星期四」這個字串。

```
WeekdayName(5)      ' 結果為「星期四」
```

若指定第二引數為「True」，就會將顯示的「星期幾」改為「週幾」（省略引數時視為指定「False」）。第三引數與 Weekday 函數同樣是用來指定每週第一天是星期幾。

▶ **處理星期幾的函數**

⧨	A	B	C	D	E
1					
2		值	函數	結果	
3		2018/5/10(四)	Weekday	5	
4			WeekdayName	星期四	
5					

用 Weekday 函數能方便地由日期得知當天是星期幾。當然 WeekdayName 函數也很方便,但其實也可以利用格式設定或 Format 函數(112 頁)顯示或取得星期字串。因此要用哪個方法,就依自己的喜好決定吧。

使用日期計算的函數

DateAdd 函數跟 DateDiff 函數都能用來進行日期計算。DateAdd 函數能計算從特定序列值算起的「10 天後」、「2 個月後」等,經過指定期間後的日期。相對的,DateDiff 則能計算兩個日期間的差值。

▶ 好用的日期計算函數

函數	說明
DateAdd	從特定的日期開始,回傳經過指定時間後的日期
DateDiff	傳回兩個日期間的差值

● DateAdd 函數

DateAdd 函數需要指定三個引數。

■ DateAdd 函數

```
DateAdd( 時間單位 , 增加值 , 起始序列值 )
```

第一引數要指定對應到計算時間單位的字串。

▶ 指定計算時間單位的字串

字串	對象
yyyy	年
m	月
d	日
h	時

字串	對象
n	分
s	秒

第二引數要指定增加值，第三引數則要指定起始日期（序列值）。例如想計算從「2018 年 1 月 1 日」開始，「15」「日」後的日期，就要寫成下面這樣。

```
DateAdd("d", 15, #2018/01/01#)    '結果為「2018/01/16」
```

實例 日期的計算結果

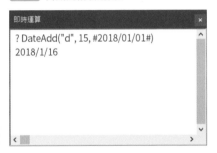

DateAdd 即使在計算年度或月度這種會進位的情況，還是能以序列值為基礎進行計算，是很好用的函數。

● DateDiff 函數

DateDiff 函數需要指定三個引數。

■ DateDiff 函數

```
DateDiff( 時間單位 , 日期1, 日期2)
```

第一引數跟 DateAdd 函數相同，要指定對應到計算時間單位的字串（140 頁）。第二和第三引數要指定想比較的兩個日期。例如計算「2018 年 1 月 1 日」到「2018 年 3 月 1 日」為止的「天數」，就要寫成下面這樣。

```
DateDiff("d", #2018/01/01#, #2018/03/01#)   '結果為「59」
```

▶ 要取得兩個日期的差值

即時運算
```
? DateDiff("d", #2018/01/01#, #2018/03/01#)
 59
```

因為 2018 年不是閏年,所以一月份的「31」加上二月份的「28」得到總日數「59」。

● 要求當月最後一天的計算

此外,在日期計算中時常需要計算「當月最後一天」,有很多方式能用,較常見的是「從下月一日減去『1』」這個方法。

因為管理序列值的規則是「把一天的長度設為『1』」,所以只要計算「下月一日的前一天」就能得到目標月份的最後一天,下列程式碼就是依據這個想法而來。指定「2018 年 12 月 10 日」為基準,並求出該月及兩個月後的當月最後一天。

巨集 4-7

```
Dim tmpDate As Date
' 設定基準日期
tmpDate = #12/10/2018#
' 當月最後一天
Debug.Print "當月月末:", DateSerial(Year(tmpDate), _
    Month(tmpDate) + 1, 1) - 1
' 兩個月後的當月最後一天
Debug.Print "兩個月後:", DateSerial(Year(tmpDate), _
    Month(tmpDate) + 3, 1) - 1
```

實例 算出當月最後一天

即時運算

當月月末：　2018/12/31
兩個月後：　2019/2/28

　　首先，使用 **Year** 函數跟 **Month** 函數取得基準日期的「年」、「月」，以這個值為基準指定 **DateSerial** 函數的年、月、日以計算「下個月第一天」。其中「年」不變，「月」因應目標月份以加法指定，「日」指定成「1」以取得月初第一天，就得到「目標月份的下個月一日」的序列值。接著只要減去「1」，就能求得目標月份的最後一天。

取得執行巨集當下的日期及時間

　　利用下列函數，可以取得執行巨集當下的日期及時間。

▶ 能取得執行巨集當下的日期及時間的函數

函數	說明
Now	取得現在的日期及時間
Date	取得現在的日期
Time	取得現在的時間

　　這幾個函數直接寫成「Now」、「Date」、「Time」就可以了。

巨集 4-8

```
Debug.Print "日期及時間:", Now
Debug.Print "日期:", Date
Debug.Print "時間:", Time
```

實例 求得執行時的時間、日期

Chapter 5

一口氣處理列表
〜 陣列與集合的結構 〜

本章將介紹在 VBA 中要怎麼使用陣列。不過要先打個預防針，VBA 的陣
列相較於其他語言不算簡單，用起來滿麻煩的。話雖這麼說，陣列還是有
許多方便且實用的用途。因此接下來將會介紹各種在 VBA 中處理「列表」
的方式，同時也會參雜一些較簡易的替代手段。

5-1 麻煩但高效的陣列該怎麼用？

　　若要將多個值或物件分組處理或統一處理時，「陣列」是個相當方便的工具。當然在 VBA 中也有陣列功能，只是在操作上不怎麼簡單。不過麻煩歸麻煩，陣列依然有許多方便實用的地方。

　　尤其是和儲存格間進行資料交換，特別能發揮陣列的威力。儲存格的位置與值受到具有「列、欄」的二維表格管理，正好與「二維陣列」這個結構不謀而合，因此特別在輸入、輸出大量的值之際極為有效。「雖說麻煩了些，但學會的話效果絕佳」正是 VBA 陣列最好的形容。

■ VBA 的陣列寫法很固定，所以很麻煩

　　在 VBA 中使用陣列的第一步就是「指定陣列的大小（元素個數、長度）進行宣告」。宣告時元素索引值是從「0」開始，若指定大小為「2」，就會宣告出含有「0, 1, 2」三個元素的陣列。

■ 宣告陣列

```
Dim 陣列名稱 (大小) As 資料型態
```

　　例如寫成下面這樣，就能宣告陣列「strList」以容納三個字串。

```
Dim strList(2) As String
```

　　想指定值到已宣告的陣列裡，就要在陣列名稱後的括號中指定由「0」開始的索引值，再指定其值。

```
strList(0) = " 蘋果 "
strList(1)= " 橘子 "
strList(2) = " 葡萄 "
```

　　想取出陣列中儲存的值，和指定值時同樣要用到索引值，以依序指定想取出的對象。

```
Debug.Print strList(0), strList(1), strList(2)
```

▶ 顯示陣列的值

　　此外，這種形態的陣列能沿著列方向（水平方向）把值輸入到儲存格中，如果有大小相同的儲存格範圍，就能將陣列中的值全部輸入到儲存格中。

　　下列程式碼會建立含有三個字串的陣列，並將陣列中的元素分別輸入到儲存格範圍 B2:D2 中。在這個範例中，預先設定了目標儲存格的格式。

巨集 5-1

```
' 宣告可容納三個字串的陣列
Dim strList(2) As String
' 指定元素到陣列中
strList(0) = " 蘋果 "
strList(1) = " 橘子 "
strList(2) = " 葡萄 "
' 將元素輸入到儲存格中
Range("B2:D2").Value = strList
```

實例 把陣列的值展開到儲存格中

　　這就是基本的陣列用法。只是「宣告陣列」與「給定初始值」不能同時進行，而且 VBA 不像部份程式語言有 Pop 或 Shift 這類，以佇列或堆疊結構來取出陣列值的方式，就只能土法煉鋼的指定索引值來取值。

Column 指定開頭與結尾的索引值

其實陣列也可以利用「To」關鍵字「在宣告時指定起始與結束的索引值」。下列程式碼宣告了一個索引值從「1」到「3」，元素個數為「3」的陣列「numList」。

```
Dim numList ( 1 To 3 ) As Long
```

對於從 VBA 才開始學習程式的人來說，因為儲存格的列、欄編號，還有集合的索引值都是從「1」開始，所以對陣列的索引值從「0」開始這件事多少會有點彆扭。這時用上述方法就可以宣告出從「1」開始的陣列。

其實還能用「Option Base 1」敘述，來讓所有陣列的索引值預設從「1」開始。詳情請翻閱參考文件（https://docs.microsoft.com/zh-tw/office/vba/Language/Reference/User-Interface-Help/option-base-statement）。

能取得陣列資訊的函數

有專用的函數，可以用來取得陣列中的起始索引值或結束索引值等資訊。

▶ 取得陣列資訊的函數

函數	說明
LBound	取得起始索引值
UBound	取得結束索引值

LBound 函數能取得起始索引值，而 **UBound** 函數則能取得結束索引值。兩者都可以用第二引數指定想取陣列的哪個維度（若省略則預設為「1」）。

■ LBound 函數

```
LBound ( 陣列名稱 [, 維數 ] )
```

■ UBound 函數

```
UBound ( 陣列名稱 [, 維數 ] )
```

　　下列程式碼中，會取得陣列「tmpList」的起始、結束索引值，並在迴圈中利用索引值取得陣列中的值。

巨集 5-2

```
' 宣告索引值為「1 ～ 3」的陣列
Dim tmpList(1 To 3) As String, i As Long
' 指定值
tmpList(1) = " 蘋果 "
tmpList(2) = " 橘子 "
tmpList(3) = " 葡萄 "
' 取得索引值
Debug.Print " 起始：", LBound(tmpList)
Debug.Print " 結束：", UBound(tmpList)
' 遍歷陣列
For i = LBound(tmpList) To UBound(tmpList)
    Debug.Print i, tmpList(i)
Next
```

實例 取得並輸出索引值

　　順帶一提，VBA 中沒有能直接獲得「陣列長度（元素個數、成員個數）」的函數或機制。所以想知道元素個數，可以用 UBound 函數取得結束索引值，再減去 LBound 函數取得的起始索引值，最後加上「1」即可求出。其實就是「宣告陣列時成員個數就固定了，所以個數早就知道了吧？」的模式。

　　此時如果採用「索引值從 1 開始」的規則，那就能直接將 UBound 的回傳值視為元素個數了，很方便呢！

Column 在 VBA 中宣告二維陣列

在 VBA 中也可以宣告二維或三維等陣列。宣告二維陣列時程式碼要寫成下面這樣，下面宣告了一個持有「2 列 ×3 行」元素的陣列。

```
Dim strList(1, 2) As String
```

同樣也可以使用 To 關鍵字。

```
Dim strList(1 To 2, 1 To 3) As String
```

要指定陣列中特定元素的值時，就要寫成下面這樣（這是未使用 To 關鍵字的例子）

```
strList(0, 0) = "蘋果"
strList(0, 1) = "橘子"
strList(0, 2) = "葡萄"
strList(1, 0) = "草莓"
strList(1, 1) = "哈密瓜"
strList(1, 2) = "西瓜"
```

而用下面的寫法，就能取出指定到陣列中的值。

```
Debug.Print strList(0, 0)
```

此外，若要取得上述二維陣列各維度的結束索引值，就要在 UBound 的第二個引數裡指定目標維度。

```
UBound(tmpList, 1) '結果為「1」(第一維度是 0～1)
UBound(tmpList, 2) '結果為「2」(第二維度是 0～2)
```

中途改變元素個數的方式

有沒有辦法在執行程式的途中改變陣列裡的元素個數呢？答案是「可以，但有條件上的限制」。

若宣告時不指定元素個數，只寫括號，就能宣告出動態陣列，可以在執行途中改變元素個數。

■ **宣告動態陣列**

```
Dim 陣列名稱() As 資料型態
```

下列程式碼會宣告一個字串型態的動態陣列 tmpList。

```
Dim tmpList() As String
```

宣告後，在第一次用到這個陣列前，必須先以 **ReDim** 敘述來定義陣列大小（元素個數），才能輸入值。

■ **ReDim 敘述**

```
ReDim 陣列名稱 ( 大小 )
```

下列程式碼會定義一個大小為「2」的陣列（元素索引值為 0 ～ 2 的陣列），並指定每個元素的值。

```
ReDim tmpList(2)
tmpList(0) = " 蘋果 "
tmpList(1)= " 橘子 "
tmpList(2) = " 葡萄 "
```

此外，對於已含輸入值的陣列，使用 **ReDim Preserve** 敘述可以增加元素個數。

■ **ReDim Preserve 敘述**

```
ReDim Preserve 陣列名稱 ( 大小 )
```

下列程式碼會對已含輸入值的陣列（在上述程式碼中指定了值的陣列），在保留原先輸入值的同時讓大小增加到「3」（元素索引值為 0 ～ 3 的陣列），再指定新增元素的值。

```
ReDim Preserve tmpList(3)
tmpList(3) = " 草莓 "
```

「想新增一個元素到現有陣列中」就要像下面這樣，搭配 UBound 函數取得結尾索引值來擴大陣列，再指定陣列尾端元素。

```
ReDim Preserve tmpList(UBound(tmpList) + 1)
tmpList(UBound(tmpList)) = " 哈密瓜 "
```

若用 ReDim Preserve 敘述設定的陣列大小少於現有的元素個數，那就只會保留指定數量的元素，並丟棄多餘的元素。下列程式碼就是在保留原陣列（tmpList）輸入值的同時，將長度縮短到「1」（元素的索引值為 0 ～ 1 的陣列）。

```
ReDim Preserve tmpList(1)
```

▶ 元素值的變化

VBA 中不提供直接「刪除」特定元素以精簡陣列的手段，所以能做的只有「減少元素個數」。說實話，是會讓人感到有點「疲憊」。VBA 的陣列實在是不適合實作「在執行處理的期間還要變更元素個數」的功能。因此若有「管理目標列表中元素的同時，還想增減元素個數」的需求，別用「陣列」，改用集合（153 頁）或關聯陣列（157 頁）來實作也許會更順手一點。

綜上所述，在 VBA 中使用動態陣列的規則，就是「宣告時不定義元素個數」、「改變元素個數要用 ReDim、ReDim Preserve」。

■■ 兩個能輕鬆製作及檢視陣列的函數

在 Excel 中處理資料時，有時原始資料會給「蘋果,橘子,葡萄」這種用逗號分隔的字串（CSV 形式）。**Split** 函數能用來分割這種資料，並儲存到陣列中。反之若想將現有陣列中的值，輸出或顯示成這種用逗號分隔的字串，**Join** 函數就很實用了。

▶ 能用於陣列 ⇔ 字串轉換的函數

函數	用途
Split	將字串轉換為陣列。第一引數指定字串，第二引數指定分隔符號。若省略第二引數，將以半形空白來分隔。
Join	將陣列轉換成字串。第一引數指定陣列，第二引數指定分隔符號。若省略第二引數，將以半形空白來分隔。

■ **Split 函數**

```
Split( 字串 [, 分隔符號 ])
```

■ **Join 函數**

```
Join( 陣列 [, 分隔符號 ])
```

下列程式碼會以用逗號分隔的字串建立陣列。

巨集 5-3

```
Dim str As String, arr() As String
' 以用逗號分隔的字串建立陣列
str = " 蘋果 , 橘子 , 葡萄 "
arr = Split(str, ",")
Debug.Print arr(0), arr(1), arr(2)
```

實例 以用逗號分隔的字串建立陣列

下列程式碼能將剛才建立的陣列，連接成以「：」分隔的新字串並輸出。

巨集 5-4

```
Dim str As String, arr() As String
' 以用逗號分隔的字串建立陣列
str = " 蘋果 , 橘子 , 葡萄 "
```

```
arr = Split(str, ",")
Debug.Print Join(arr, "：")
```

實例 利用陣列製作以「：」分隔的字串

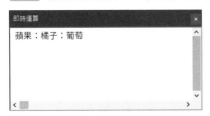

特別是 Join 函數，不管是開發期間想輸出陣列內容以供確認，或是想統一顯示於訊息方塊中都很實用。要將內容顯示於訊息方塊時，若分隔符號採用「**vbCrLf**」（換行文字），就能將每個元素清楚地換行顯示。下列程式碼會在訊息方塊中將陣列內容換行顯示。

巨集 5-5

```
Dim str As String, arr() As String
' 以用逗號分隔的字串建立陣列
str = "蘋果，橘子，葡萄"
arr = Split(str, ",")
MsgBox Join(arr, vbCrLf)
```

實例 在訊息方塊中顯示陣列內容

使用 Join 函數時有個必須注意的地方，就是這個函數「基本上只用於含有字串的陣列」。如果陣列中全是數值，連接時就會發生錯誤。這種情況下雖說麻煩了點，但可以改用迴圈來連接，或改存為 Variant 型態陣列，不然也能乾脆把內容輸出到儲存格中，再用 TextJoin 函數（151 頁）來連接這種解決方案。

Column 「沒有」排序陣列的手段

在 VBA 中不提供直接排序陣列的手段，就只能自己想辦法。幸好已經有許多前人曾因這個問題而煩惱，而公開了各種排序方式。可以從網路上搜尋或在書裡頭翻翻看。

下面舉一個以「泡泡排序法」來交換陣列內容的例子。

巨集 5-6

```
Dim arr(4) As Long, i As Long, j As Long, tmpNum As Long
' 建立包含五個隨機數值的陣列
For i = 0 To 4
    arr(i) = Int(Rnd * 90) + 10
Next
Debug.Print "排序前：", arr(0), arr(1), arr(2), arr(3), arr(4)
' 排序陣列
For i = LBound(arr) To UBound(arr)
    For j = UBound(arr) To i Step -1
        If arr(i) < arr(j) Then
            tmpNum = arr(i)
            arr(i) = arr(j)
            arr(j) = tmpNum
        End If
    Next
Next
Debug.Print "排序後：", arr(0), arr(1), arr(2), arr(3), arr(4)
```

上述範例中，隨機產生了五個數值，並對其作降序排列（由大到小）。

```
即時運算                                    ×
排序前： 57 79 14 63 52
排序後： 79 63 57 52 14


<
```

排序的方法、演算法有很多種類，就找找那些能順應自己的工作需求，或適合目標資料類型的方式來使用吧。

5-2 以陣列加速操作儲存格的值

比起一個一個輸入，用陣列將值一次輸入儲存格確實是快了很多。而且既然都特別學了陣列這個麻煩的方法了，有機會的話，還是多拿出來用吧！

■ 以二維陣列將值輸入到儲存格中

要一次在儲存格中輸入值時，最好先學會二維陣列這個結構。例如想在「橫三列、縱五欄」的儲存格中輸入值，就要先準備一個「3×5」大小的陣列。

先來看一個實際範例。下列程式碼會宣告一個「3×5」的二維陣列，並將陣列的值輸入到儲存格範圍 B2:F4。

巨集 5-7

```
' 宣告管理索引值的變數
Dim rowIndex As Long, colIndex As Long
' 準備二維陣列用來容納 3 列 ×5 欄的值
Dim tmpValue(1 To 3, 1 To 5) As Variant
' 輸入值到二維陣列中
For rowIndex = 1 To UBound(tmpValue)
    For colIndex = 1 To UBound(tmpValue, 2)
        tmpValue(rowIndex, colIndex) = rowIndex & "-" & colIndex
    Next
Next
' 將輸入於陣列的值展開到儲存格中
Range("B2:F4").Value = tmpValue
```

實例 使用二維陣列進行輸入

⁄	A	B	C	D	E	F	G
1							
2		1-1	1-2	1-3	1-4	1-5	
3		2-1	2-2	2-3	2-4	2-5	
4		3-1	3-2	3-3	3-4	3-5	
5							

二維陣列正如其名，是擁有「2」個「維度」的陣列。維度乍聽之下似乎很困難，但剛好用 Excel 儲存格這類網格就能想像了。例如有個「第一維度是『3』、第二維度是『5』」的二維陣列，那就是「能容納 3×5 共 15 個資料的陣列」。

使用 Dim 敘述宣告二維陣列，指定大小時要以逗號分隔各維度的元素個數。

■ 宣告二維陣列

```
Dim 陣列名稱 ( 第一維度元素個數 , 第二維度元素個數 )
```

若要輸入值到二維陣列中，程式碼要寫成下面這樣。

■ 指定二維陣列的值

```
陣列名稱 ( 第一維度索引值 , 第二維度索引值 ) = 值
```

想從陣列中取值時，同樣要指定兩個維度的索引值。已經習慣 VBA 程式碼的人，只要回想先前用以存取任意儲存格時的「**Cells(第幾列 , 第幾欄)**」，就能以同樣的方式存取二維陣列。

了解二維陣列的結構以後，我們來分析這節最前面的範例程式碼（巨集 5-7）。首先，宣告了一個能容納「3 列、5 行」資料的二維陣列。

```
' 宣告管理索引值的變數
Dim rowIndex As Long, colIndex As Long
' 準備二維陣列用來容納 3 列 ×5 行的值
Dim tmpValue(1 To 3,1 To 5) As Variant
```

如果一開始就知道打算放「3×5」個元素，那與其使用索引值從「0」開始的「tmpValue(2, 4)」，不如宣告成從「1」開始的「tmpValue(1 To 3, To 5)」看上去會更直覺，這部分就隨個人喜好來使用。

接著要輸入值到二維陣列中，倘若要輸入的值具有規律，可以指定變數分別管理二維陣列的兩個維度，再重疊兩層迴圈（巢狀迴圈）來輸入會比較簡單。

```
'輸入值到二維陣列中
For rowIndex =To UBound(tmpValue)
    For colIndex =To UBound(tmpValue, 2)
        tmpValue(rowIndex, colIndex) = rowIndex & "-" & colIndex
N     ext
Next
```

　　範例中，以「rowIndex」管理第一維度（列方向）的索引值，並以「colIndex」管理第二維度（行方向）的索引值。接著在每個元素中輸入「列號 - 行號」這個值。這時若想利用 **UBound** 函數取得第二維度元素的最大索引值，要寫成「UBound(tmpValue, 2)」的形式，以第二引數指定維度為「2」。

　　只要將上面建立的整個陣列，指定為同樣大小（範圍）儲存格的 Value 屬性，就能將陣列中的值輸入儲存格中。

```
'將輸入陣列的值展開到儲存格中
Range("B2:F4").Value = tmpValue
```

　　這時，儲存格的列、欄和陣列的維度，會以「第一維是列號、第二維是欄號」的方式對應。

▌Column▐ 若不確定放陣列的儲存格要多大

　　若不確定要準備多大的儲存格範圍，以擺放陣列的值，有個方便的技巧是先選取定位儲存格，再使用「Resize 屬性」取得滿足陣列大小的儲存格範圍。

```
Range("B2").Resize( _
    UBound(tmpValue, 1),UBound(tmpValue, 2) _
    ).Value = tmpValue
```

　　上述程式碼會以儲存格 B2 為起點，先將選取的儲存格範圍擴大到等同於二維陣列 tmpValue，再輸入值。

　　在此，二維陣列 tmpValue 的索引值是從「1」開始。

██ 取儲存格的值放進二維陣列中

想修正儲存格中現有的值時，其實先將這些值取出放進二維陣列，全部修正完成再傳回儲存格中，執行速度會比較快。

乍聽之下整個過程似乎很麻煩，但其實取儲存格的值放進二維陣列非常簡單。只要宣告一個不指定元素個數的變數，再將儲存格範圍的 Value 屬性指定給它就好。取出的值會容納在一個索引值從「1」開始的二維陣列中。

巨集 5-8

```
Dim tmpArr() As Variant
tmpArr = Range("B2:F4").Value        '將值取出放進二維陣列
'確認陣列中的值
Debug.Print "(1, 1)", tmpArr(1, 1)
Debug.Print "(2, 4)", tmpArr(2, 4)
Debug.Print "(3, 5)", tmpArr(3, 5)
```

實例 取儲存格的值放進二維陣列

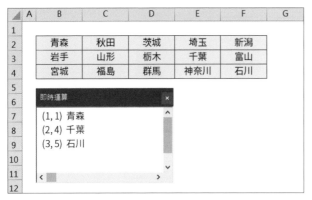

如果想遍歷取出來的值，看是要以原儲存格的欄數、列數來進行迴圈，或是用 **UBound** 函數取得陣列各維度的最大索引值都行。

下列程式碼，會先取出儲存格範圍 B2:F4 的值放進二維陣列中，處理完「在每個值的後面加上『縣』」再傳回儲存格。

巨集 5-9

```
Dim tmpArr() As Variant, _
    rowIndex As Long, colIndex As Long, tmp As Variant
' 把值取到二維陣列中
tmpArr = Range("B2:F4").Value
' 遍歷整個陣列
For rowIndex = 1 To UBound(tmpArr)
    For colIndex = 1 To UBound(tmpArr, 2)
        ' 在值的後面加上「縣」
        tmp = tmpArr(rowIndex, colIndex) & "縣"
        tmpArr(rowIndex, colIndex) = tmp
    Next
Next
' 把修正後的值傳回儲存格
Range("B2:F4").Value = tmpArr
```

實例 將儲存格範圍的值傳入二維陣列進行加工

◢	A	B	C	D	E	F	G
1							
2		青森	秋田	茨城	埼玉	新潟	
3		岩手	山形	栃木	千葉	富山	
4		宮城	福島	群馬	神奈川	石川	
5							

◢	A	B	C	D	E	F	G
1							
2		青森縣	秋田縣	茨城縣	埼玉縣	新潟縣	
3		岩手縣	山形縣	栃木縣	千葉縣	富山縣	
4		宮城縣	福島縣	群馬縣	神奈川縣	石川縣	
5							

　　這個例子只需要處理「3 列 ×5 欄」共 15 個儲存格，速度提升不太明顯。但在筆者的環境中若要修正「儲存格範圍 A1:Z10000」共 260,000 個儲存格的值，利用 For Each 敘述遍歷並修正值的操作需要「平均 55 秒」，相較之下利用二維陣列來實作只要「平均 3 秒」，差距很大。

　　所以若有在大量儲存格中輸入值的需求，務必掌握利用二維陣列的方式。

5-3 處理簡易列表時推薦用 **Array** 函數

前面介紹了各種正經八百的 VBA 陣列寫法，老實說看來很麻煩對吧。所以在此要以「使處理值或物件列表更輕鬆的方式」的觀點，來介紹 VBA 中擁有的其他功能。

首先要介紹的就是 **Array** 函數。

■ 能輕鬆製作陣列的 **Array** 函數

只要在 Array 函數的引數中，指定用逗號分隔的值或物件作為元素，就會回傳一個內含這些元素的 Variant 型態陣列。

■ **Array** 函數

```
Array( 元素 1, 元素 2, ...)
```

陣列中所容納的元素要指定成「" 蘋果 ", " 橘子 ", " 葡萄 "」這種用逗號分隔的形式。

下列程式碼建立了一個內含「" 蘋果 ", " 橘子 ", " 葡萄 "」的陣列。

巨集 5-10

```
Dim arr() As Variant
' 以 Array 函數建立陣列
arr = Array(" 蘋果 ", " 橘子 ", " 葡萄 ")
' 取出陣列的值
Debug.Print arr(0), arr(1), arr(2)
```

實例 以 **Array** 函數建立陣列

這樣就可以輕鬆處理列表了！若要以變數接收 Array 函數回傳的陣列，就要將變數宣告成「不指定元素數量的 Variant 型態陣列」。此外，以 Array 函數建立的陣列，索引值將從「0」開始。

有個必須注意的地方，「若想用 ForEach 敘述來遍歷以 Array 函數建立的陣列，迴圈計數器也必須宣告成 Variant 型態」這件事。即使建立的是字串陣列或數值陣列，依然不能使用 String 或 Long 型態的迴圈計數器。下列程式碼就遍歷了用 Array 函數建立的陣列，並逐一輸出其值。

巨集 5-11

```
Dim tmp As Variant
'用 For Each 敘述來遍歷陣列時，要用 Variant 型態的變數接收內容物
For Each tmp In Array("蘋果", "橘子", "葡萄")
    Debug.Print tmp
Next
```

實例 遍歷陣列並顯示值

Array 函數的特徵在於「雖然便於使用，但卻無法指定資料型態」。因此若是長期使用的系統的話確實會令人卻步，但如果只是想做個巨集小工具，那就會非常實用。再怎麼說，VBA 的魅力之一就是能「隨意」使用的語言，還請多加利用這個工具。

最好一起記住的
Transpose 工作表函數

與其說 **Transpose** 工作表函數能輕易處理陣列，不如說是用來「輕易地在儲存格與陣列之間傳遞值」。其實大部分的工作表函數，都能在 VBA 裡利用程式來操作，其中能在儲存格與陣列之間傳遞值的代表性函數，就是實用的 Transpose 工作表函數。

██ 將儲存格範圍的值轉換為陣列

145 頁介紹過取儲存格範圍的 Value 屬性放進二維陣列，但這種方法有個缺點，就是「即使只有一列／一欄的儲存格範圍，取值時還是會建立二維陣列」。

明明只想處理一列或一欄的值，但卻建立了二維陣列，反倒用起來更麻煩了。這時就是 Transpose 工作表函數出場的時機了。Transpose 工作表函數原本是用來將「陣列的行、列對調的函數」，但套用在 VBA 從儲存格範圍取出來的二維陣列上的話，就能把它轉換成「行、列對調後，可視為『一維陣列』使用的狀態」。

下列程式碼會將「儲存格範圍 B2:B4（縱一欄）」與儲存格範圍 B2:F2（橫一列）」的值轉換成一維陣列，並用 **Join** 函數將值合併輸出。

巨集 5-12

```
Dim arr() As Variant
'轉換縱向的值
arr = Application.WorksheetFunction.Transpose(Range("B2:B4").Value)
Debug.Print "儲存格範圍 B2:B4：", Join(arr)
'轉換橫向的值
With Application.WorksheetFunction
    arr = .Transpose(.Transpose(Range("B2:F2").Value))
End With
Debug.Print "儲存格範圍 B2:F2：", Join(arr)
```

實例 取出儲存格範圍的值並全部輸出

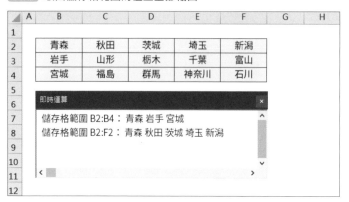

要將縱向儲存格範圍的值轉換成一維陣列，要套用「一次」Transpose 工作表函數，而橫向儲存格就要套用「兩次」。這樣就能將一列／一欄的值轉換成一維陣列了。

另外，通常將一維陣列的值輸入到儲存格時只能橫向輸入，但套用 Transpose 工作表函數後就能縱向輸入了。下列程式碼就是將 Array 函數建立的一維陣列的值，分別輸入到儲存格範圍 B2:D2（橫向）還有 B4:B6（縱向）裡。

巨集 5-13

```
Dim arr() As Variant
arr = Array(" 蘋果 ", " 橘子 ", " 葡萄 ")
' 橫向可以直接輸入
Range("B2:D2").Value = arr
' 縱向要先套用一次 Transpose 再輸入
Range("B4:B6").Value = Application.WorksheetFunction.Transpose(arr)
```

實例 將陣列的值縱向輸入

特別是對於已製成表格的資料，若想取出或輸入「其中一列（一筆記錄）」的值，學會這個方式會十分方便。

Column　要取得那個「Excel 方格紙」的資料

聽到「能取出儲存格的值」、「能連接陣列的值」這些事情，很多人腦中會自然浮現某個用途吧？沒錯，這樣就能把那個「Excel 方格紙」的資料轉換成像樣的「值」了呢。所謂的 Excel 方格紙是一種工作表製作策略，目的是讓使用者遵循「每個儲存格只輸入一個字」這種輸入規則。

其實 Office365 版的 Excel 2016 在版本更新時，追加了「TEXTJOIN 函數」用以連接儲存格的值，利用這個函數也能將輸入於 Excel 方格紙的資料轉換成完整的值。而 VBA 也能透過「TextJoin」來使用這個函數，例如結合將值轉換為貨幣型態（數值）的「CCur 函數」的話，就能將輸入於 Excel 方格紙中的資料，輕易轉換成能在 VBA 中使用的值。

巨集 5-14

```
' 定義 WorksheetFunction 的縮寫
Dim wf As WorksheetFunction
Set wf = Application.WorksheetFunction
' 用 TextJoin 函數連接
Debug.Print " 姓名：", wf.TextJoin("", True, Range("C2:G2"))
Debug.Print " 金額：", CCur(wf.TextJoin("", True, Range("C4:G4")))
```

然而，若環境不是 Office365 的 Excel 2016 以後的版本，就沒有辦法用這個方式。這時候就只能採用下面的方式了。

巨集 5-15

```
Dim arr() As Variant, wf As WorksheetFunction
Set wf = Application.WorksheetFunction
'先放進陣列再連接
arr = wf.Transpose(wf.Transpose(Range("C2:G2").Value))
Debug.Print "姓名：", Join(arr, "")
'先放進陣列再連接，並將連接的結果轉換成貨幣型態
arr = wf.Transpose(wf.Transpose(Range("C4:G4").Value))
Debug.Print "金額：", CCur(Join(arr, ""))
```

基本方針是「以 Transpose 放進陣列，再用 Join 連接字串」，若有需求再轉換成數值等型態。這樣一來以前的 Excel 方格紙活頁簿，也可以使用巨集來取值並整理了呢！

5-5 利用**集合**來代替陣列

VBA 的陣列實在很不適合用在「管理列表的同時還要增減元素個數」，所以可以考慮改用 Collection 物件來做這件事。

集中管理特定的元素

Collection 物件擁有以下三個屬性／方法，是個單純「用以管理同類成員的物件」。

▶ Collection 物件的屬性及方法

屬性／方法	用途
Count 屬性	取得元素個數
Add 方法	追加元素
Remove 方法	刪除元素

使用 Collection 物件時，要先宣告 Collection 物件型態的變數，並以 **New** 運算子進行初始化。

```
Dim userNames As Collection
' 將 Collection 物件初始化
Set userNames = New Collection
```

使用 **Add** 方法可以將值新增到集合中。

■ Add 方法

```
變數名稱 .Add 要新增的值 [, 鍵值 ][, Before][ ,After]
```

若指定索引值到 **Before** 或 **After** 引數中，就能把要新增的值插入到指定位置前方或後方。

想存取特定元素時跟以前使用集合時一樣，要利用從「1」開始的索引值進行存取。下列程式碼能夠將值新增到集合中，並取得集合的元素數量和第一個值。

巨集 5-16

```
Dim userNames As Collection
'將 Collection 物件初始化
Set userNames = New Collection
'新增值
userNames.Add "增田"
userNames.Add "星野"
userNames.Add "宮崎"
'取出元素數量跟值
Debug.Print "元素數量：", userNames.Count
Debug.Print "開頭的值：", userNames(1)
```

實例 顯示集合的值

指定索引值到 **Remove** 方法的引數中，就能刪除集合中的特定元素。

■ **Remove 方法**

變數名稱 .Remove 索引值

例如指定 Remove 方法的引數為「1」，就能刪除集合的第一個元素。

```
userNames.Remove 1
```

如果想套用所謂佇列的「先入先出」規則來處理列表，可以在 Collection 的元素數量為「0」以前，反覆取用＆刪除索引值為「1」的值。下列程式碼會從集合開頭輸出元素，並同時刪除該元素。待集合中沒有元素後就顯示「--- 處理完成 ---」。

巨集 5-17

```
Dim fruitsQueue As Collection
Set fruitsQueue = New Collection
' 新增值到集合中
fruitsQueue.Add "蘋果"
fruitsQueue.Add "橘子"
fruitsQueue.Add "葡萄"
' 利用先入先出的規則進行迴圈
Do While (fruitsQueue.Count > 0)
    Debug.Print fruitsQueue(1)
    fruitsQueue.Remove 1
Loop
Debug.Print "--- 處理完成 ---"
```

實例 利用先入先出處理列表

而想套用堆疊的「先入後出」規則，就把程式碼中的迴圈內容，改成反覆取用＆刪除最末端的元素。下列程式碼會從集合末端輸出元素，並同時刪除該元素。待集合中沒有元素後就顯示「--- 處理完成 ---」。

巨集 5-18

```
Dim fruitsStack As Collection, lastIndex As Long
Set fruitsStack = New Collection
' 新增值到集合中
fruitsStack.Add "蘋果"
fruitsStack.Add "橘子"
fruitsStack.Add "葡萄"
' 利用先入後出的規則進行迴圈
lastIndex = fruitsStack.Count
Do While (lastIndex > 0)
    Debug.Print fruitsStack(lastIndex)
    fruitsStack.Remove lastIndex
```

```
    lastIndex = fruitsStack.Count
Loop
Debug.Print "--- 處理完成 ---"
```

實例 利用先入後出處理列表

此外，新增元素時若使用 Add 方法的引數 **Before** 或 **After**，就能將此元素插入到特定元素的「前方」或「後方」。下列程式碼會將新元素「檸檬」插入到「索引值『1』的元素『前方』」，也就是集合的開頭。

巨集 5-19

```
Dim fruitsQueue As Collection
Set fruitsQueue = New Collection
, 新增值到集合中
fruitsQueue.Add "蘋果"
fruitsQueue.Add "橘子"
fruitsQueue.Add "葡萄"
, 在新增值時指定「Before」
fruitsQueue.Add "檸檬", Before:=1
, 取出元素個數及值
Debug.Print "元素個數:", fruitsQueue.Count
Debug.Print "第一個值:", fruitsQueue(1)
```

利用關聯陣列（雜湊表）同步管理鍵值與值

5-6

使用關聯陣列能夠同步管理作為標記的鍵值，及其所對應的值。若想在 VBA 中實作關聯陣列，可以採用 **Collection** 物件，或是外部函式庫中的 **Dictionary** 物件。

將 Collection 當成關聯陣列來用

讓我們試著以使用 Collection 物件的關聯陣列，來達成「指定商品名稱就能取得對應價格」這個需求吧。

Collection 物件的第二引數，可以指定取值時用以作為標記的鍵值（鍵值可任意設定）

在 Collection 物件中記錄鍵值

```
Collection 物件 .Add 值 [, 鍵值 ]
```

指定鍵值以後，就能利用鍵值來存取所需的值。此外，有指定鍵值的情況下，仍然可以按值的新增順序，利用索引值來存取。下列程式碼中，宣告了同時記錄了鍵值與值的 Collection 物件 prices，再利用鍵值來存取特定值。

巨集 5-20

```
Dim prices As Collection
Set prices = New Collection
'新增各組鍵值與值
prices.Add 200, "蘋果"
prices.Add 150, "橘子"
prices.Add 500, "葡萄"
'利用鍵值來存取值
Debug.Print "蘋果的價格：", prices("蘋果")
'利用索引值來存取值
Debug.Print "第三筆的價格：", prices(3)
```

實例 利用鍵值來存取值

即時運算　　　　　　　　　　　　　×
蘋果的價格：　200
第三筆的價格：　500

　　想以名字取值就使用鍵值，想取出「開頭」或「結尾」這種有關順序的值，或者要使用迴圈時就使用索引值，可以這樣區分使用方式。

　　需要注意的是，如果新增元素時，鍵值與現存元素重複，就會發生錯誤。

利用 Dictionary 物件製作關聯陣列

　　如果利用外部函式庫的 **Dictionary** 物件，能製作出比 Collection 物件好用些的關聯陣列。

▶ **Dictionary** 物件的屬性／方法

屬性／方法	用途
Count 屬性	回傳元素個數
Items 屬性	回傳包含所有值的陣列
Keys 屬性	回傳包含所有鍵值的陣列
Add 方法	新增一組鍵值與值
Exists 方法	檢查是否存在特定鍵值，以布林值回傳結果
Remove 方法	刪除特定元素
RemoveAll 方法	刪除全部元素

　　使用 Dictionary 物件時要建立一個 Object 型態的變數，並將 CreateObject 函數的引數指定為「**Scripting.Dictionary**」。此外，雖然同樣是使用 Add 方法來新增值，但引數順序跟 Collection 物件相反，要以「鍵值」、「值」的順序指定，必須注意。

■ 將鍵值記錄到 Dictionary 物件中

```
Dictionary 物件 .Add 鍵值 , 值
```

下列程式碼會建立一個物件變數 prices，指定為 Dictionary 物件後用以記錄鍵值與值。

巨集 5-21

```
Dim prices As Object
Set prices = CreateObject("Scripting.Dictionary")
' 新增各組鍵值與值
prices.Add " 蘋果 ", 200
prices.Add " 橘子 ", 150
prices.Add " 葡萄 ", 500
' 利用鍵值來存取值
Debug.Print " 蘋果的價格：", prices(" 蘋果 ")
' 取出所有值到陣列中並輸出
Debug.Print " 價格一覽：", Join(prices.Items)
```

實例 利用 Dictionary 製作關聯陣列

Dictionary 物件在記錄鍵值前，可以先用 **Exists** 方法確認是否已經存在該鍵值。

■ **Exists** 方法

```
Exists 方法 ( 鍵值 )
```

利用這個功能，就能從特定值的列表或儲存格中，取出所有不重複的值，或是對其進行統計。下列程式碼中，利用儲存格範圍 B2:D5 中的值建立列表，以輸出範圍中不重複的值。

巨集 5-22

```
Dim dic As Object, rng As Range
Set dic = CreateObject("Scripting.Dictionary")
'將儲存格範圍 B2:D5 中不重複的值製成列表
For Each rng In Range("B2:D5")
    '若儲存格的值在列表中未出現過，就新增到列表中
    If Not dic.Exists(rng.Value) Then
        dic.Add rng.Value, 1
    End If
Next
'取出鍵值列表
Debug.Print "不重複值：", Join(dic.Keys, ",")
```

實例 將不重複的值製成列表並輸出

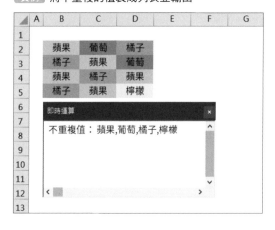

　　因為有 **Keys** 與 **Items** 方法分別能以陣列的形式取出所有鍵值與值，所以雖用途跟 Collection 很相似，但相較之下更適用在各種需求而易於使用。

Chapter 6

什麼時候執行巨集？

本章以「什麼時候執行巨集」為主題，介紹各種執行的方式。主要分成三個模式——「由使用者指示何時執行」、「因應使用者的操作決定執行時機」及「每隔固定時間執行一次」。同時，也會介紹事件處理。

6-1 在使用者指定的時間點執行巨集

　　「怎麼執行完成的巨集」這個問題，雖然乍聽之下沒什麼意義，卻是個滿重要的問題。

　　下面會針對，如何決定「用什麼方式執行巨集」和「要把巨集放在哪個活頁簿裡」。大致介紹幾個比較典型的模式及實現方式。

■■ 從「巨集」對話框執行

　　首先是最正統的方式，點選功能區的**開發人員→巨集**，從彈出的「巨集」對話框中選擇巨集，再按下**執行**。

▶「巨集」對話框

　　如果同時開著多個活頁簿，在列表中會一併顯示其他活頁簿中的巨集，名稱會是「活頁簿名稱!巨集名稱」的形式。

▶ 顯示其他活頁簿中的巨集的情況

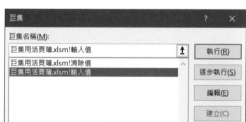

也就是說，其他活頁簿裡的巨集也能從同一個「巨集」對話框執行。說得更明白一點，「可以把所有巨集寫在同一個活頁簿裡，再從想套用巨集的活頁簿呼叫目標巨集」。

■ 從 VBE 內直接執行

開發巨集的期間最常用到的執行模式，就是在 VBE 上直接執行。先前在 12 頁也介紹過，只要點選或選取欲執行巨集的任意一處，再按下工具列上的**執行 Sub 或 UserForm** 就好。

▶ 從 VBE 執行

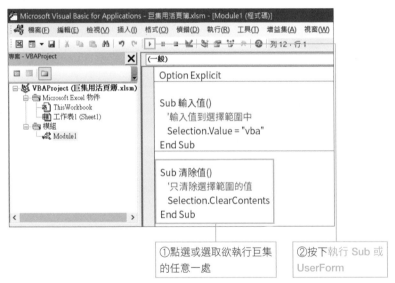

①點選或選取欲執行巨集的任意一處　　②按下執行 Sub 或 UserForm

因為使用方便，對於需要不斷確認巨集行為的開發期間，是非常實用的執行方式。上圖會選取巨集標題是為了在圖中清楚顯示，但其實只要按一下巨集的任意一處，讓文字游標移到巨集內部就可以了。

但製作了多個巨集，使巨集的內容越來越長，那就越難找到想執行的巨集在哪。此時可以利用「程序」下拉式清單方塊，位於程式碼視窗右上角。裡面會顯示巨集名稱列表，點選後就會跳到目標巨集的標題處。

▶「程序」下拉式清單方塊

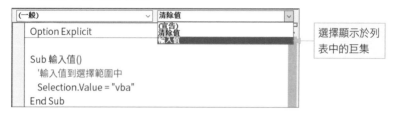

選擇顯示於列表中的巨集

在快速存取工具列上執行

下一個執行方式，是把巨集新增到 Excel 畫面上方的快速存取工具列。按下快速存取工具列右邊的箭頭按鈕，在選單中點選**其他命令**，就會彈出「Excel 選項」對話框。

▶**新增按鈕**

只要按下按鈕就會執行巨集

　　「Excel 選項」對話框內含兩個清單方塊，在左上角的由此**選擇命令**選擇「巨集」，就會顯示活頁簿中的巨集列表。

　　在列表中選擇想新增的巨集，按下中間的**新增**按鈕，就會把巨集名稱移到右側清單方塊中，最後按下**確定**就完成了。之後只要按下快速存取工具列上新增的按鈕，就能執行其對應的巨集。

　　此外，新增按鈕時，可以在右側清單方塊上面的**自訂快速存取工具列**欄中，指定這個按鈕「在使用所有活頁簿時均顯示」或者「只在此巨集所在的活頁簿裡顯示」。

▶ 選擇作用範圍

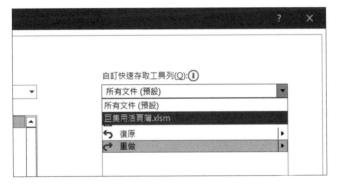

　　若「只想在特定活頁簿使用巨集」的話，只要設定了這個部分，就能防止在其他活頁簿上，誤按快速存取工具列導致巨集執行這種事故。

Column　**按鈕圖示擁有多種選擇**

　　新增巨集到快速存取工具列時，可以從多種預設圖案中選擇按鈕圖示。在新增按鈕時，選取想變更圖示的巨集，再按下右下角的「修改」，就會如圖般顯示候選圖示。

若要新增多個巨集，只要選擇能聯想用途的圖示，就能直接看圖示進行辨別，十分方便。但圖示並非原封不動直接顯示，而是配合 Excel 整體的顯示設定呈現為留白狀態，所以實際新增看看外觀，再決定要採用哪一個圖示吧。

執行工作表上的按鈕

在功能區的**開發人員→插入**中，提供了各種能設置於工作表上的控制項。

點選「表單控制項」左上角的按鈕，在工作表上任意位置按左鍵拖曳，就會將「按鈕」設置在該處。拖曳結束後會彈出對話框（「指定巨集」對話框），可以從列表中新增按下時要執行的巨集。

▶ 配置按鈕

	A	B	C	D
1				
2		按鈕 1		
3				
4				
5				

③在工作表上拖曳

這樣一來，只要按下工作表上的按鈕，就會執行剛才新增的巨集。「按鈕」的外觀很好認，游標滑過還會變成手指狀，能輕易讓人理解「這個可以按！」也可以在按鈕上按右鍵，點選編輯文字以修改按鈕上的文字提示。這段提示非常實用，能讓不熟悉巨集的使用者在操作巨集時，透過提示快速上手。

Column　在拖曳時按住「Alt」鍵使按鈕貼齊儲存格

在工作表上設置按鈕時，如果在拖曳時按住「Alt」鍵，就能使按鈕貼齊儲存格框線。畢竟若按鈕外框和儲存格框線沒有對齊，就會給人留下雜亂無章的印象，只要用這個方式就能讓按鈕完美融入表單，相當推薦。

使用快速鍵執行巨集

在「巨集」對話框中，可以將巨集設定到特定快速鍵上。點選功能區的**開發人員→巨集**開啟「巨集」對話框，於列表中選取想設定快速鍵的巨集並按下選項，就會彈出「巨集選項」對話框。在快速鍵欄位中，輸入想設定為**快速鍵**的文字，再按下**確定**就完成了。

設定完成後，只要按住「Ctrl」鍵並按下剛剛設定的鍵，就能執行對應的巨集。倘若巨集的快速鍵和原先的快速鍵組合有衝突：例如設定成與複製快速鍵（Ctrl + C）相同時，會優先執行巨集。

▶ 設定快速鍵

①設定快速鍵

②按下確認

此外，即使操作的並非存放巨集的活頁簿，設定過的快速鍵依然能用，但只要關閉存放巨集的活頁簿就無法使用了。也就是說可以建一個活頁簿，針對特定的工作專門製作巨集與設定快速鍵，在使用其他活頁簿進行這項工作時，就可以開啟上述專用活頁簿並運用快速鍵來完成，做其他事情時則關閉。

順帶一提，如果使用大寫字母設定快速鍵，就會設定成「Ctrl + Shift +設定的鍵」這種形式。例如設定時用「T」而不是「t」，就要按「Ctrl + Shift + T」執行巨集。這樣就更不容易與原本的快速鍵衝突。

新增巨集到功能區中

下一個方式是將巨集新增到功能區，在功能區的標題上按右鍵選擇**自訂功能區**，會彈出「Excel 選項」對話框，點選右下角的**新增索引標籤**，就能在功能區裡建立新的索引標籤。

▶ 自訂功能區

①點選自訂功能區　　　②點選新增索引標籤　　　⑥按下確定

在索引標籤裡新增巨集的操作，和先前在快速存取工具列中新增巨集時相同。

▶ 設置了執行巨集用的自訂功能區項目以後

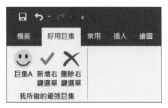

　　功能區比快速存取工具列來得好按，所以這個方式對以滑鼠或觸控操作為主的工作比較方便。此外，若主要使用鍵盤操作，按一下「Alt」也會顯示鍵盤快速鍵以供操作，當習慣後就能快速執行自己要用的巨集了。

Column 其實也可以設定到右鍵選單裡

若使用 CommandBar 物件或 CommandBarControl 物件，就能將巨集設定到右鍵選單中，也就是在儲存格上按右鍵或是「Shift ＋ F10」後顯示的選單。

例如，下列程式碼會清空現有的右鍵選單，並新增「新增巨集 1」、「新增巨集 2」兩個自訂選單。

巨集 6-1

```
'將「Cells」的 CommandBar 物件 ( 按下右鍵時的選單 ) 恢復原始設定
Application.CommandBars("Cell").Reset
'刪除目前的右鍵選單
Dim tmpCBControl As CommandBarControl
For Each tmpCBControl In Application.CommandBars("Cell").Controls
    tmpCBControl.Delete
Next
'新增兩個巨集到右鍵選單中
With Application.CommandBars("Cell").Controls.Add
    .Caption = " 新增巨集 1"
    .OnAction = " 巨集 A"
    .FaceId = 1
End With
With Application.CommandBars("Cell").Controls.Add
    .Caption = " 新增巨集 2"
    .OnAction = " 巨集 B"
    .FaceId = 1
End With
```

藉由「Cell」這個名字能取得管理右鍵選單的 CommandBar 物件，而以其 Controls 屬性就能存取其中的各種控制項。此外，新增 CommandBar 的方法，依舊被命名為 Add。

可以透過 Caption、FaceID、OnAction 這些屬性，分別指定每個控制項的顯示文字、圖示、執行目標巨集。

此外，透過 CommandBar 執行的巨集內使用「ActionControl 屬性」，還能得知「是按了哪個 CommandBar 執行巨集」。

```
MsgBox CommandBars.ActionControl.Caption & " 執行了巨集 A"
```

順帶一提，若執行 Reset 方法，就能將自訂過的 CommandBar 物件恢復成原始狀態。

```
Application.CommandBars("Cell").Reset
```

6-2 利用事件處理執行巨集

像是「開啟活頁簿之後」、「在工作表中輸入內容時」、「要列印時」等，利用事件處理，就能在使用者「做出某件事」的當下，執行巨集。

▦ 什麼是事件處理？

VBA 在部份物件上定義了事件。事件主要是指使用者的特定操作，導致物件改變狀態的時機。

▶ 事件的例子

物件	事件	時機
	Open	開啟活頁簿時
Workbook	BeforeClose	關閉活頁簿時
	BeforeSave	儲存活頁簿時
	Change	變更儲存格的值時
Worksheet	SelectionChange	選擇了不同儲存格時
	Activate	點選為當前工作表時
	Deactivate	切換到其他工作表時

只要準備好對應到發生事件當下（時機）的程式碼，就能因應使用者的操作執行巨集。

▦ 在「物件類別模組」裡定義事件

事件處理用的程式碼，要寫在**物件類別模組**裡。物件類別模組就是 VBE 專案總管中的「ThisWorkbook」或「Sheet1」這些，因應 Excel 活頁簿組成而顯示的模組。

「ThisWorkbook」模組用於撰寫活頁簿層級的事件處理。「Sheet1」或「Sheet2」模組則用於撰寫同名工作表上的事件處理。

點選各個物件類別模組開啟內容後，程式碼視窗上方會有兩個下拉式清單方塊，左側選擇物件後，右側就會顯示可供選擇的事件。

選擇事件後，就會在模組裡輸入「對應此事件的事件處理模板」。

▶ **物件類別模組與事件處理模板**

例如在 ThisWorkbook 模組中的左側方塊選擇「**Workbook**」，右側方塊選擇「**Open**」，就會輸入下列程式碼。

```
Private Sub Workbook_Open()
End Sub
```

在模板內部填充程式碼，就會「在發生該事件時，執行這些程式碼」。順帶一提，這個模板會寫成「**Private Sub 物件名稱_事件名稱**」的形式，又被稱作事件程序。所以像 Workbook 的 Open 事件就會形成「Workbook_Open 事件程序」。

當然也可以不使用模板，直接撰寫符合事件程序形式的程式碼。但利用下拉式選單方塊建立模板的方式，還是比較簡單且正確。

① 選擇物件類別模組
② 產生因應事件的事件程序模板
③ 在模板內部撰寫程式碼

上述三個步驟，就是使用事件處理的基礎。

■■ 事件處理的特殊引數

　　事件處理中根據事件種類不同，有部份事件能透過引數來取得／設定事件的相關資訊，還有事件處理結束後的固定操作。

　　例如，Worksheet 物件的 **Change** 事件是「變更工作表上儲存格的值時所發生的事件」。若用 VBE 自動輸入對應的 **Worksheet_Change** 模板，就能看出它用了一個 Range 型態的引數 **Target**。

```
Private Sub Worksheet_Change(ByVal Target As Range)
End Sub
```

　　其實這個引數 Target 會指向「改變過值的儲存格」。也就是透過引數 Target，就能存取改變過值的儲存格。下列程式碼會在改變儲存格的值時執行，並顯示受到變更的儲存格位址。將它寫到「Sheet1」等模組裡，再去改變工作表上儲存格的值吧。

巨集 6-2

```
Private Sub Worksheet_Change(ByVal Target As Range)
    '利用引數存取受到變更的儲存格
    Debug.Print "對象儲存格位址：", Target.Address
End Sub
```

實例 使用含引數的事件程序

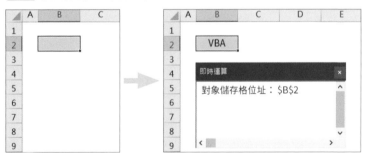

　　在 Worksheet_Change 事件程序內可以用「Target.Address」取得改變過的儲存格，也可以用「Target.Value」來取得改變後的值。

此外，在關閉活頁簿的當下，Workbook 物件的 **BeforeClose** 事件，所對應的 **Workbook_BeforeClose** 事件程序，會傳遞 **Cancel** 引數。

Cancel 在 VBA 機制中算是比較特別的引數，可以指定「是否取消即將進行的動作」，也就是類似開關的功能。

例如儲存格 B2 尚未輸入值就想直接關閉活頁簿時，希望不會關閉而是彈出訊息，其 Workbook_BeforeClose 事件程序內容如下。

巨集 6-3

```
Private Sub Workbook_BeforeClose(Cancel As Boolean)
    ' 若儲存格 B2 中尚未輸入值，就取消即將進行的動作
    If Range("B2").Value = "" Then
        MsgBox " 請在儲存格 B2 中輸入必要的值 "
        Cancel = True
    End If
End Sub
```

實例　若儲存格未輸入值就彈出訊息

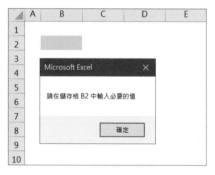

需要特別注意的是「Cancel = True」這行。引數 Cancel 在事件發生時預設為「False」。因此若在事件程序內指定引數 Cancel 為「True」，就是「『要』取消即將進行的動作」的標記。

而 Close 事件，即關閉活頁簿這個操作中「即將進行的動作」就是「關閉活頁簿」，但這個動作被取消了，因此就成了「不關閉活頁簿」。除了 Close 事件外還有幾個擁有 Cancel 引數的事件程序，全部都是作為「取消即將進行的動作」的標記。

只要使用事件處理，就能在使用者做出特定操作的時機，執行相應的程式

碼。此外，撰寫事件處理的事件程序，可以透過引數來取得或運用事件發生時的資訊，也可以取消事件中即將發生的操作。

Column 如果想知道事件種類

若想知道每個物件上分別提供哪些事件，最準確的方式就是利用參考手冊或瀏覽物件。

若使用參考手冊，就直接查看目標頁面；而使用瀏覽物件時，在左側的「物件類別」欄位中選擇要調查的目標物件後，在右側的「成員」列表中，圖示為閃電狀的就是事件。

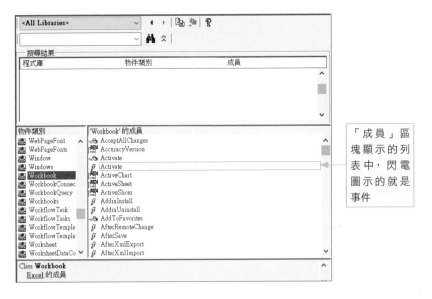

「成員」區塊顯示的列表中，閃電圖示的就是事件

想調查事件詳情時，可以選擇該事件再查看畫面下方提示，或是選取事件後按下「F1」鍵查看參考手冊。若還沒習慣裡面的寫法，從書中或網路上大致瀏覽一下事件種類，也不失為一種方式。

此外，在事件處理中，也有必須先以「WithEvents 關鍵字」宣告要對特定物件使用事件處理後，才能使用的模式。有興趣的人可以用「WithEvents VBA」等關鍵字在書中或網路上搜尋看看。

最好記住這個標準處理——判定「特定的儲存格範圍是否有動作」

　　「想在動到特定儲存格時執行某種處理」的時候該怎麼做才好？其實有個標準手法，那就是在判斷時使用 Application 物件的「Intersect 方法」。

■ **Intersect 方法**

```
Set Range 型態的變數 = Application.Intersect( 儲存格範圍 A,  儲存格範圍 B)
```

　　在 Intersect 方法的引數裡指定兩個儲存格範圍，就會將兩個範圍的交集回傳為 Range 物件，而沒有交集就會回傳「Nothing」。也就是能依據「回傳值是否為 Nothing」來判斷「兩範圍是否有交集」。

　　結合上述機制與 Change 事件，即工作表上儲存格的值發生改變時的事件。下列程式碼會在儲存格範圍 B2:D5 內的值發生改變時彈出訊息。可以將這段程式碼寫到「Sheet1」等模組中，並操作對應工作表來觀看執行結果。

巨集 6-4

```
Private Sub Worksheet_Change(ByVal Target As Range)
    Dim checkRng As Range
    '取得引數 Target 與儲存格範圍 B2:D5 的「交集範圍」
    Set checkRng = Application.Intersect(Target, Range("B2:D5"))
    '如果兩者有交集 ( 不是 Nothing) 則執行處理
    If Not checkRng Is Nothing Then
        MsgBox "B2:D5 的範圍內有儲存格受到操作 "
    End If
End Sub
```

　　引數 Target 容納的 Range 物件會指向發生改變的儲存格，取得它與任意儲存格範圍（範例中是 B2:D5）的「交集範圍」，接著在交集「不是 Nothing」時彈出對話框。

這樣就能僅在儲存格範圍 B2:D5 內有儲存格受到操作時，執行特定處理了。

Column 要重複利用包含事件處理的活頁簿時應注意事項

如果在活頁簿裡用了事件處理，那重複利用時候需要稍微注意。通常把巨集重複用在別的活頁簿裡時，會直接從標準模組中複製巨集到別的活頁簿。但使用事件處理時，若不將各工作表的物件類別模組內容一起複製過去，就不會執行相同行為。

特別是檢視前任或其他負責人所寫的巨集活頁簿時，首先要養成不只看標準模組，而是連同是否使用物件類別模組一併檢查的習慣。

不過，偶爾也會發生反方向的例子，「想重複使用工作表上的資料，於是就移動或複製工作表到其他活頁簿裡，但卻沒辦法存成一般 Excel 活頁簿了」。

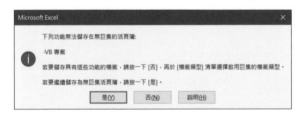

原因就是複製的工作表模組中含有事件程序，複製後就成了「包含巨集的活頁簿」。如果是事件程序的作者本人，可能頂多想著「啊，對喔」就沒事了。但不知道這件事的人，搞不好會以為「我是不是搞砸了什麼東西？」而提心吊膽。

因此，若某張工作表上的資料需要重複使用的話，那盡量跟撰寫事件處理的工作表分開比較「安全」。或是採用其他手段，例如以複製貼上的方式轉移要重複使用的資料，或是寫個巨集把這些資料轉錄到新的工作表上。

6-3　每隔一段時間自動執行巨集

　　例如每隔一段時間會將檔案中的資料移到工作表上、自動擷取網頁資料，抑或是製作限時完成的問卷等。只要利用 Application 物件的 **OnTime** 方法，就能達成這類「並非當下，而是等一定時間後」才執行巨集的需求。

經過指定秒數後執行巨集

　　OnTime 方法的第一引數要指定執行「時間」，第二引數則以字串指定要執行的巨集名稱。

■ OnTime 方法

```
Application.OnTime 執行時間 , 目標巨集
```

　　例如想在「14:30」執行「macro1」這個巨集的程式碼如下。

```
Application.OnTime TimeValue("14:30"), "macro1"
```

　　但除了直接指定時間，我們更常用到「從現在起經過○○分、○○秒後執行」這種模式。這時只要把時間部份寫成「**Now+ 指定時長**」就能達成這個需求。下列程式碼會在「現在的 10 秒後」執行 macro1。

```
Application.OnTime Now + TimeValue("00:00:10"), "macro1"
```

　　此外，如果在 OnTime 方法內再嵌套 OnTime 方法，就能實現每隔一定時間執行處理的效果，這時用到了巨集的遞迴呼叫機制。

　　下列程式碼在執行巨集「啟動計時器」之後，每隔一秒會將儲存格 B2 的值加「1」，待儲存格 B2 的值抵達「10」就彈出訊息並結束處理。

巨集 6-5

```
Sub 啟動計時器 ()
    '將儲存格 B2 的值初始化為「0」,並在 1 秒後執行 CountUp
    Range("B2").Value = 0
    Application.OnTime Now + TimeValue("00:00:01"), "CountUp"
End Sub

Sub CountUp()
    '將儲存格 B2 的值增加「1」,若未達「10」就再度呼叫 CountUp 本身
    Range("B2").Value = Range("B2").Value + 1
    If Range("B2").Value < 10 Then
        Application.OnTime Now + TimeValue("00:00:01"), "CountUp"
    Else
        MsgBox "已經數到 10 了"
    End If
End Sub
```

實例 將值往上數

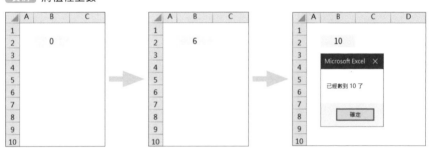

在處理中用到遞迴呼叫時,若未在程式碼中判定停止條件,就會陷入無限迴圈,還請注意。

這個機制似乎也能應用在製作簡單的 App 猜謎小遊戲呢!

定時處理及其注意事項

用 OnTime 實作定時處理時需要注意兩個地方。第一,OnTime 可指定的最小執行間隔是「一秒」,無法指定比這更小的單位。

　　第二，OnTime 方法中指定的巨集並非「一定會在那個時間執行」。可能會依電腦的使用狀況延後執行，或者像按了「F2」鍵正在公式列內編輯儲存格的值等情況，也會導致巨集無法執行（編輯結束後就會執行）。所以 OnTime 方法頂多算是立個「等時間到了，可以執行就執行」的約定而已。其實不適合用來完成需要嚴格守時的處理，或者必須在指定時間響起的警報器這類處理，請多留。

Column　**OnTime 方法的四個引數**

　　其實 OnTime 方法，總共有四個引數。第三引數，能指定「超過這個時間就中斷執行」，例如遇到正在編輯儲存格導致執行延遲的話，可以指定延遲多久就取消執行。第四引數，則用於寫明取消已約定時間的巨集。更詳細的內容請翻閱參考手冊（https://docs.microsoft.com/zh-tw/office/vba/api/Excel.Application.OnTime）。

Chapter 7

程式的錯誤處理與除錯

本章將介紹發生錯誤時的行為與處置,以及如何製作預測錯誤的工具。程式撰寫的過程必定伴隨著錯誤,所以與其一看到就先討厭它,倒不如抱著「若活用這個夥伴,就能幫我抓出程式有哪裡寫得不好」的心態來面對它。

7-1 發生錯誤該怎麼辦？

本章會介紹幾種錯誤的範例與解決方式。若目前不會因錯誤而煩惱，先跳過本章也沒關係。或者等碰到錯誤時，再回來翻閱確認也無妨。

■ 三種會發生錯誤的時機與基本處置

無論是誰，在使用 VBA 進行開發的期間，或多或少都碰到過錯誤。VBE 在發生錯誤時，會彈出對話框顯示錯誤內容，彈出的時機大致可以分為以下三種：

▶ 三種錯誤類型

種類	概述
編譯錯誤	撰寫程式碼期間就會彈出的錯誤。主要是因為拼寫錯誤、缺少右括號及語法錯誤等
執行階段錯誤	執行巨集後才彈出的錯誤。主要是物件型態不符合、屬性或方法的使用方式錯誤等
邏輯錯誤	不會彈出對話框的錯誤。表現為程式順利執行，但執行結果卻不如預期。與其說它是個錯誤，不如說是因為開發者在撰寫過程中產生了誤解，才得到了「錯誤」的程式碼

● 編譯錯誤

編譯錯誤主要是指，撰寫程式碼時遇到的錯誤。例如單純的拼寫錯誤、指定字串時忘了右雙引號、指定引數時忘了右括號，還有程式碼寫一半不小心按到「Enter」換了行等，諸如此類碰上編譯錯誤的情況。

例如 VBA 有變數名稱「不能以數字開頭」的限制，但宣告變數時卻不小心忘了這件事，那宣告當下就會彈出如下圖般的錯誤對話框。

▶ 編譯錯誤的例子

發生錯誤時，VBE 會以紅字強調標示錯誤發生行（敘述），並會反白判斷為錯誤原因的部份。

同時彈出的對話框裡會顯示錯誤訊息，作為修正錯誤的線索。但在習慣這個訊息之前……不對，其實習慣了也不太派得上用場，頂多算是個提示吧。按下**確定**關閉對話框，再開始修正錯誤處，修正完成後，就會解除強調標示的紅字。

但編譯錯誤也有可能不是發生在撰寫程式碼時，而是在「確認是否能執行」的時候才發生。在 VBA 中按下「執行 Sub 或 Userform」按鈕試圖執行巨集時，首先會進入稱為編譯的步驟，簡單檢查整個程式碼的語法（和其他程式語言的編譯有點不同）。若通過檢查就會開始執行巨集，而若檢查過程中找到問題，就會如下圖般彈出編譯錯誤的訊息。

下圖中，因為「以 Option Explicit 要求宣告變數，但卻有未經宣告就打算指定變數值的程式碼」而導致錯誤。此時 VBE 會反白判斷有錯的部份，並彈出錯誤訊息。

▶ 在編譯時發現了錯誤

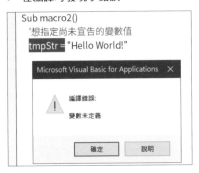

```
Sub macro2()
    '想指定尚未宣告的變數值
    tmpStr = "Hello World!"
```

按下**確定**關閉錯誤訊息後，會像下圖一樣，巨集名稱被標為黃色，同時左側的邊界指示區有個黃色箭頭。這個狀態就稱為中斷模式，表達「巨集於箭頭所指之處暫停」。

▶ 進入中斷模式

```
Sub macro2()
    '想指定尚未宣告的變數值
    tmpStr = "Hello World!"
```

此時按下工作列上的**重新設定**解除中斷模式，接著再慢慢修正錯誤。

其實在 VBE 的工具列上點選**偵錯→編譯 VBAProject** 也能進行編譯。若直接從此處編譯，發現錯誤也不會進入中斷模式。

編譯很容易抓出平常寫程式時沒注意到的錯誤，所以特別是在寫比較大的程式時，養成每隔一段時間或存檔前先編譯的習慣吧！

● 執行階段錯誤

不同於編譯錯誤，執行階段錯誤是在執行巨集後才冒出來的錯誤。典型的例子，像是「寫出『Worksheets(3).Select』這種語法上沒錯（即編譯時不會檢查出來）的程式碼，但第三張工作表卻不存在」。也就是說，發現「目標活頁簿中只有一張工作表，所以無法處理第三張工作表」這種「實際執行後才知道無法進行的程式碼」，就會在此彈出錯誤。

當發生執行階段錯誤，就會彈出如下圖般的對話框。

▶ 執行階段錯誤的例子

按下**結束**會直接停止執行巨集。而按下**偵錯**則會如下圖般，錯誤發生處反白並進入中斷模式。

▶ 中斷模式

上圖的例子是把「Range("A1")」打成「ronge("A1")」的拼寫錯誤（其實希望在編譯時就能抓出這個錯誤，但它還是會通過編譯）。在中斷模式下修正這個錯誤後，按下工作列上的**繼續**就會執行巨集的後續內容（工作列上的「繼續」按鈕其實跟「執行 Sub 或 Userform」是同一個按鈕，只是會根據執行狀態改變顯示名稱）。

在此有個要注意的地方是，「發生執行階段錯誤的當下，錯誤發生處上方的程式碼全都執行完畢」。上圖用了兩行程式碼來輸出文字，而它們在錯誤發生前都執行過了。

▶ 錯誤發生處上方的程式碼都執行過了

187

也就是説，修正執行階段錯誤以後，若要重新執行巨集，可能會需要將已經執行過的內容，手動恢復到原來的樣子。

因此若能養成「要測試感覺會有 Bug 的巨集以前，先存檔或另存新檔」的習慣，就可以輕鬆進行「恢復原狀」的工程。

Column 為什麼編譯沒有抓出錯誤呢？

執行階段錯誤舉出了，「Range」寫成「ronge」的例子。這麼明顯的拼寫錯誤，為什麼編譯時沒有抓出來呢？

這是因為在 VBA 中，開發者可以在巨集內使用自製的函數或物件。即使乍看之下是明顯的拼寫錯誤，編譯時 VBE 也會認為「或許真的存在 ronge 函數或 ronge 物件？」，所以不會判斷為錯誤。因此拼錯物件名稱的錯誤時常發生，必須多加留意。

● 邏輯錯誤

「雖然執行過程並未顯示錯誤，但執行結果卻事與願違」這個討厭的狀態就是邏輯錯誤。先看看下面的程式碼與結果圖。這句程式碼會在儲存格範圍 C4:E4 中輸入陣列中的值。

巨集 7-1

```
Range("C4:E4").Value = Array(" 蘋果 ", 120, 18)
```

實例 程式碼的執行結果

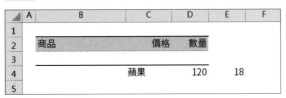

執行結果確實完全符合程式碼的內容，但怎麼看輸入值都不在原本想要的位置。雖然我們一看就知道明顯「有錯」，但 VBE 卻認為程式碼內容完全能執行，所以這種沒有「錯誤」的狀態就叫做邏輯錯誤。

　　邏輯錯誤是只要發生了就很難發現的惱人錯誤，如果程式碼簡短也就算了，如果發生在內容繁多的巨集裡，連要找到哪裡出錯都很困難。只能想辦法利用以下 Column 中所介紹的 VBE 的功能，來找出邏輯錯誤並且修正它。

▌Column　基本上是「暫停後修正」，但也要確認暫停前的狀態

　　錯誤發生時要走的基本流程是「關閉對話框」、「若進入中斷模式就暫停執行」、「修正錯誤」。但其實有許多在中斷模式下很實用的機制與工具。

　　進入中斷模式時，會「完整保留」發生錯誤當下的各種屬性值與變數值。中斷模式下在即時運算視窗中輸入「?" 檢視值：", 變數名稱」，再按下 Enter 試試。

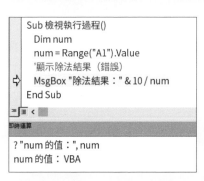

　　這樣就可以檢視進入中斷模式當下的變數值了。上圖在錯誤發生時，檢查了應指定數值的變數 num 的值，卻發現裡面指定了一個字串「VBA」。因此看著這個資訊，就能找到在哪裡指定了不該指定的值，而加以修正。

　　像這樣，在錯誤發生進入中斷模式後，可以確認當下的變數或工作表的狀態。習慣錯誤發生之後，只要利用這個機制，就可以在修正過程中逐一檢查輸入是否正確。

7-2 幫助抓出錯誤的可靠武器

這一節將會介紹，可以幫助找出錯誤根源的功能。

■ 「逐行執行」確認每一個動作

首先是**逐行執行**功能。這是個「每次只執行一行程式碼，以確認每行結果的功能」。

按下想逐行執行的巨集中的任意位置，點選功能表上的**偵錯→逐行**，或者按下 **F8** 鍵。巨集標題就會被標為黃色，並在左側顯示指標的狀態下進入中斷模式。

▶ 開始逐行執行的狀態

```
Option Explicit

⇨ Sub 逐行執行以檢視過程()
      '輸入商品、價格、數量
      Range("B3").Value = "蘋果"
      Range("C3").Value = 120
      Range("D4").Value = 18
  End Sub
```

在這個狀態下按一下 **F8**，指標就會移至下一條敘述。此時會執行指標前一次指示的程式碼，並再度進入中斷模式。

在逐行執行的期間，巨集會一直維持在中斷模式，所以每執行一行就切回 Excel 畫面確認執行結果的話，就能明確掌握程式碼與執行結果的因果關係了。

▶ 切回 Excel 畫面進行確認

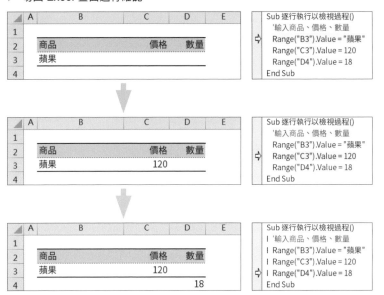

　　上圖範例的三行程式碼中，執行完第三行後將值輸入到了錯誤的儲存格裡，所以能抓出問題是出在這一行。

　　此外，在逐步執行的期間，若按下**繼續**按鈕，那剩下的程式碼就會一次執行到底；若按下**重新設定**按鈕，則會直接中止巨集。

Column　**超推薦！並排檢視 Excel 畫面與 VBE 畫面**

　　使用逐步執行時，推薦把視窗排列調整為「執行時使 Excel 畫面與 VBE 畫面並排」的樣貌。當然也可以手動拖曳兩個視窗到想要的位置，但如果是 Windows10 的話，選擇 Excel 畫面再按下「Windows 鍵＋←鍵」就能將 Excel 畫面調整到視窗左半面，選擇 VBE 畫面再按下「Windows 鍵＋→鍵」就能將 VBE 畫面調整到視窗右半面。調整後再以「F8」鍵逐步執行的話，就能同時看到程式碼與執行畫面以確認結果。

　　要確認「錄製巨集」所錄下的程式碼時，這個方式也十分有效，是筆者相當喜愛的一種開發模式，請務必嘗試看看。此外，按下「Windows 鍵＋反方向的方向鍵」即可恢復原先排列。

設定中斷點抓出可疑的地方

按一下程式碼視窗左邊的邊界指示區就會出現標記，並強調顯示該行程式碼。這個標記就稱為中斷點，當巨集執行至此就會進入中斷模式。

▶ 設定中斷點

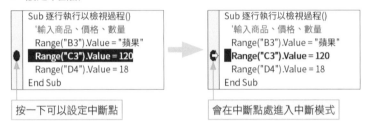

若要逐步執行，但是想仔細檢查的程式碼離巨集開頭很遠，就可以設定中斷點，直接定位到要檢查的位置。進入中斷模式後，只要按 **F8** 鍵就能從中斷點處開始逐步執行。

此外，只要再按一次邊界指示區，就能解除設定的中斷點。

以 Stop 與 Assert 來設定確認點

設定好的中斷點只要關閉 Excel 就會被清除掉。但使用 **Stop** 敘述，就能設定一個每次都能停住的中斷點。

當執行內含 Stop 敘述的巨集，會在執行到 Stop 敘述時進入中斷模式。因此可以視為「寫在程式裡的中斷點」。

▶ 於 **Stop** 敘述之處暫停

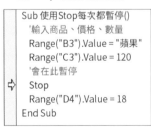

此外，Stop 敘述是必定會進入中斷模式，但 VBA 也提供了只有不滿足指定條件式時才進入中斷模式的機制，即 **Debug.Assert** 方法。Assert 方法在引數中的條件式為「True」時會直接通過向下執行，但條件式為「False」就會在此進入中斷模式。

■ **Debug.Assert 方法**

```
Debug.Assert 要暫停執行的條件式
```

下圖的例子會在 price 的值大於 0 時進入中斷模式。

▶ 以 **Debug.Assert 方法**暫停執行

```
Sub 使用Assert找出異常()
    Dim price As Long
    price = -100
    '若不滿足「變數 price 大於 0」這個式子就暫停
⇨  Debug.Assert price > 0
    Debug.Print "價格：", price
End Sub
```

上述兩者都是在開發期間，可以插入程式碼中用以檢測內容的方便功能。但如果開發結束後不小心忘了刪掉，搞不好會讓使用者執行巨集到一半，突然跳出「奇怪的畫面（即 VBE）」而驚慌地來電詢問。所以養成「最後用搜尋清除這些關鍵字」的習慣吧。

■■ 以區域變數視窗與監看視窗完整展示過程

中斷模式下，若點選**檢視→區域變數視窗**叫出該視窗，就能顯示當下所用變數中容納的值。例如執行下面這個含有<u>兩個變數「price」與「nameList」</u>的巨集。

巨集 7-2

```
Dim price As Long, nameList() As Variant
'指定變數初始值
price = 100
```

```
nameList = Array(" 蘋果 ", " 橘子 ", " 葡萄 ")
' 暫停巨集以確認
Stop
```

在最後的 Stop 敘述進入中斷模式後，點開區域變數視窗。

▶ 顯示區域變數視窗

運算式	值	型態
⊞ Module2		Module2/Module2
price	100	Long
⊟ nameList		Variant(0 to 2)
├─ nameList(0)	"蘋果"	Variant/String
├─ nameList(1)	"橘子"	Variant/String
└─ nameList(2)	"葡萄"	Variant/String

區域變數
VBAProject.Module2. 以兩個視窗確認變數或狀態

變數名稱、值、資料型態等全都列出來了，甚至能看到陣列中每個元素的
值。

此外，點選**檢視→監看視窗**叫出監看視窗後，如果設定了想檢視的變數或
運算式，就能監視其值。

叫出監看視窗後，在表內任意處按右鍵，選擇**新增監看式**，就會彈出如下圖
的對話框。在**運算式欄位**填入想檢視的變數名稱等，按下**確定**就新增完成了。

▶ 新增監看式

接著在中斷模式下叫出監看視窗，就可以檢視剛才新增的監看式內容。

▶ **在監看視窗裡檢視**

運算式	值	型態	內容
6d 　Price	100	Long	Module2.以兩個視窗確認
6d 　Price > 0	True	Boolean	Module2.以兩個視窗確認
6d ⊞ Range("A1")		Object/Range	
6d ⊟ nameList		Variant/Variant(0 to 2)	Module2.以兩個視窗確認
└ nameList(0)	"蘋果"	Variant/String	Module2.以兩個視窗確認
└ nameList(1)	"橘子"	Variant/String	Module2.以兩個視窗確認
└ nameList(2)	"葡萄"	Variant/String	Module2.以兩個視窗確認

新增監看式時可以使用各種「式」，除了直接指定變數名稱外，也能使用「price > 0」這種條件式，或是像「Range("A1")」般指定為物件或屬性值。可以在執行巨集期間，把想知道的參數全部抓出來統一確認，是個非常方便的功能。

此外，新增監看式時，若在**監看方式**欄位指定了「數值改變時中斷」等選項，還能在特定變數或屬性值發生改變時進入中斷模式。若有「任意變數或儲存格的值未如預期」的問題時，這個選項對找出原因非常有幫助。

還有，新增監看式時，也可以在 VBE 上拖曳選取需要的變數名稱或式子，按右鍵選擇**新增監看式**。

Column　發生錯誤時不要彈出對話框

VBE 通常在發生編譯錯誤時會彈出對話框。但有時其實只是單純拼寫錯誤，或寫到一半不小心壓到「Enter」，卻還是一直跳出對話框，看了就讓人覺得「我知道啦……」「我明明就正要改……」有時甚至會被打亂工作節奏。若有這種情況，建議還是取消這個對話框功能吧！

選取工具→選項，顯示「選項」對話框後，在編輯器標籤中，將自動進行語法檢查取消勾選。

　　這樣一來，像發生拼寫錯誤、忘記右括號這類「會將文字標紅的錯誤」時，就不會彈出對話框了。不過即使是這樣設定，VBE 在發生錯誤時仍然會標紅程式碼，因此，還是可以知道有發生錯誤。

　　特別推薦給，覺得一直點掉對話框很麻煩的人！

7-3 使用錯誤捕捉解決錯誤

　　當發生執行階段錯誤，會彈出錯誤訊息並暫停巨集。這確實有助於找出錯誤，但對於不了解箇中機制的使用者，如果突然彈出 VBE 畫面，可是會讓他們感到不知所措。

　　所以，雖然並非是專門應付這種情形，VBA 提供了「發生錯誤時不會中斷巨集，而是執行專用的處理方式」。

發生錯誤時跳到特定標籤上

　　VBA 在錯誤發生時執行的專用處理，統稱為錯誤捕捉，要使用 On Error 敘述實作。**On Error** 敘述的基本構造如下。

■ **On Error 敘述**

```
On Error GoTo 標籤名稱
可能發生錯誤的程式碼
Exit Sub

標籤：
錯誤發生時要執行的程式碼
```

　　實際程式碼會寫成以下形式。下列程式碼打算輸入值到「統計」工作表上的儲存格 A1，但執行時不存在「統計」工作表就會發生錯誤。因此在發生錯誤時判別錯誤種類，若發生「陣列索引超出範圍」這個錯誤，就由巨集主動新增「統計」工作表，並返回先前的處理。

巨集 7-3

```
' 發生錯誤時跳到「ErrorHandler」標籤
On Error GoTo ErrorHandler
' 在「統計」工作表裡輸入值
Worksheets(" 統計 ").Activate
```

```
Worksheets("統計").Range("A1").Value = 1000
' 結束處理
Exit Sub

' 以下是錯誤處理
ErrorHandler:
' 檢測錯誤種類是否為「陣列索引超出範圍」
If Err.Number = 9 Then
    ' 新增「統計」工作表並返回先前處理
    Worksheets.Add.Name = "統計"
    Resume
Else
    ' 彈出訊息並中止處理
    MsgBox "發生非預期的錯誤。請將下列錯誤編號告知我們" & _
        vbCrLf & "錯誤編號：" & Err.Number, vbExclamation
End If
```

實例 輸入值到「統計」工作表

▲	A	B	C	D
1	1000			
2				
3				
4				
5				

統計　Sheet1　⊕

　　在想啟動錯誤捕捉的位置寫下「**On Error GoTo** 標籤名稱」，只要下面的程式碼發生了錯誤，就會直接跳到「標籤」處。

　　在任意名稱後接上一個半形冒號，寫成「標籤名稱：」的形式，再按下 **Enter** 就能作出標籤。上面的例子，就製作了名為「ErrorHandler」的標籤。標籤只要放在所有未發生錯誤的正常程式碼後面就好。這時標籤的前一行會是「Exit Sub」，這兩者一起表達出「到此為止是一般處理，從此之後則是錯誤處理」。

　　錯誤處理中，可以使用 **Err** 物件取得與發生錯誤相關的資訊。常用的有能確認錯誤編號的「Number 屬性」，以及能確認錯誤訊息的「Description 屬性」。

▶ Err 物件的兩個屬性

屬性	內容
Number	對應錯誤種類的錯誤編號
Description	錯誤時顯示的訊息

　　上述範例確認了 Number 屬性的值，如果是「9」（陣列索引超出範圍的錯誤編號）就判定「統計」工作表不存在，並透過巨集建立「統計」工作表。接著以 Resume 敘述返回錯誤發生處，再次執行剛才出錯的敘述，並繼續向下處理。

Column　**Resume 敘述**

　　在錯誤處理時使用 Resume 敘述，會再度執行發生錯誤的程式碼。在錯誤處理內部解決問題後，Resume 敘述就用於回到原先動作。

　　若寫成「Resume Next」，就會從錯誤發生處的「下一個敘述」開始執行。

● 顯示自訂錯誤訊息

　　此外，在上例中當錯誤編號不是「9」時，利 MsgBox 函數會對使用者彈出自訂錯誤訊息。不同於彈出錯誤對話框，因為不會切換到 VBE 畫面，而是在 Excel 視窗中直接告知錯誤發生，所以即使是對巨集不熟悉的使用者，也不至於感到困惑。

　　例如下圖的對話框，雖然「統計」工作表存在，但因為設定了保護所以彈出這樣的訊息。

▶ 經由錯誤捕捉顯示自訂訊息

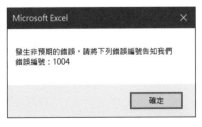

　　自訂訊息裡建議寫下「錯誤處置方法或聯絡方式，若需聯絡就寫下能作為線索的錯誤編號」。如果開發者需要更詳細的訊息，也可以在錯誤處理內部，製作能將錯誤時的狀況記錄到工作表或純文字檔，再請使用者提供這個檔案以便調整程式碼。

　　綜上所述，錯誤捕捉的基本原則是「以 On Error GoTo 標籤啟動錯誤捕捉」、「到 Exit Sub 為止是一般處理，標籤開始則是錯誤處理」、「透過 Err 物件來確認錯誤資訊」。

Column　解除錯誤捕捉

　　若使用「On Error GoTo 0」，就能從這行開始解除錯誤捕捉。

```
On Error GoTo 標籤名稱
可能發生錯誤的程式碼

On Error GoTo 0
以下是不進行錯誤捕捉的程式碼
```

　　若只想在部分程式碼中進行錯誤捕捉，就像上面這樣將要捕捉的範圍包起來吧！

忽略發生的錯誤

　　若以下面的形式使用 On Error Resume Next 敘述，就不是捕捉錯誤，而是「忽略發生錯誤的程式碼，直接執行下面的敘述」

■ On Error Resume Next 敘述

```
On Error Resume Next
可能會出錯的程式碼
On Error GoTo 0
以下是普通的程式碼
```

　　下列程式碼的目的是「刪除現有的『統計』工作表後，重新建立新的『統計』工作表再輸入值」。

巨集 7-4

```
' 無視錯誤繼續處理
On Error Resume Next
' 刪除「統計」工作表
Application.DisplayAlerts = False
Worksheets(" 統計 ").Delete
Application.DisplayAlerts = True
On Error GoTo 0
' 在「統計」工作表中輸入值
Worksheets.Add.Name = " 統計 "
Worksheets(" 統計 ").Range("A1").Value = 1000
```

　　「Worksheets(" 統計 ").Delete」這行程式碼是用來刪除「統計」工作表，所以「統計」工作表不存在時會發生執行階段錯誤。在此利用 On Error Resume Next 敘述無視發生的錯誤，繼續向下執行「建立『統計』工作表→輸入值」的處理。這樣一來，無論「統計」工作表是否存在，都能用同樣的程式碼來解決。雖然是有點不太正統的解決方式，但有時卻能寫出相當簡單的程式碼。

7-4 程式沒有回應？最後的手段就是強制關閉 Excel

當執行了處理速度非常慢的巨集，或是不小心陷入無限迴圈的巨集（處理永遠不會結束的巨集），Excel 可能會動彈不得。這時有兩個解決方案。

■■ 按「Esc」鍵中斷執行

如果執行後卻感覺一直結束不了，想強制中斷執行時可以按住 **Esc** 鍵，只要還來得及就能中斷程式執行。

▶ 只要還來得及就能用「**Esc**」鍵中斷程式執行

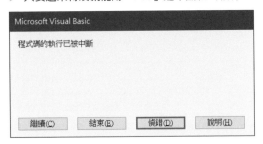

按下「Esc」鍵中斷後，會彈出如上圖的對話框。若想停止執行，就按下**中止**；若想進入中斷模式進行各種調查，就按下**偵錯**。

■■ 最後還是只能靠「工作管理員」

如果按下「Esc」鍵程式還是卡住無法中斷，那表示已經太遲了，只剩強制終止 Excel 本身一途。按下 **Ctrl** + **Alt** + **Delete** 叫出工作管理員，接著按下**結束工作**。

▶ 使用「工作管理員」強制結束工作

　　這樣就能強制關閉沒有回應的 Excel 了。只是這個方法會遺失尚未儲存的資料，甚至還可能損壞 Excel 活頁簿本身，所以只能作為一種緊急手段。要治本的話，還是要儘量做出不會當的程式。

7-5 發生錯誤前的自我防護手段

這節要介紹一些筆者過去實際用過「用來發現錯誤的防護手段」。筆者剛開始寫 VBA 的時候完全不懂錯誤捕捉，也沒有程式設計的知識。光看到中斷點、監看式這些感覺好像很高級的詞彙，就讓人心生畏懼不敢碰觸。所以下面要介紹的幾個方式，都是當時沒辦法中的辦法。

只是，這些都是簡單到連介紹都會覺得不好意思的手段。不過，有些或許能讓剛開始接觸 VBA 的人看了，產生跟當時的筆者一樣覺得非常有用的想法，所以還是決定公開。

■ 在每個重要部分輸出日誌

首先是在每個重要的部分都插入 **Debug.Print** 方法，作成一種能輸出簡易日誌的機制，以表達「到底巨集執行到哪裡了」。

■ 輸出簡易日誌

```
程式碼 A
Debug.Print "順利通過區塊 A"
程式碼 B
Debug.Print "順利通過區塊 B"
程式碼 C
Debug.Print "順利執行到最後了！"
```

▶ 簡易日誌的例子

這樣一來，錯誤發生時就能確認「到底按自己的想法執行到哪裡」。特別是當巨集長度增加，或是聯合多個巨集來完成功能時，這個手段能告訴我們流程是否按照自己的想法進行。

這個機制也讓筆者在漫長的處理期間，一直盯著即時運算視窗輸出的日誌看，當看到最後輸出順利完成的訊息時，真的會讓人開心到不禁振臂歡呼！

■■ 進一步輸出所有巨集名稱和想知道的值

利用 Debug.Print 方法來輸出時，「把巨集名稱、關切的變數、儲存格的值一起輸出」也很有效。

例如下圖的程式碼，利用 For Each 敘述進行迴圈，對儲存格的值進行計算，但途中卻發生了錯誤。

▶ 發生錯誤的程式碼

```
Sub 輸出用來確認的程式碼()
    Dim rng As Range
    Const SELLING_RATE As Double = 1.2
    '以原價算出暫定的售價
    For Each rng In Range("C3:C7")
        '## 檢視用日誌
        Debug.Print "目標儲存格："; rng.Address, "值：& rng.Value"
        '##
⇨       rng.Next.Value = Int(rng * SELLING_RATE)
    Next
End Sub
```

程式內容是依序將儲存格範圍 C3:C7 中的值乘上「1.2」，但卻像下圖一樣，範圍中有一格是「調查中」的字串，所以上述運算就成為把字串乘上數值而導致錯誤。

像這種用了工作表上的值的處理，只看程式碼有時會抓不到原因。或者當迴圈發生錯誤，也很難看出錯誤是發生在哪一次迴圈的什麼對象身上。

▶ 工作表的狀態

▲	A	B	C	D	E	F
1						
2		商品	原價	售價（暫定）		
3		BTD-001	450	540		
4		BTD-002	380	456		
5		BTD-003	調查中			
6		SRY-001	800			
7		SRY-002	850			
8						

　　這種時候，如果先在迴圈內寫下輸出迴圈對象與值的程式碼，發生錯誤時只要檢視日誌，就能馬上看到原因出在哪。

▶ 輸出的日誌

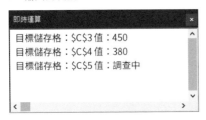

```
即時運算                                              ×
目標儲存格：$C$3 值：450
目標儲存格：$C$4 值：380
目標儲存格：$C$5 值：調查中
```

　　這個範例輸出了儲存格位址與值。

```
Debug.Print "目標儲存格：" & rng.Address, "值：" & rng.Value
```

　　當發生錯誤而暫停，就能看出暫停在「儲存格 C5 的『調查中』」這個時間點。看到這應該就能聯想到「好，那就再加一個判斷資料型態的部分吧」也就是說，能提示我們如何進一步解決問題。

提供協助修正的線索

　　如果製作的巨集不是自己要用，而是受託製作巨集給別人使用的情況下，採用「發生錯誤時，輸出開發者需要的資訊」這個方案來製作，是很有效果的。

　　例如說，利用錯誤捕捉的機制，寫出以下這種巨集的基本版型。

巨集 7-5

```
Const MACRO_ID As String = "MC001"
On Error GoTo ErrorHandler
' 在這裡寫要執行的程式碼
Exit Sub

ErrorHandler:
MsgBox " 發生錯誤，請將下列號碼告知開發者 " & vbCrLf & _
        "ID：" & MACRO_ID, vbExclamation
```

　　上面的例子中，在巨集開頭寫下「MACRO_ID」這個常數，用以定義「能判斷出是哪個巨集的值」。以這個狀態進行錯誤捕捉，在錯誤處理內使發生錯誤時彈出附有上述常數的訊息。這樣一來，只要改變每個巨集的 ID，就能寫出「發生錯誤時不會進入 VBE 畫面，而是顯示 ID」的巨集活頁簿。

　　若要在多個巨集中置入這個模式，先個別複製出模板再開始寫，這樣只需修改巨集名稱和 ID 後，再寫巨集內容就好，這也是一個方式。

▶ **讓每個巨集擁有不同 ID**

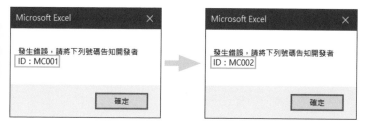

　　只要使用這個方式，使用者在錯誤發生時就能將 ID 告知開發者，開發者就能看 ID 知道是哪個巨集出錯進而確認。其他還有顯示提供「執行到哪一步了」資訊的「進行 ID」，或是提供錯誤當下的變數、儲存格資訊等。只要都顯示出來，就能在需要修正時讓使用者方便告知我們這些資訊。

　　當然原本該作的不是這些，應該產出一個絕不會出錯的完美巨集才是上策，但實在是個艱鉅的任務。實務上也會有「必須拿實際資料測試才能確認是否有問題，但對方卻拒絕提供」的情況，這時上述的手法就會很有幫助。

　　如果發生錯誤時，想檢視的資料量很大，也可以將這些錯誤日誌全部寫到純文字檔裡面，請使用者直接傳檔案過來也是一種有效的方式。

Column　刪除偵錯用的程式碼

　　用來偵錯的程式碼，有時在正式推出巨集後就不需要了。若想要一口氣全部刪掉，可以利用「取代」功能（編輯→取代）。設定尋找目標欄位為「Debug*」，取代為欄位則留空，勾選使用模式比對搜尋後再進行取代，就能把程式碼中以「Debug」開頭的行全部刪掉。

　　如果不是刪除，而是想設為註解，那只要在前面加上標為註解的單引號，將「Debug」取代為「'Debug」就可以了。

　　若想復原，只要把「'Debug」取代回「Debug」就好。

Column 自訂 VBE 的顯示色彩

　　VBE 編輯器預設顯示為「白底黑字」，但也可以修改顯示色彩。點選工具→選項，在彈出的「選項」對話框中，找到程式碼色彩設定欄位。分別設定「一般文字」、「註解文字」、「關鍵字文字」、「識別項文字」四者的「背景」（背景色）和「前景」（文字色），就能使 VBE 呈現出所設定的色彩，還可以一併指定字型。試著設定成自己喜歡或習慣的配色吧！

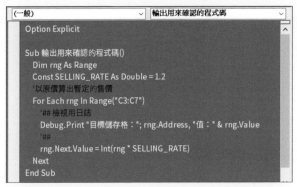

　　但只有程式碼視窗與即時運算視窗可以自訂顏色，專案總管或屬性視窗是無法變更的。

Chapter 8

以外部函式庫擴充
VBA 的功能

本章將介紹如何在 VBA 中使用「外部函式庫」。有些難題只靠標準的 VBA
是無法處理的,但運用外部函式庫就可以輕鬆解決。換言之,我們可以將
外部函式庫當成是擴充 VBA 的機制。

8-1 外部函式庫能擴充 **Excel** 的功能

雖然 VBA 確實能以程式來操縱 Excel 中琳瑯滿目的功能，但反過來說，如果想用的功能本身就不存在於 Excel 中，自然無法使用。但也有能用外部函式庫解決的情況，例如「正規表示式」、「關聯陣列（雜湊表）」或「檔案操作」等，用外部函式庫處理的話，會輕鬆許多。

利用函式庫時基本是用 CreateObject

外部函式庫能擴充 VBA 的機制，並且提供了許多工具。

▶ 能透過 **VBA** 使用的函式庫示例（摘錄）

函式庫（類別字串）	用途
Scripting.FileSystemObject	處理檔案相關的物件
Scripting.Dictionary	處理關聯陣列的物件
VBScript.RegExp	處理正規表示式的物件
ADODB.Stream	處理各種文字檔、二進位資料時可以使用的物件
Word.Application	處理 Word 的物件
PowerPoint.Application	處理 PowerPoint 的物件
InternetExplorer.Application	處理 Internet Explorer（Web 瀏覽器）的物件
MSXML2.XMLHTTP	處理 HTTP 通訊協定的物件
MSXML2.DOMDocument	處理 XML 形式資料的物件
SAPI.SpVoice	處理語音合成的物件

為了讓 VBA 方便取用，製作外部函式庫時是以物件機制為基底。正因如此，使用外部函式庫時的形式都是「首先建立介面物件以連結外部函式庫，再透過該物件操作所需函式庫」。

用以建立介面物件的，就是 **CreateObject** 函數。

■ **CreateObject 函數**

```
CreateObject ( 函式庫、指定物件的類別字串 )
```

在 CreateObject 函數的引數中，指定所需函式庫及物件（類別）的**類別字串**，執行函數後就會回傳目標物件本身，而類別字串會因應物件而改變。

操作以 CreateObject 建立的物件

以 Object 型態的變數接收 CreateObject 函數所建立的物件後，就能使用這個變數來操作函式庫本身的功能。

例如下列程式碼建立了語音合成引擎「SAPI 函式庫的 SpVoice 物件」，並讓它說出「Hello Excel」。

巨集 8-1

```
Dim spVoiceObj As Object
' 建立 SAPI 函式庫的 SpVoice 物件
Set spVoiceObj = CreateObject("SAPI.SpVoice")
spVoiceObj.Speak "Hello Excel"
```

① 宣告變數用以接收外部函式庫物件
② 將外部函式庫物件設定到變數中
③ 透過變數操作外部函式庫

上述這三個步驟，就是利用外部函式庫的功能時典型的模式。

Column 要怎麼知道有哪些外部函式庫可以用？

曾經有人詢問筆者「有哪些能透過 VBA 使用的外部函式庫？」「要怎麼查詢才好啊？」但這些問題極難回答。一是因為外部函式庫的種類多不勝數，筆者也沒有全部掌握；二是因為使用者也能自由製作外部函式庫，所以數量並不固定。

但如果搜尋「CreateObject VBA 要找的用途」這類關鍵字，應該很容易找到能解決本身需求的外部函式庫。例如搜尋「CreateObject VBA 正規表示式」的話，八成能找到 RegExp 物件的資訊。

Column ActiveX 是什麼？

搜尋外部函式庫時，常會看到「ActiveX」，而那些置於工作表上的控制項上也有這個名詞。ActiveX 原先是指「各種用來擴充 Microsoft 網頁瀏覽器 InternetExplorer 功能的工具」，例如想在瀏覽器中顯示 Excel 或編輯 Word 這類需求，都會用到 ActiveX。裡面還備有各式功能的物件，而且能從 IE 呼叫這些物件。而使用者也能製作專屬於自己的 ActiveX 控制項。

許多用 ActiveX 作出來的物件不只能用於 IE，在 Office 產品裡也能用，所以才會出現在 VBA 中。不過實際順序是相反的，先出現了 OLE（Object Linking and Embedding，物件連結與嵌入）這種「可讓複數軟體使用的物件的規則」，摘出裡面用於 Web 相關範圍的就是 ActiveX。綜上所述，只要是透過 VBA 使用的，不管是看到「ActiveX」、「OLE」還是「COM（Component Object Model，部件物件模型）」這些單字，只要能想到「啊，這個物件或控制項能用在許多軟體上」就沒問題了。

設定引用後再使用函式庫

上一節介紹了透過 CreateObject 函數使用外部函式庫物件的方法,但其實還有其他方式,也就是設定引用後再使用函式庫。

設定引用使 VBA 認識函式庫

在 VBE 選單列上點選**工具→設定引用項目**,就會彈出「設定引用項目」對話框,其實這個對話框中列出的大量項目,每項都是一個外部函式庫。

▶「設定引用項目」對話框

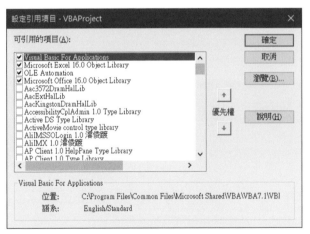

VBA 預設用來處理 Excel 功能的基本函式庫共有四個(如果把處理自訂表單算進去的話會再多一個)。除此之外,還會列出其餘(或許)可以使用的函式庫候選,勾選要用的函式庫再按下**確定**,就能讓 VBE 認識該函式庫的物件。

⬛ 設定引用的函式庫用法

當 VBE 認識了這個函式庫，那些存放連結外部函式庫的介面物件所需的變數，就能直接宣告為函式庫特有的物件型態。而且即使不用 CreateObject 函數，也能直接以 New 運算子建立物件。而且跟使用標準 VBA 物件時一樣會顯示程式碼提示框。

例如操作正規表示式的 **RegExp** 物件，包含在 **Microsoft VBScript Regular Expressions x.x** 函式庫（x 為版本號）中，只要設定引用後，就能按以下方式使用這個函式庫。

▶ 設定引用後的情況

```
Sub 以早期繫結方式使用RegExp()
    '已使用早期繫結，可以直接宣告 RegExp 型態
    Dim regExpObj As RegExp
    '已使用早期繫結，可以用 New 演算子建立物件
    Set regExpObj = New RegExp
    '已使用早期繫結，會顯示程式碼提示框
    regExpObj.
```
```
        Execute
        Global
        IgnoreCase
        Multiline
        Pattern
        Replace
        Test
```

此外，設定引用後還能在瀏覽物件中搜尋到該函式庫的物件，能藉此查詢這些物件的屬性或方法。

這種設定引用外部函式庫再使用其物件的方法，稱為早期繫結（**Early Binding**）；而利用 CreateObject 函數，待執行時才生成外部函式庫物件的方法，稱為動態繫結（**Dynamic Binding**）或延遲繫結（**Late Binding**）。

▶ 設定引用後的瀏覽物件

　　「可以指定資料型態，還能顯示程式碼提示框，那用早期繫結不是比較好嗎？」應該很多人會這樣想吧。但早期繫結也有缺點，特別是要將撰寫早期繫結的活頁簿用於不同環境的電腦中，就可能發生問題。

　　外部函式庫是將每個函式庫存為個別檔案的形式，但不同環境中檔案路徑不盡相同，甚至可能連檔案本身都不存在。另外，設定引用主要會以「函式庫檔案本身的路徑資訊」來進行，不同環境下甚至有可能直接彈出錯誤，也就是比較「危險」。

　　相對的，利用 CreateObject 函數建立物件時，會先在電腦中搜尋類別字串，若存在就建立物件，不存在則回傳錯誤（也就是說能進行錯誤捕捉），所以受電腦環境影響較小。

　　還有「目標函式庫極為難找」的問題，看過一次「設定引用項目」對話框應該就懂這句話的意思了，外部函式庫數量多如繁星，光找出所需函式庫就是件大工程了。因此，以 CreateObject 函數直接指定函式庫，還是比較輕鬆。

　　但動態繫結的缺點是「因為 VBE 並未認識物件,所以要用 Object 型態變數來操作,也不會顯示程式碼提示框」。要用哪個方式似乎頗難抉擇。

　　筆者個人的建議是:第一次使用的外部函式庫物件,若知道函式庫名稱就設定引用,先確認有哪些屬性或方法能用,並利用程式碼提示框來寫。等習慣這個函式庫,或者需要在別的電腦上使用時,再改用動態繫結的方式。

　　但不管怎麼說,當碰到棘手問題,使用外部函式庫,有時是可以快速解決問題的。即使不清楚詳細用法,這個時代只要上網搜尋類別字串等相關的關鍵字,應該就能得到不少資訊了。

Column 還有利用 WindowsAPI 的方法

　　雖然本書沒有介紹,但還有個函數群「WindowsAPI」能透過 VBA 操作 Windows 整體,有興趣的人請試著搜尋「VBA WindowsAPI」這個關鍵字。

Chapter 9

巨集組件化與自訂函數

本章將介紹如何併用多個巨集,以及自訂函數與自製物件(類別)的製作方式。進行較複雜的處理時,如果分割巨集個別管理,一方面易於判斷結果,另一方面除錯或測試時也方便。先來看看怎麼聯合使用多個巨集吧!

9-1 將巨集組件化

VBA 提供在巨集內呼叫其他巨集的機制，也就是所謂的子程式化。其實從每個巨集的開頭都是「Sub」，就能看出這個語言是用來處理個別「巨集子程式」了。只要併用多個子程式，就能有系統地寫出相對複雜的處理。

⊞ 用 Call 呼叫巨集

在巨集內使用 **Call** 敘述就能呼叫其他巨集。

■ Call 敘述

```
Call 巨集名稱
```

下列程式碼會在巨集「macroA」內呼叫巨集「macroB」。

巨集 9-1

```
Sub macroA()
    Debug.Print " 執行 macroA-1"
    ' 呼叫巨集 B
    Call macroB
    Debug.Print " 執行 macroA-2"
End Sub

Sub macroB()
    Debug.Print " 執行 macroB"
End Sub
```

執行 macroA 時，Call 敘述會呼叫 macroB，待 macroB 處理結束後，再返回 macroA 繼續進行後面的處理。

實例　呼叫其他巨集

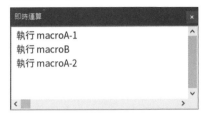

Column　其實不寫 Call 依然可以呼叫

要呼叫其他巨集時，其實也可以不用 Call 敘述，而是直接寫巨集名稱。

```
' 呼叫巨集 B
macroB
```

看起來雖然簡潔，但也滿突兀的。

設定巨集的引數

將巨集組件化時，引數是個很方便的機制。只要在巨集名稱後的括號中指定引數與其資料型態，就能使巨集包含引數。

使巨集包含引數

```
Sub 巨集名稱 ( 引數 As 資料型態 )
    用到引數的處理
End Sub
```

例如下列程式碼，先給予巨集一個 Range 型態的引數「rng」，再輸入「Hello!」至 rng 的儲存格中。

巨集 9-2

```
Sub inputHelloToRange(rng As Range)
    ' 輸入至容納於引數 rng 的儲存格中
    rng.Value = "Hello!"
End Sub
```

要利用這種巨集的 Call 敘述寫法如下。

■ **Call 敘述（呼叫包含引數的巨集）**

```
Call 巨集名稱 ( 引數 )
```

使用 Call 敘述指定巨集名稱後，在括號內寫下引數，就能在呼叫的同時傳遞引數。下列程式碼分別在呼叫巨集 inputHelloToRange 時，傳遞包含儲存格 B2 與儲存格範圍 B4:D5 的引數。

巨集 9-3

```
Call inputHelloToRange(Range("B2"))
Call inputHelloToRange(Range("B4:D5"))
```

實例 呼叫包含引數的巨集

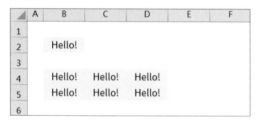

當巨集接收到引數，會在內部以類似變數的方式使用。上面的巨集「inputHelloToRange」會透過引數存取接收到的 Range 型態儲存格範圍，並輸入值。

■■ 設定可以省略的引數

此外，引數還能利用 **Optional** 關鍵字設定成「可以省略」。這時若引數的型態是非物件的值，還可以一併設定預設值。

■ **讓巨集包含可以省略的引數**

```
Sub 巨集名稱 (Optional 引數 As 資料型態 = 預設值 )
```

下面的巨集「multiply」包含兩個引數「rng」與「num」。其中第二引數「num」是「可以省略的引數」。巨集的目的是將引數傳遞的儲存格範圍內的值，乘上另一個同樣以引數傳遞的值。

巨集 9-4

```
Sub multiply(rng As Range, Optional num As Long = 2)
    ' 將 rng 內的值乘上 num 的值指定回 rng 內
    rng.Value = rng.Value * num
End Sub
```

我們試著用兩種方式來呼叫這個巨集。第一種指定了儲存格和乘數，第二種則只指定儲存格。

巨集 9-5

```
' 指定兩個引數
Call multiply(Range("B2"),5)
' 省略第二引數
Call multiply(Range("B4"))
```

實例 呼叫巨集的結果

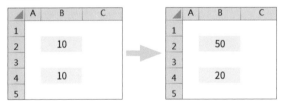

若呼叫時有指定引數「num」的值，就會用這個值進行計算；若不指定，則會用「**Optional 變數名稱 = 預設值**」所指定的預設值「2」進行計算。

Optional 關鍵字也能用於多個引數，但規則是「只要設定了一個可以省略的引數，後面所有的引數也必須可以省略」。

還有，物件型態的引數不能以 Optional 關鍵字同時設定預設值。一種可行的解決方式就是先以 Optional 關鍵字設定引數，再於巨集內判定「引數是否為 Nothing」，依結果設定預設值。

例如，下面的巨集包含一個引數「rng」，若呼叫時不傳遞引數，就會以當前儲存格為目標。下列程式碼中建立了一個 Range 型態的引數「rng」，並輸入「VBA」到設定於 rng 中的儲存格。

巨集 9-6

```vba
Sub inputVBAToRange(Optional rng As Range)
    '若未指定引數，就設定當前儲存格到 rng 中
    If rng Is Nothing Then Set rng = ActiveCell
    '輸入值到引數 rng 接收到的儲存格中
    rng.Value = "VBA"
End Sub
```

正選擇儲存格 B2 時，分別利用下面兩種方式呼叫巨集則結果如圖。第一種在呼叫時指定儲存格範圍 B4:D5，第二種則是呼叫時省略不指定儲存格。

巨集 9-7

```vba
'指定引數
Call inputVBAToRange(range("B4:D5"))
'省略引數
Call inputVBAToRange
```

實例 呼叫巨集的結果

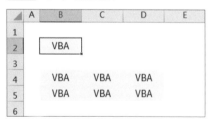

引數的「傳址」與「傳值」

當巨集包含引數，可以用 **ByRef** 與 **ByVal** 兩個關鍵字，指定傳遞引數時要傳址或傳值，若省略則預設為傳址。

　　傳址正如其名，是「直接傳遞引數位址給巨集的形式」；相對的，傳值則是「傳遞引數時，將值複製再傳遞給巨集的形式」。

　　光聽這個敘述有點難懂，讓我們看看實際程式碼如何運作。下面製作了<u>兩個擁有引數「str」的巨集</u>，只差在傳遞引數的形式不同。

巨集 9-8

```
Sub 傳址巨集 (ByRef str As String)
    str = "在 Call 的巨集內變更的值"
End Sub

Sub 傳值巨集 (ByVal str As String)
    str = "在 Call 的巨集內變更的值"
End Sub
```

　　分別傳遞字串型態的變數作為引數給這兩個巨集。

巨集 9-9

```
Dim str As String
' 傳址測試
str = "原本的值"
Debug.Print "呼叫前的值：", str
Call 傳址巨集 (str)
Debug.Print "呼叫後的值：", str
Debug.Print "-----"
' 傳值測試
str = "原本的值"
Debug.Print "呼叫前的值：", str
Call 傳值巨集 (str)
Debug.Print "呼叫後的值：", str
```

實例 呼叫巨集的結果

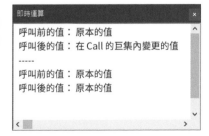

225

以傳址形式傳遞的變數，如果在呼叫的巨集裡受到變更，會有把變更後的值「帶回來」的行為；以傳值形式傳遞的變數，原本傳遞過去的就只是「複製後的值」，所以就算在呼叫的巨集中受到變更，也不影響原來的變數值。

上述就是傳址與傳值在處理引數時產生的差異。VBA 中若「想寫明引數要以傳值形式傳遞」，可以「用括號把引數包起來」。也就是說，像下面這樣用括號包住引數，就能以傳值形式將複製後的值傳遞到傳址形式的巨集中，是個有點奇妙的規則呢。

■ 以「傳值」的方式傳遞引數

```
Call 巨集名稱
```

因為傳遞引數時，若未特別設定就會預設為傳址，所以「呼叫由其他人製作，不清楚內容的子程式時，絕對不希望自己的引數被改變」的情況，特別適合用這個手法。

9-2　自訂函數的方法

　　若需求並非巨集子程式，而是想製作會回傳值的函數，就要使用 Function 程序。

使用 Function 程序製作自訂函數

　　Function 程序的基本構成如下。

■ Function 程序

```
Function 函數名稱（引數） As 回傳值的資料型態
    任意處理
    函數名稱 = 回傳值
End Function
```

　　跟作為巨集本體的 Sub 程序相比，有以下三個較大的不同點：

- 以「**Function**」開頭、「**End Function**」結尾
- 可以在定義函數名稱的同時，指定回傳值的資料型態
- 函數的回傳值，要在函數內以「函數名稱 = 值」的形式，指定到與函數同名的標識符中

　　Function 程序最特別的機制，就是指定回傳值的方法，要在函數中的某處寫下「函數名稱 = 值」的方式以指定。函數處理結束後，指定到「函數名稱」中的值就是這個函數的回傳值。

　　例如下列函數「getHello」固定會回傳「Hello!」這個字串。

巨集 9-10

```
Function getHello() As String
    getHello = "Hello!"
End Function
```

227

　　跟一般函數相同，只要直接寫下函數名稱，就能使用以 Function 敘述作出來的函數（自訂函數）。下列程式碼會顯示自訂函數 getHello 的回傳值。

巨集 9-11

```
Debug.Print getHello
```

實例 顯示回傳值

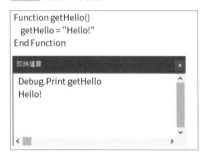

　　自訂函數跟 Sub 程序一樣可以設定引數。下列函數設定了「value1」、「value2」兩個引數，並回傳兩數的和。

巨集 9-12

```
Function add2Values(value1 As Long, value2 As Long) As Long
    add2Values = value1 + value2
End Function
```

實例 設定自訂函數的引數

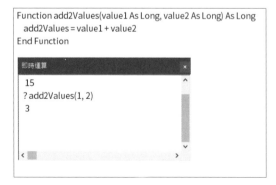

此外，如果想回傳物件，函數內要改用「**Set 函數名稱 = 物件**」的形式來指定回傳值。

下面的函數在接收到引數中的儲存格範圍後，會排除標題列並回傳剩餘的儲存格範圍。

巨集 9-13

```
Function getDataRange(tableRng As Range) As Range
    ' 接收引數中的儲存格範圍，並回傳其中第二列以後的範圍
    Set getDataRange = tableRng.Rows("2:" & tableRng.Rows.Count)
End Function
```

上面的函數會回傳 Range 物件型態，所以可以直接利用其回傳值來操作儲存格。例如傳遞儲存格範圍 B2:D6 到上面的函數中，再直接對函數的回傳值使用 Select 方法（選擇儲存格）。

巨集 9-14

```
getDataRange(Range("B2:D6")).Select
```

實例 選擇了標題列之外的範圍

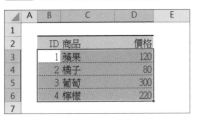

結果選擇了標題列之外的儲存格範圍 B3:D6，回傳物件的函數就是以這種方式製作。

也可以從工作表呼叫

那麼，介紹完自訂函數的製作與使用方式了。其實自訂函數也能當成工作表函數呼叫，或者說「居然能被呼叫出來」。

　　前面所製作的「add2Values」函數，若以工作表函數的方式呼叫，就會像下圖一樣。

巨集 9-15

```
Function add2Values(value1 As Long, value2 As Long) As Long
    add2Values = value1 + value2
End Function
```

實例 在工作表上運用自訂函數

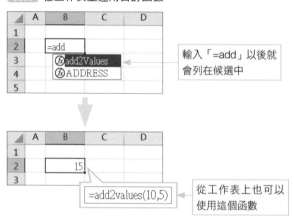

這樣確實是很方便沒錯，但畢竟有些函數還是只希望在 VBA 中使用。這時可以在製作自訂函數時，在「Function」前面加上 **Private** 修飾子。

Private Function add2Values(value1 As Long, value2 As Long) As Long

　　如此一來，這個自訂函數就會成為「能在這個模組內使用，但不能在其他模組或工作表上使用的函數」。

Column 用「Public 修飾子」寫明可以公開呼叫

　　Private 修飾子不只可以用於 Function 敘述，也能用於 Sub 敘述。像 173 頁介紹過的事件程序模板裡面也有用到。

　　Private 修飾子是用以指定作用範圍的「存取修飾子」之一，用來指定該程序或函數「可以在什麼範圍使用」。VBA 還提供了另一個「Public 修飾子」，當省略修飾子，或是寫明 Public 修飾子的情況，會成為「可以從任何地方呼叫」的狀態。

9-3 製作自訂物件

VBA 可以製作自訂物件這種特有的物件，下面來看看製作流程。只要針對每個物件建立專用的**物件類別模組**，並在裡面給出定義，就能作出自訂物件。

自訂物件要在「物件類別模組」中製作

從 VBA 選單上選擇**插入→物件類別模組**，就能建立物件類別模組。此時在專案總管中的「物件類別模組」區塊就會多出一個物件類別模組。

首先要設定物件名稱，點選目前為「Class1」這類預設名稱的物件類別模組，並在屬性視窗內的（**Name**）欄輸入物件名稱。下面的例子將自訂物件命名為「Goods」。

▶ 建立物件類別模組，並決定物件名稱

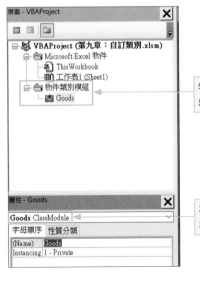

物件類別模組會新增到這個資料夾內

在屬性視窗的（Name）欄檢視／變更物件名稱

■ 自訂屬性及方法

在物件類別模組內，使用 **Public** 敘述就能建立自訂物件的屬性，定義屬性名稱的語法形式與宣告變數相似。

■ 定義屬性

```
Public 屬性名稱 As 資料型態
```

下列程式碼中定義了「Name」屬性當作商品名稱、「Price」屬性當作價格。

巨集 9-16

```
'定義當作商品名稱的屬性
Public Name As String
'定義當作價格的屬性
Public Price As Currency
```

而在物件類別模組內，使用 Sub 程序或是 Function 程序就能定義自訂物件的方法。例如下列程式碼，製作了「ShowInfo」方法用以顯示商品資訊至訊息對話框，還有「ToArray」方法用以回傳內含商品名稱與值的陣列。

巨集 9-17

```
'將商品名稱與價格顯示於對話框中的方法
Public Sub ShowInfo()
    MsgBox "商品名稱：" & Name & vbCrLf & "價格：" & Price
End Sub

'回傳內含商品名稱與值的陣列的方法
Public Function ToArray() As Variant
    ToArray = Array(Name, Price)
End Function
```

定義了屬性、方法等等的整個物件類別模組，看起來就會像下圖這樣。

此外，若在方法中會用到屬性值，就必須在撰寫方法之前（方法的上面）先定義屬性。

▶ 物件的定義

```
(一般)                              ▼  ToArray

    Option Explicit

    '定義當作商品名的屬性
    Public Name As String
    '定義當作價格的屬性
    Public Price As Currency

    '將商品名稱與價格顯示於對話框中的方法
    Public Sub ShowInfo()
      MsgBox "商品名稱：" & Name & vbCrLf & _
             "價格：" & Price
    End Sub

    '回傳內含商品名稱與值的陣列的方法
    Public Function ToArray() As Variant
      ToArray = Array(Name, Price)
    End Function
```

　　這次在範例中製作的「Goods 物件」，定義為持有兩個屬性與兩個方法的
物件。

▶ Goods 物件的屬性／方法

屬性 / 方法	用途
Name 屬性	取得／設定商品名稱
Price 屬性	取得／設定價格
ShowInfo 方法	顯示商品名稱與價格在訊息對話框中
ToArray 方法	回傳內含商品名稱與價格的陣列

Column

　　在物件類別模組內，可以用「Me 關鍵字」來存取「物件本身」。例如寫下
「Me.Name」，就會存取「物件本身的 Name 屬性」。如果想寫明「這裡用的是自己
的屬性／方法」，就可以用這個寫法。

做好的自訂物件如何使用

做好的自訂物件，使用方式和一般物件相似。只有一點不同，就是使用前要先以 New 運算子建立新的自訂物件。

利用剛才做好的 Goods 物件的程式碼寫法如下。本例中宣告了對應自訂物件的特有型態變數，並建立自訂物件，再使用定義在物件身上的屬性及方法。宣告「Goods」型態的變數 myGoods，建立 Goods 物件並設定到變數中，再使用 Goods 物件中提供的屬性及方法。

巨集 9-18

```
' 宣告特有型態變數
Dim myGoods As Goods
' 建立物件
Set myGoods = New Goods
' 使用屬性
myGoods.Name = " 水果禮盒 "
myGoods.Price = 1800
' 使用方法
myGoods.ShowInfo
Range("B3:C3").Value = myGoods.ToArray
```

實例 使用自訂物件的結果

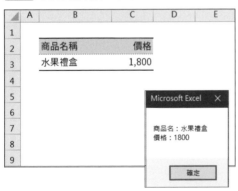

當寫程式用到自訂物件時，同樣會顯示程式碼提示框。

▶ 顯示程式碼提示框

　　只要在製作自訂物件時，物件名稱、屬性名稱、方法名稱都符合用途，就能將程式碼整理得更清楚。

不能使用建構函數

　　VBA 對於自訂物件，並不提供所謂的建構函數，即「建立實例時一併指定參數作為初始值」這種機制。

　　因此，當想在「初始化時給予初始值」，就只能自己想辦法了。以下有三個可供參考的手法。

● 利用 Initialize 事件

　　首先是利用 Initialize 事件的方式。Initialize 事件是建立新物件當下發生的事件。在物件類別模組上方的**物件**、**程序**兩個下拉式清單方塊中，分別選擇「Class」與「Initialize」，就會輸入此事件的模板。

▶ Initialize 事件

　　接著在這個模板中寫下設定初始值的程式碼即可。若想設一個定值為「預設值」，就採用這個設定初始值的方式吧。下列程式碼會在物件類別模組中，對定義其中的 Name 與 Price 屬性設定初始值。

巨集 9-19

```
Private Sub Class_Initialize()
    Me.Name = "名稱未設定"
    Me.Price = 99999
End Sub
```

● 提供初始化方法

再來是「在物件上定義用以初始化的方法」。若採用這個方式，可以將每個物件上初始化的方法都取成相同名稱，例如固定採用「Init 方法」來初始化物件。下例中定義於物件類別模組內 Name 與 Price 屬性的初始值，可以使用 Init 方法來設定。

巨集 9-20

```
Sub Init(pName As String, pPrice As Currency)
    Me.Name = pName
    Me.Price = pPrice
End Sub
```

採用這個模式製作的自訂物件，使用時固定會像下面這樣「先 New 再 Init」。

巨集 9-21

```
Dim myGoods As Goods
'建立物件
Set myGoods = New Goods
'初始化
myGoods.Init "水果禮盒", 1800
```

● 提供函數

最後一種是「在標準模組中，提供用於建立新物件的函數」。例如提供「createGoods 函數」作為「建立新的 Goods 物件的函數」。

巨集 9-22

```
Private Function createGoods(pName As String, pPrice As Currency) As Goods
    Dim tmpGoods As Goods
    '建立新的 Goods 物件，並設定屬性為引數值
    Set tmpGoods = New Goods
    tmpGoods.Name = pName
    tmpGoods.Price = pPrice
    '回傳建立完成的物件
    Set createGoods = tmpGoods
End Function
```

此時要建立新的 Goods 物件的程式碼如下。

巨集 9-23

```
Dim myGoods As Goods
'建立物件
Set myGoods = createGoods("水果禮盒", 1800)
```

　　上面介紹了三個方式，說實話都有種「雖然比沒有好，但感覺還是少了點什麼」，讓人有點難受，無奈就是沒有建構函數可以用。就看自己決定要用哪個方法。

▓ 封裝物件的方式

　　若「希望從外部無法存取物件中所需的屬性或函數」就稱為封裝，也就是要定義私有屬性及方法。這時要使用 **Private** 修飾子，在物件類別模組上定義屬性及方法。

■ 定義私有屬性

```
Private 屬性名稱 As 資料型態
```

　　下列程式碼能定義名為「price_」的私有屬性。

巨集 9-24

```
Private price_ As Currency
```

建議為私有屬性套用專屬的命名規則，其他語言中常命名為「_price」這種在名稱前加底線的形式。但 VBA 中屬性名稱（變數名稱）的開頭禁止使用底線，因此改用「把底線放在末端」或「如 prvPrice 般加上前綴」等命名規則。

此外，若要製作所謂的 **Getter** 及 **Setter**，就要利用 **Property** 屬性。下面定義了「Price 屬性」的 Getter（用以取得屬性值的程序）還有 Setter（用以設定屬性值的程序）作為範例。

首先是 Price 屬性的 Getter，下列程式碼會回傳「price_」的值。

巨集 9-25

```
Public Property Get Price() As Currency
    '完整回傳私有屬性「price_」的值
    Price = price_
End Property
```

以「**Public Property Get 屬性名稱 ()As 資料型態**」開頭，「**End Property**」結尾。指定回傳值的方式跟 Function 程序完全相同，處理值的屬性要在程序內寫成「**屬性名稱 = 值**」，處理物件的屬性則寫成「**Set 屬性名稱 = 值**」。

接著是 Price 屬性的 Setter。下列程式碼會判定想要新增的值「是否小於0」，若是負值，就以 Err.Raise 方法來顯示自訂錯誤訊息；若不是負值，就把這個值儲存到私有屬性「price_」中。

巨集 9-26

```
Public Property Let Price(newPrice As Currency)
    '若想要設定的值為負值，就引發錯誤
    If newPrice < 0 Then
        Err.Raise 9999, Description:=" 設定的價格為負值 "
    Else
    '若不是負值，就存進私有屬性「price_」
        price_ = newPrice
    End If
End Property
```

以「**Public Property Let 屬性名稱（引數）**」的形式開始寫，以「**End Property**」結束。將要指定到屬性中的值會被容納在引數裡。因此只要確認引數值，就能知道這個值適不適合用於屬性值。

這種經過封裝的屬性有下面這些使用方式,請設定物件類別模組名稱為「Goods」並執行看看。

巨集 9-27

```
Dim myGoods As Goods
' 建立物件
Set myGoods = New Goods
' 使用屬性
myGoods.Price = 100
Debug.Print "價格:", myGoods.Price
```

實例 使用封裝後的屬性

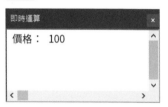

用起來跟一般屬性差不多呢。此外,當要將 Price 屬性設為負值,會產生下面的情形。

▶ **Setter** 導致錯誤的情形

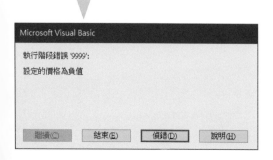

　　Setter 內的 Err.Raise 方法會引發自訂錯誤，並彈出內含自訂錯誤編號與錯誤訊息的對話框。此外，和使用內建物件程式碼發生執行階段錯誤時一樣，出錯的程式碼會被反白，並進入中斷模式。

　　只要利用封裝來定義一個「定型」的物件，就能防止一些粗心導致資料中參雜錯誤值的情況了。

　　此外，Getter 也能用來製作所謂的唯讀屬性。例如想要製作下面這個擁有兩個屬性的物件「Person」。

▶ **Person 物件的兩個屬性**

屬性	用途
Birthday	取得／設定生日
Age	取得現在的年齡（唯讀屬性）

　　這時就能用下面的方式來定義物件。

巨集 9-28

```
'管理出生年月日的屬性
Public Birthday As Date

'只能回傳年齡的唯讀屬性
Public Property Get Age() As Variant
    Age = DateDiff("yyyy", Birthday, Date)
End Property
```

　　設定這個 Person 物件的生日以取得年齡吧。設定 Birthday 屬性，並由唯讀屬性 Age 中取得年齡。請將物件類別模組命名為「Person」再執行看看。

巨集 9-29

```
Dim myPerson As Person
Set myPerson = New Person
'使用屬性
myPerson.Birthday = #6/5/2012#
Debug.Print "目前年齡：", myPerson.Age
```

實例 由生日取得年齡

因為在 Age 屬性上只定義了 Getter，因此成了一個能取得值，但不能設定值的「唯讀屬性」。若想設定 Age 的值，就會發生執行階段錯誤。

▊▊ 不能使用物件繼承

VBA 對自訂物件不提供所謂的繼承機制。跟繼承有關的機制，頂多只有 **Implements** 敘述能夠「繼承介面」，但還是得先進行繁雜到令人忍不住嘆氣的定義。

例如要製作下面兩個繼承自「IPerson」的物件「HelloBoy」與「GoodbyeGirl」。

▶ 要製作的介面與物件

介面	屬性／方法	用途
IPerson	Name 屬性	取得／設定姓名
	Say 方法	因應物件輸出不同字串

這時，IPerson 的定義如下。建立物件類別模組「IPerson」並寫入其中。

巨集 9-30

```
'定義屬性
Public Name As String

'定義方法 ( 不寫內部處理 )
Public Function Say()

End Function
```

HelloBoy 物件的定義如下。建立物件類別模組「HelloBoy」並寫入其中。

巨集 9-31

```
' 繼承 IPerson 介面
Implements IPerson

' 定義自訂屬性
Private name_ As String

' 以 Getter/Setter 實作定義在介面中的屬性
Private Property Let IPerson_Name(ByVal pName As String)
    name_ = pName
End Property
Private Property Get IPerson_Name() As String
    IPerson_Name = name_
End Property

Public Function I' 實作在介面中指定的方法
Person_Say()
    Debug.Print name_, "「Hello!」"
End Function
```

　　程式碼開頭以「Implements IPerson」指定了要實作的介面，後面則以「介面名稱 _ 屬性名稱／方法名稱」的形式實作在介面中定義的屬性／方法。寫完 Implements 敘述後，也可以如輸入事件程序模板般，從程式碼視窗上端的下拉式清單方塊中，選擇並輸入要實作的程式碼模板。

　　同樣地，GoodbyeGirl 物件的定義如下。建立物件類別模組「GoodbyeGirl」並寫入其中。

巨集 9-32

```
' 繼承 IPerson 介面
Implements IPerson

' 定義自訂屬性
Private name_ As String

' 以 Getter/Setter 實作定義在介面中的屬性
Private Property Let IPerson_Name(ByVal pName As String)
    name_ = pName
```

```
End Property

Private Property Get IPerson_Name() As String
    IPerson_Name = name_
End Property

' 實作在介面中指定的方法
Public Function IPerson_Say()
    Debug.Print name_, "「GoodBye!」"
End Function
```

此時這兩個物件,就可以指定到介面 IPerson 型態的變數或陣列中。

巨集 9-33

```
' 宣告 IPerson 型態的陣列與迴圈計數器
Dim personList(1) As IPerson, i As Long
' 建立 HelloBoy、GoodbyeGirl 物件,並設定 Name 屬性
Set personList(0) = New HelloBoy
personList(0).Name = "阿拉姆"
Set personList(1) = New GoodbyeGirl
personList(1).Name = "娜嘉"
' 在迴圈中執行 Say 方法
For i = 0 To UBound(personList)
    personList(i).Say
Next
```

實例 使用介面

如何?說實話既複雜又麻煩。特別是每個屬性都得寫一組 Getter/Setter 這點,光想到就讓人頭暈。但也要看情況,像是要同時處理行為相異的屬性,那就能寫出「定型」的程式碼。所以難用歸難用,但還是有可能在哪天派上用場。

Column 想將資料整理清楚，還可以考慮使用結構體

製作自訂物件時，時常需要把資料（屬性）和與其相關的行為（方法）整理在一起，但如果需求是「只想整合處理資料」，「結構體」會是個很有幫助的功能。

結構體要利用「Type 敘述」製作。例如要將「Name」、「Price」兩個資料整合成名為「Goods」的結構體，就要在模組開頭撰寫下列程式碼。

巨集 9-34

```
Type Goods
    Name As String
    Price As Currency
End Type
```

這個結構體可以直接當成變數、陣列的資料型態來使用。

巨集 9-35

```
Dim goodsList(2) As Goods, i As Long
' 指定值到結構體中所定義的元素名稱
goodsList(0).Name = " 蘋果 "
goodsList(0).Price = 120
goodsList(1).Name = " 橘子 "
goodsList(1).Price = 90
goodsList(2).Name = " 葡萄 "
goodsList(2).Price = 350
' 取出值
For i = 0 To UBound(goodsList)
    Debug.Print goodsList(i).Name, goodsList(i).Price
Next
```

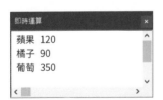

如果取些很容易理解的元素名稱，不僅能將相關的資料整理清楚，而且寫程式時也會依據定義顯示程式碼提示框，以降低拼寫錯誤。和自訂物件不同，結構體只需要在標準模組的開頭，以 Type 寫下定義即可，十分方便。

9-4　模組的匯出與匯入

將巨集組件化的過程中，也會有越來越多「想拿之前做好的巨集來用」的情形。這時最簡單的方式當然是直接複製貼上，但也可以選擇匯出整個巨集，再匯入到要使用此巨集的活頁簿裡。

■ 匯出與匯入的方法

在專案總管中選擇目標模組，點選**檔案**→**匯出檔案**，就能將模組另存為「模組名稱 .bas」這個檔案（內容是純文字檔）。

▶ 「*.bas」檔案

接著在要使用這個模組內程式碼的活頁簿中，點選**檔案**→**匯入檔案**就能匯入模組。若此時活頁簿內存在同名的模組，就會在匯入模組的名稱後面自動加上流水號。

■ 移除模組的方法

只要在專案總管中選擇目標模組，並點選**檔案**→**移除（模組名稱）**，就能移除模組。例如移除手誤而匯入的程式碼，或單純用來寫測試行為的拋棄式程式碼模組等。

點選後會彈出對話框詢問是否要先匯出該模組，此時選**否**就會直接移除該模組。

▶ 移除模組

Column 使用 Git 等版本控制系統時

在 VBA 中，或者說在 Excel 中，寫程式的模組與 Excel 活頁簿是綁在一起的，這同時是優點也是缺點。特別是這個形式和 Git 等版本控制系統非常不合。

對巨集進行版本控制時，標準做法是提交撰寫程式碼的檔案，因此對 Excel 就得提交整個活頁簿了。

若改用「提交匯出後的模組」的方式，就必須在每次提交前先匯出，說實話也是件麻煩事，很令人困擾。

但 VBA 還是提供了製作「能操作 VBE 的巨集」的機制，所以也是能以巨集將匯出＆提交的步驟自動化，但多少需要些事前準備，例如放寬安全性原則等。

若對使用巨集操作 VBE 有興趣的人，還請在書裡或網路上搜尋「VBA VBIDE VBComponents」等關鍵字。此外，也有些人已經製作並上傳了擁有類似功能的 VBA、VBE 增益集，可以找來使用。

Chapter 10

存取目標儲存格

從本章開始，介紹的就不是 **VBA** 的機制，而是會將重心放在「可能會實際用到的程式碼」。首先要介紹的就是，在 **VBA** 中使用機率最高的「儲存格」的存取方法，以及各種取得目標儲存格的手法。

10-1 取得目標儲存格的方式

那就來看看如何存取目標「儲存格」吧。先前的章節也實作過存取儲存格，但還是先複習一下如何使用。

■ 以 Range 指定儲存格位址

用過 Excel 的人想必都很熟悉「A1 形式字串（以從 A 開始的字母指定欄，以從 1 開始的數值指定列）」，**Range** 屬性就使用這種 A1 形式字串來指定目標儲存格。而透過 Range 屬性，就能存取 Range 物件（儲存格）。

■ Range 屬性

```
Range ( 儲存格位址字串 )
```

下列程式碼會輸入值到儲存格 B2。

巨集 10-1

```
Range("B2").Value = "VBA"
```

實例 藉由 Range 屬性輸入值到儲存格中

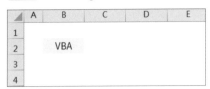

■ 以 Cells 指定列號、欄號

Cells 屬性並非使用 A1 形式字串，而是以數值分別指定列號、欄號。

■ Cells 屬性

```
Cells ( 列號 , 欄號 )
```

下列程式碼會輸入值到「第二列、第四欄（儲存格 D2）」的儲存格。

巨集 10-2

```
Cells(2, 4).Value = "Excel"
```

實例 藉由 Cells 屬性輸入值到儲存格中

▲	A	B	C	D	E
1					
2		VBA		Excel	
3					
4					

■■ 存取以兩個儲存格框出的範圍

Range 屬性還提供另一種寫法，若指定兩個儲存格（Range 物件）到 Range 屬性的引數中，就能指定「這兩個儲存格所框出的儲存格範圍」。

■ Range 屬性（框出儲存格範圍）

```
Range(Range ( 儲存格 1 ), Range ( 儲存格 2 ))
```

目標範圍內左上角為儲存格 1、右下角為儲存格 2。下列程式碼會輸入值到儲存格 B2 與 E4 所框出的儲存格範圍（儲存格範圍 B2:E4）。

巨集 10-3

```
Range(Range("B2"), Range("E4")).Value = "VBA"
```

實例 輸入值到儲存格範圍中

▲	A	B	C	D	E	F
1						
2		VBA	VBA	VBA	VBA	
3		VBA	VBA	VBA	VBA	
4		VBA	VBA	VBA	VBA	
5						

　　這個在 Range 屬性引數中指定兩個 Range 物件的機制，對於「知道儲存格範圍內的開頭，但要先確認才知道末端位置」的情況特別方便。例如下列程式碼，可以取得跟上面相同的儲存格範圍。其中指定的範圍，是儲存格 B2 與「從 E 欄的開頭儲存格（E2）向下找出的末端儲存格」所框出的範圍。

巨集 10-4

```
Range(Range("B2"), Range("E2").End(xlDown)).Value = "VBA"
```

　　此時在 Range 屬性的第二引數中，指定了用到 **End** 屬性的 Range 物件，進而取得 E 欄當下的末端儲存格。也就是說，這個程式碼擁有「即使是可變動的資料範圍，也能以相同內容來指定目標儲存格範圍」的性質。

▓ 存取「選擇中的儲存格」

　　使用 Selection 屬性或 ActiveCell 屬性，就能操作「選擇中的儲存格範圍」。Selection 能存取「所有選擇中的儲存格範圍」，ActiveCell 則存取「所選範圍內的當前儲存格」（262 頁）。

　　下列程式碼會輸入「Excel」到所有選擇中的儲存格內，並輸入「VBA」到當前儲存格內。請在工作表上圈選一個範圍再執行看看。

巨集 10-5

```
Selection.Value = "Excel"
ActiveCell.Value = "VBA"
```

實例 輸入文字到所選範圍中

Column 指定其他工作表的儲存格時需要注意的地方

前面提到在 Range 屬性中指定兩個儲存格，若要用來指定其他工作表的儲存格範圍時，需要當心。例如下列程式碼打算輸入值到「第二張工作表」的儲存格範圍 B2:E4。

巨集 10-6

```
Worksheets(2).Range(Range("B2"), Range("E4")).Value = "VBA"
```

但在第二張工作表之外執行這句程式碼就會出錯，下面才是正確的寫法。

巨集 10-7

```
With Worksheets(2)
    .Range(.Range("B2"), .Range("E4")).Value = "VBA"
End With
```

當指定儲存格到 Range 屬性的兩個引數中，若只寫「Range("B2")」，會被視為「當前工作表上的儲存格 B2」。因此兩個引數都必須像「第二張工作表上的儲存格 B2」這樣，指定為目標工作表上的儲存格。在處理其他工作表上的儲存格時還請注意這點。

10-2 存取整列、整欄

接下來要介紹存取整列或整欄的方式。

存取任意列或欄

使用 **Rows** 屬性可以存取整列、**Columns** 屬性則可以存取整欄。

■ **Rows 屬性**

```
Rows ( 列號 )
```

■ **Columns 屬性**

```
Columns ( 欄號／表欄號的英文字母 )
```

下列程式碼分別會在「整個第二列」、「整個第三欄（C 欄）」、「整個 E 欄」輸入值。

巨集 10-8

```
Rows(2).Value = "Hello"
Columns(3).Value = "Excel"
Columns("E").Value = "VBA"
```

實例 存取整列或整欄

▲	A	B	C	D	E	F	G	H
1			Excel		VBA			
2	Hello	Hello	Excel	Hello	VBA	Hello	Hello	Hello
3			Excel		VBA			
4			Excel		VBA			
5			Excel		VBA			
6			Excel		VBA			
7			Excel		VBA			
8			Excel		VBA			
9			Excel		VBA			

存取多列或多欄

如果是連續的列、欄範圍，可以像下面這樣將列號／欄號與「:（半形冒號）」組合成字串，以存取目標範圍。下列程式碼會存取「第二至第四列」與「B至C欄」，並輸入值。

巨集 10-9

```
Rows("2:4").Value = "列"
Columns("B:C").Value = "欄"
```

實例 存取多列、多欄

▲	A	B	C	D	E	F	G	H
1		欄	欄					
2	列	欄	欄	列	列	列	列	列
3	列	欄	欄	列	列	列	列	列
4	列	欄	欄	列	列	列	列	列
5		欄	欄	列	列	列	列	列
6		欄	欄					
7		欄	欄					
8		欄	欄					
9		欄	欄					

也可以用「**Columns("2:3")**」的形式，以欄號指定欄的範圍。

以任意儲存格為基準存取列或欄

若要以特定儲存格／儲存格範圍為基準，存取「包含這個範圍的整列／整欄」，就要使用 **EntireRow** 及 **EntireColumn** 屬性。下列程式碼會以儲存格 B2 為基準存取整列、以儲存格 C5 為基準存取整欄，並輸入值。

巨集 10-10

```
Range("B2").EntireRow.Value = "列"
Range("C5").EntireColumn.Value = "欄"
```

實例 存取包含任意儲存格的列、欄

	A	B	C	D	E	F	G	H
1			欄					
2	列	列	欄	列	列	列	列	列
3			欄					
4			欄					
5			欄					
6			欄					
7			欄					
8			欄					
9			欄					

例如「要複製或刪除包含特定值的儲存格那整列（整欄）」這類情況，學會上述方式來指定整列、整欄會很有幫助。

10-3 指定相對儲存格範圍的方法

針對表示任意儲存格範圍的 Range 物件，若指定時再加上各種屬性，那還可以存取「相對儲存格範圍」。

本節以儲存格範圍 B2:E6 為基準，來存取各種相對儲存格範圍。

儲存格範圍內的儲存格

如果對儲存格範圍使用 **Cells** 屬性，就能存取其內部相對「列、欄」位置的儲存格。下列程式碼對儲存格範圍 B2:E6 內「第二列、第三欄」的儲存格設定了背景色。

巨集 10-11

```
Range("B2:E6").Cells(2, 3).Interior.Color = RGB(255, 0, 0)
```

實例 存取相對儲存格範圍

▲	A	B	C	D	E	F
1						
2		1, 1	1, 2	1, 3	1, 4	
3		2, 1	2, 2	2, 3	2, 4	
4		3, 1	3, 2	3, 3	3, 4	
5		4, 1	4, 2	4, 3	4, 4	
6		5, 1	5, 2	5, 3	5, 4	
7						

Excel 中常有輸入為表格形式的資料，若學會這種方式，就能更輕鬆地指定「在表格內相對位置的儲存格」。

Column 以 **Color** 屬性設定「色彩」

透過 Interior 物件的「Color 屬性」可以變更儲存格的背景色，需要設定 RGB
數值到 Color 屬性中，以指定任意色彩。此外，ColorIndex 屬性同樣能設定背景
色，但要以調色盤編號來指定（297 頁）。

巨集 10-12

```
Range("B2:E6").Cells(2, 3).Interior.ColorIndex = 3
```

儲存格範圍內的列或欄

若使用儲存格範圍的 **Rows** 屬性或 **Columns** 屬性，就能存取相對的「整
列」或「整欄」。下列程式碼會輸入值到儲存格範圍 B2:E6 內的「第三列」，並
設定「最後一欄（第四欄）」的背景色。

巨集 10-13

```
' 輸入值到第三列中
Range("B2:E6").Rows(3).Value = Array("Hello", "Excel", "VBA", "!!")

' 變更第四欄的背景色
Range("B2:E6").Columns(4).Interior.Color = RGB(255, 0, 0)
```

實例 存取相對的整行或整列

▲	A	B	C	D	E	F	G
1							
2		1, 1	1, 2	1, 3	1, 4		
3		2, 1	2, 2	2, 3	2, 4		
4		Hello	Excel	VBA	!!		
5		4, 1	4, 2	4, 3	4, 4		
6		5, 1	5, 2	5, 3	5, 4		
7							

計算儲存格範圍內的列數、欄數、儲存格數

在利用 Rows 屬性、Columns 屬性、Cells 屬性取得的 Range 物件上，使用 Count 屬性的話，分別能取得「列數」、「欄數」、「儲存格數」。下列程式碼會計算儲存格範圍 B2:E6 中的列數、欄數、儲存格數，並顯示於訊息方塊中。

巨集 10-14

```
MsgBox _
    "列數：" & Range("B2:E6").Rows.Count & vbCrLf & _
    "欄數：" & Range("B2:E6").Columns.Count & vbCrLf & _
    "儲存格數：" & Range("B2:E6").Cells.Count
```

實例 計算列數、欄數、儲存格數

以儲存格範圍內的索引值存取儲存格

在使用儲存格範圍的 Cells 屬性時，若在引數中只指定一個數值當作索引值，就能存取「範圍內相對位置的儲存格」。這個索引值會以左上儲存格為「1」，沿列方向為「2」、「3」依序增加，當抵達第一列末端後，就會由下一列的第一欄開始計算。

下列程式碼會在儲存格範圍 B2:E6 內，變更「開頭儲存格」、「第十個儲存格」、「末端儲存格（右下儲存格）」的背景色。

巨集 10-15

```
With Range("B2:E6")
    .Cells(1).Interior.Color = RGB(255, 0, 0)              ' 開頭
    .Cells(10).Interior.Color = RGB(255, 0, 0)             ' 第十格
    .Cells(.Cells.Count).Interior.Color = RGB(255, 0, 0)   ' 末端
End With
```

實例 存取相對位置的儲存格

▲	A	B	C	D	E	F
1						
2		1	2	3	4	
3		5	6	7	8	
4		9	10	11	12	
5		13	14	15	16	
6		17	18	19	20	
7						

　　特別再注意一下指定「末端儲存格」的方式。先以「儲存格範圍 .Cells. Count」計算範圍中的儲存格數量，接著以數量為索引值來存取末端儲存格。

存取「分離的儲存格」

　　Excel 可以按住「Ctrl」以選取多個儲存格，還能藉此選擇「分離的儲存格」。

　　此時若使用 **Areas** 屬性，就能存取每個分離的儲存格範圍。此外，以 Areas 屬性取得 Range 物件後，使用它的 **Count** 屬性就能取得區域數量。下列程式碼會選擇兩個區域（儲存格範圍 B2:C4 與 E2:F4）中的相對儲存格，設定其背景色並取得區域數量。

巨集 10-16

```
With Range("B2:C4,E2:F4")
    ' 設定第一個區域中，第三個儲存格的背景色
    .Areas(1).Cells(3).Interior.Color = RGB(255, 0, 0)
    ' 設定第二個區域中，第一欄的背景色
    .Areas(2).Columns(1).Interior.Color = RGB(255, 0, 0)
    ' 顯示區域數量
    MsgBox "區域數：" & .Areas.Count
End With
```

實例 存取分開的儲存格

以指定儲存格範圍為基準擴張範圍

使用 Resize 屬性，就能解決「以任意儲存格為基準，存取從該處擴張為四欄後的儲存格範圍」這種需求。

■ Resize 屬性

```
基準儲存格範圍 .Resize( 列數 , 欄數 )
```

下列程式碼選擇了以儲存格 B3 為基準，擴張為「一列、四欄」後的儲存格範圍。

巨集 10-17

```
Range("B3").Resize(1, 4).Select
```

實例 選擇擴張後的儲存格範圍①

下列程式碼選擇了以儲存格範圍 B3:E3 為基準，擴張為四列後的儲存格範圍。

巨集 10-18

```
Range("B3:E3").Resize(4).Select
```

實例 選擇擴張後的儲存格範圍②

▲	A	B	C	D	E	F
1						
2		1,1	1,2	1,3	1,4	
3		2,1	2,2	2,3	2,4	
4		3,1	3,2	3,3	3,4	
5		4,1	4,2	4,3	4,4	
6		5,1	5,2	5,3	5,4	
7						

若基準儲存格並非單一儲存格，且只在 Resize 屬性的引數中指定列數或欄數，則擴張時未被指定的方向就會維持不變。對於選取時想以表格中的一列或一欄為基準，擴張為多列、多欄的情況來說，非常方便。

取得相對位置的儲存格範圍

使用 **Offset** 屬性，就能解決「想取得在某儲存格下方一格的儲存格」這類需求。

■ **Offset 屬性**

```
基準儲存格 .Offset( 列位移數 , 欄位移數 )
```

下列程式碼會選擇從儲存格 B3 向後「一列、兩欄」位置的儲存格。

巨集 10-19

```
Range("B3").Offset(1, 2).Select
```

實例 由任意儲存格取得其相對位置的儲存格①

◢	A	B	C	D	E	F
1						
2		1, 1	1, 2	1, 3	1, 4	
3		2, 1	2, 2	2, 3	2, 4	
4		3, 1	3, 2	3, 3	3, 4	
5		4, 1	4, 2	4, 3	4, 4	
6		5, 1	5, 2	5, 3	5, 4	
7						

下列程式碼會選擇從儲存格範圍 B2:E2 向後「三列」的儲存格。

巨集 10-20

```
Range("B2:E2").Offset(3).Select
```

實例 由任意儲存格取得其相對位置的儲存格②

◢	A	B	C	D	E	F
1						
2		1, 1	1, 2	1, 3	1, 4	
3		2, 1	2, 2	2, 3	2, 4	
4		3, 1	3, 2	3, 3	3, 4	
5		4, 1	4, 2	4, 3	4, 4	
6		5, 1	5, 2	5, 3	5, 4	
7						

　　若在存取儲存格範圍時利用這個手法，要取得「由標題列向下三列的資料」或者說「第三筆資料」就更方便了。

10-4 處理表格形式的儲存格範圍

日常使用 Excel 時，輸入的資料幾乎都是表格形式。因此要開始介紹的是在處理「表格形式的資料」時，學會就能更輕易指定儲存格範圍的方式。

■■ 儲存格的當前區域

在 Excel 中處理表格形式的資料時，最基本的概念就是「儲存格的當前區域」，它可以定義為「以某個儲存格為基準，所有在其上下左右有輸入資料的儲存格範圍」。

例如像下圖這個表格，先選取表格中任意儲存格後，按一下 **Ctrl + A** 或 **Ctrl + Shift + *** 後，被選擇的儲存格範圍就是它的當前區域。圖中是選擇儲存格 B2 後，按一下「Ctrl」+「A」的狀態。

▶ 儲存格的當前區域

	A	B	C	D	E	F	G	H
1								
2		ID	商品	價格	數量	小計		
3		1	蘋果	120	6	720		
4		2	橘子	80	26	2,080		
5		3	葡萄	350	27	9,450		
6		4	蘋果	120	20	2,400		
7		5	檸檬	220	8	1,760		
8								
9								

使用 **CurrentRegion** 屬性，就能以 VBA 取得某個儲存格的當前區域。下列程式碼會取得儲存格 B2 所在的當前區域，並將位址顯示在訊息方塊中。

巨集 10-21

```
MsgBox Range("B2").CurrentRegion.Address
```

實例 顯示儲存格的當前區域

	A	B	C	D	E	F	G	H	I
1									
2		ID 商品		價格	數量	小計			
3		1 蘋果		120	6	720			
4		2 橘子		80	26	2,080			
5		3 葡萄		350	27	9,450			
6		4 蘋果		120	20	2,400			
7		5 檸檬		220	8	1,760			
8									
9									

Microsoft Excel ×

$B$2:$F$7

確定

　　也就是説，若儲存格範圍內為表格形式的資料，只要知道基準儲存格位置，即使之後表格尺寸有所增減，依然能以 CurrentRegion 屬性取得整個表格，是相當輕鬆且方便的功能。

Column 要注意含有表格標題或周圍沒有空白的表格

　　由 CurrentRegion 屬性所取得的儲存格當前區域，是「在基準儲存格四周，輸入了資料的儲存格範圍」。也因此，如果標題列上一列有表格的大標題，或是連續輸入資料於只用框線隔開的兩張表格內，也會一起被抓進當前區域。

　　因此著重以 CurrentRegion 屬性來處理資料的話，輸入表格時要徹底遵守「表格四周最少也要留空一列、一欄」的規則。

取得儲存格範圍中的特定位置

　　剛剛介紹過使用 CurrentRegion 屬性等來取得表格形式的儲存格範圍，接著要介紹取得表格中各部分的程式碼。

● 取得表格標題列

　　下列程式碼能取得儲存格 B2 當前區域內的第一列，以選擇標題列。

巨集 10-22

```
Range("B2").CurrentRegion.Rows(1).Select
```

實例 取得標題列範圍

▲	A	B	C	D	E	F	G	H
1								
2		ID	商品	價格	數量	小計		
3		1	蘋果	120	6	720		
4		2	橘子	80	26	2,080		
5		3	葡萄	350	27	9,450		
6		4	蘋果	120	20	2,400		
7		5	檸檬	220	8	1,760		
8								
9								

● 取得標題列以外的資料範圍

下列程式碼會取得儲存格 B2 當前區域內的第二列～最後一列，以選擇除標題列外的資料範圍。

巨集 10-23

```
With Range("B2").CurrentRegion
    .Rows("2:" & .Rows.Count).Select
End With
```

實例 取得標題列以外的資料範圍

▲	A	B	C	D	E	F	G	H
1								
2		ID	商品	價格	數量	小計		
3		1	蘋果	120	6	720		
4		2	橘子	80	26	2,080		
5		3	葡萄	350	27	9,450		
6		4	蘋果	120	20	2,400		
7		5	檸檬	220	8	1,760		
8								
9								

● 選擇特定一筆記錄

下列程式碼會選擇儲存格 B2 當前區域內的特定列（第三列），以選擇該筆記錄。

巨集 10-24

```
Range("B2").CurrentRegion.Rows(3).Select
```

其實此處也可以使用 **Offset** 屬性指定。下列程式碼中，選擇了從標題列向下位移兩列的記錄。而且 Offset 的引數剛好符合「第○筆記錄」的思維，所以這個手法更好懂呢。

巨集 10-25

```
Range("B2:F2").Offset(2).Select
```

實例 選擇特定記錄

	A	B	C	D	E	F	G	H
1								
2		ID	商品	價格	數量	小計		
3		1	蘋果	120	6	720		
4		2	橘子	80	26	2,080		
5		3	葡萄	350	27	9,450		
6		4	蘋果	120	20	2,400		
7		5	檸檬	220	8	1,760		
8								
9								

● 選擇最後一筆記錄

下列程式碼能計算儲存格 B2 當前區域內的列數，並運用這個數值選擇最後一列。

巨集 10-26

```
With Range("B2").CurrentRegion
    .Rows(.Rows.Count).Select
End With
```

實例 選擇最後一筆記錄

⊿	A	B	C	D	E	F	G	H
1								
2		ID	商品	價格	數量	小計		
3		1	蘋果	120	6	720		
4		2	橘子	80	26	2,080		
5		3	葡萄	350	27	9,450		
6		4	蘋果	120	20	2,400		
7		5	檸檬	220	8	1,760		
8								
9								

● 選擇特定欄位

　　下列程式碼能選擇儲存格 B2 當前區域內的特定欄（第二欄），以選擇特定欄位。

巨集 10-27

```
Range("B2").CurrentRegion.Columns(2).Select
```

實例 選擇任意欄位

⊿	A	B	C	D	E	F	G	H
1								
2		ID	商品	價格	數量	小計		
3		1	蘋果	120	6	720		
4		2	橘子	80	26	2,080		
5		3	葡萄	350	27	9,450		
6		4	蘋果	120	20	2,400		
7		5	檸檬	220	8	1,760		
8								
9								

● 在特定欄位中只選擇資料部分

　　下列程式碼能取得儲存格 B2 當前區域內特定欄（第二欄）的第二列〜最後一列，以選擇特定欄位的資料範圍。

巨集 10-28

```
With Range("B2").CurrentRegion.Columns(2)
    .Rows("2:" & .Rows.Count).Select
End With
```

實例 只選擇特定欄位的資料部分

	A	B	C	D	E	F	G	H
1								
2		ID	商品	價格	數量	小計		
3		1	蘋果	120	6	720		
4		2	橘子	80	26	2,080		
5		3	葡萄	350	27	9,450		
6		4	蘋果	120	20	2,400		
7		5	檸檬	220	8	1,760		
8								
9								

　　以上介紹了各種存取表格形式儲存格範圍的方法。如果善加利用相對儲存格範圍機制，就能較簡單地存取目標儲存格範圍了。當然用其他方式也能取得，所以就依自己的習慣尋找想用的模式吧。

如何取得「下一個輸入資料的位置」

　　處理表格資料時，另一個令人困擾的問題就是尋找「下一個輸入資料的位置」。有許多方式可以解決這個問題，在此要介紹其中三種。

● 以 End 屬性取得

　　第一個方式是使用 **End** 屬性。只要使用基準儲存格的 End 屬性，就能因應引數取得該方向的「末端儲存格」。末端儲存格指的是選取任意儲存格後，按下 **Ctrl** ＋**方向鍵**時被選取的「沿該方向連續有輸入／未輸入資料的最後一個儲存格」。

　　在 End 屬性中，可以指定以下 **XlDirection** 列舉中的常數之一來表達方向。

▶ XlDirection 列舉的常數

常數	值	方向
xlDown	-4121	下
xlToLeft	-4159	左
xlToRight	-4161	右
xlUp	-4162	上

　　利用這個機制的程式撰寫思維是「以表格最上端的儲存格為基準，向下取得末端儲存格後再向下位移一格，取得輸入下一筆資料的位置」。下列程式碼就以儲存格 B2 為基準向下取得末端儲存格，再選取下方一格。

巨集 10-29

```
Range("B2").End(xlDown).Offset(1).Select
```

實例 取得輸入下一筆資料的位置

▲	A	B	C	D	E	F	G	H
1								
2		ID	商品	價格	數量	小計		
3		1	蘋果	120	6	720		
4		2	橘子	80	26	2,080		
5		3	葡萄	350	27	9,450		
6								
7								
8								
9								

　　接著只要在取得的儲存格中輸入新的一筆資料就可以了。

　　但這個方式有個弱點，就是「如果中途有空白儲存格，找到的就不會是原本預計的末端儲存格」。以上圖而言，若儲存格 B4 是空白的話，透過這個 End 屬性的方式所找到的就會是儲存格 B4 了。

　　這種情況可以改用「從基準欄的最後一列向上取得末端儲存格，再往下一格輸入新資料」的方式。例如想找「B 欄輸入新資料的位置」的寫法如下。其結果會先取得整個 B 欄內最後一個儲存格，從它向上取得末端儲存格後，再選取其下方一格。

巨集 10-30

```
Columns("B").Cells(Rows.Count).End(xlUp).Offset(1).Select
```

● 先計算表格整體的列數再位移

第二個方式是使用 **Offset** 屬性。程式撰寫思維是「計算整張表格有幾列，再從標題列向下位移該列數，以取得輸入新資料的位置」。下列程式碼計算了儲存格範圍 B2:F2 表格中有幾列，並向下位移該列數以取得輸入下一筆資料的位置。

巨集 10-31

```
With Range("B2:F2")
    .Offset(.CurrentRegion.Rows.Count).Select
End With
```

實例 由位移取得輸入儲存格

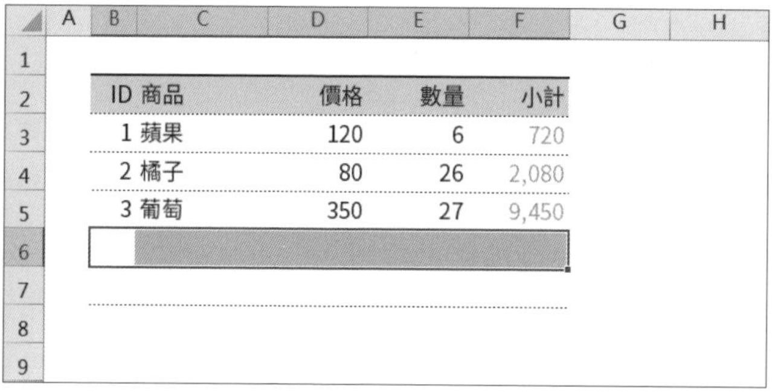

這個方式的優點是能同時取得輸入新資料的位置及列數（記錄筆數）。

取得輸入新資料的位置後，時常需要接著輸入新資料，這時也能直接以 Array 函數在取得的範圍中統一輸入值。

● 以 Find 搜尋到的位置來取得

最後一個方式是利用 **Find** 方法。其實前面不管是利用 End 屬性，還是利用「CurrentRegion.Rows」的 Count 屬性，都有一個「Excel 才有」的弱點。那就是下圖這種「雖然看上去沒有內容，但內部其實有公式的儲存格」。

▶ 乍看之下只是空白儲存格

| F6 | ▼ | ⋮ | × | ✓ | f_x | =IF(E6<>"",D6*E6,"") |

▲	A	B	C	D	E	F	G	H
1								
2		ID 商品		價格	數量	小計		
3		1 蘋果		120	6	720		
4		2 橘子		80	26	2,080		
5		3 葡萄		350	27	9,450		
6								
7								
8								

　　這時若用前面兩個方法，都會把有公式的儲存格算進「連續的資料範圍」當中。所以對於這種表格，還是需要一個能取得「外觀非空的末端儲存格」的方式。

　　這時可以使用 Find 方法這個透過 VBA 執行「搜尋」功能的方法，以下是使用 Find 方法搜尋的例子。

■ Find 方法

```
儲存格範圍 .Find "*", After:= 特定欄的開頭儲存格 , _
LookIn:=xlValues, SearchDirection:=xlPrevious
```

　　指定第一引數的尋找目標為表達「任意值」的萬用字元「*（星號）」。以引數 **After** 指定要開始搜尋的儲存格、**LookIn** 指定尋找目標、**SearchDirection** 指定搜尋方向。xlValues 指的是「值」，xlPrevious 則是「由下至上」。

　　藉 Find 方法在目標欄的資料中，找到「所有外觀含輸入值的儲存格中的末端儲存格」以後，再以其下方一格作為輸入新資料的位置。

　　將這個想法化為如下程式碼。下面以儲存格 F2 為基準取得 F 欄儲存格，並在其中選取了所有外觀含輸入值的儲存格的「下方一個儲存格」。

巨集 10-32

```
Dim lastRng As Range, targetField As Range
' 連同包含公式的儲存格一起，取得指定欄中的儲存格範圍
Set targetField = Range(Range("F2"), Range("F2").End(xlDown))
```

```
' 在取得的儲存格範圍中，取得外觀含輸入值的末端儲存格
Set lastRng = Columns("F").Find( _
    "*", After:=targetField(1), LookIn:=xlValues, SearchDirection:
=xlPrevious)
' 選擇下方一個儲存格
lastRng.Offset(1).Select
```

實例 從外觀含輸入值的儲存格末端來取得輸入位置

▲	A	B	C	D	E	F	G	H
1								
2		ID	商品	價格	數量	小計		
3		1	蘋果	120	6	720		
4		2	橘子	80	26	2,080		
5		3	葡萄	350	27	9,450		
6								
7								
8								
9								

　　雖説有點複雜，但只要記得「想從外觀是否含值來判斷的話，就用 Find 方法」，這樣應該就能解決 Excel 特有的「看起來空白的問題」了吧！

■ 其實「表格」功能解決了大半問題

　　前面介紹了一大堆處理表格形式資料的「手段」，但其實只要利用「表格」功能，那很多手段就沒有必要了。只可惜沒什麼人在用表格功能，雖然舊版的 Excel 不提供這個功能也是無奈，不過因為相當方便，不用的話實在是非常可惜。所以還是來看看「表格的製作方式」和「存取資料的方式」吧！

● 轉換成表格

　　想將儲存格範圍轉換成表格時，先選取儲存格範圍，點選功能區的**插入→表格**，彈出對話框後按下**確定**即可。這樣一來就能讓 Excel 將儲存格範圍視為表格，並顯示預設格式和自動篩選箭號。

如果想維持原始資料的格式，就解除表格的格式。選取表格內的任意儲存格，在功能區→表格工具→表格**設計**索引標籤中，點選右端**表格樣式**內的**清除**即可。此外，若想一併清除自動篩選箭號，就取消勾選表格**設計**引標籤內的**篩選按鈕**。

▶ 製作表格

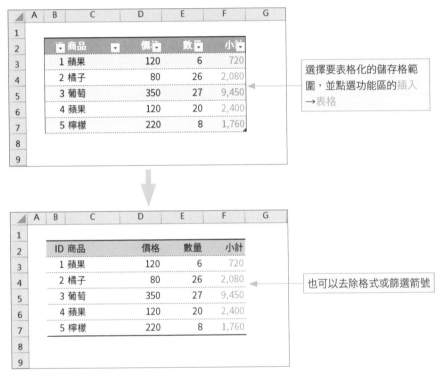

選擇要表格化的儲存格範圍，並點選功能區的插入→表格

也可以去除格式或篩選箭號

以巨集執行上面這一連串操作的程式碼如下。下列程式碼會將儲存格 B2:F7 製成名為「營業額報表」的表格，並清除格式及篩選箭號。

巨集 10-33

```
Dim myTable As ListObject
' 在當前工作表上建立新表格
Set myTable = ActiveSheet.ListObjects.Add( _
    xlSrcRange, Range("B2:F7"), XlListObjectHasHeaders:=xlYes)
```

```
' 為了之後處理方面而命名
myTable.Name = " 營業額報表 "
' 清除格式
myTable.TableStyle = ""
' 清除篩選箭號
myTable.ShowAutoFilterDropDown = False
```

　　表格範圍會被視為 **ListObject** 物件。利用 ListObjects 集合的 **Add** 方法，就能建立新的 ListObject 物件。而只要使用對應屬性，就能直接清除格式和自動篩選箭號。下面就是以 Add 方法來建立 ListObject 物件的例子。

■ **ListObjects.Add 方法**

```
任意工作表 .ListObjects.Add _
SourceType:=xlSrcRange, Source:= 要表格化的儲存格範圍 , _
XlListObjectHasHeaders:=xlYes
```

　　需指定的引數中，**SourceType** 指定用以製作表格的原始資料種類，**Source** 指定要表格化的儲存格範圍，**XlListObjectHasHeaders** 則指定第一列是否為標題列。xlSrcRange 指的是儲存格範圍。

　　若要解除表格，只要選取表格內任意儲存格，在功能區→表格工具→表格**設計**索引標籤中，點選左側的**轉換為範圍**按鈕。

　　而使用 ListObject 物件的 **Unlist** 方法，就能以巨集來解除表格。

■ **Unlist 方法**

```
任意工作表 .ListObjects( 表格名稱／索引值 ).Unlist
```

　　下列程式碼能解除「營業額報表」這個表格。

巨集 10-34

```
ActiveSheet.ListObjects(" 營業額報表 ").Unlist
```

● **存取各種資料的儲存格**

　　使用 ListObject 物件內提供的各種屬性，就能存取表格範圍內的各種資料。

▶ **ListObject** 物件的屬性（摘錄）

屬性	用途
HeaderRowRange	存取標題列的儲存格範圍
DataBodyRange	存取標題列以外的資料範圍
Range	存取整張表格的儲存格範圍，包含標題列與資料範圍
ListRows	存取指定於引數中的記錄。使用 Range 屬性還能存取其儲存格範圍
ListColumns	存取指定於引數中的欄位。使用 Range 屬性還能存取其儲存格範圍

▶ 各屬性分別能取得的範圍

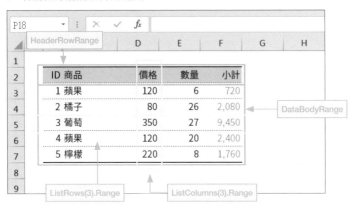

　　以 ListObject 物件的 **ListRows** 屬性存取的 **ListRows** 集合物件中，甚至還提供了可以輸入新記錄的 **Add** 方法。

　　ListRows 集合物件的 Add 方法，能直接使表格內的儲存格範圍擴張一筆記錄的大小。並且在擴張表格時，會沿用原表格的格式跟公式。此外，Add 方法會回傳所新增列的 ListRow 物件。

　　下列程式碼在「營業額報表」這個表格中擴張了一筆記錄，並在該位置輸入新資料。

巨集 **10-35**

```
Dim tmpListRow As ListRow
' 擴張儲存格範圍到要輸入新記錄的位置
Set tmpListRow = ActiveSheet.ListObjects(" 營業額報表 ").ListRows.Add
```

```
' 輸入這筆記錄的值
tmpListRow.Range.Value = _
    Array(6, " 鳳梨 ", 1200, 2, "=R[0]C[-2]*R[0]C[-1]")
```

實例 擴張表格並輸入資料

可以看到即使設定了表格格式，也能漂亮地沿用此格式建立新的記錄。

像這樣，只要在 VBA 中使用 ListObject 物件來操作「表格」功能，處理表格形式的資料就一口氣變得容易許多。倘若使用環境允許，還請善加利用這個方式。

10-5 僅選取空白・公式・可見儲存格的機制

想要尋找目標儲存格推薦可以使用，就是「特殊目標」（**常用→尋找與選取→特殊目標**）功能。

▶ 「特殊目標」功能

光看這個對話框，就知道能以多樣的條件來選擇儲存格了。使用 SpecialCells 方法就能透過 VBA 使用這個功能。

多功能的 SpecialCells 方法

SpecialCells 方法能在想查詢的儲存格範圍內，以 Range 物件回傳符合引數中所指定種類的儲存格。

■ SpecialCells 方法

```
儲存格範圍 .SpecialCells( 儲存格種類 [, 選項 ])
```

　　下面是可以指定引數中的常數與儲存格種類。第一引數要指定 **XlCellType** 列舉的常數，第二引數（選項）內則要指定 **XlSpecialCellsValue** 列舉的常數

▶ XlCellType 列舉的常數

常數	值	目標
xlCellTypeAllFormatConditions	-4172	使用條件式格式的儲存格
xlCellTypeAllValidation	-4174	使用資料驗證的儲存格
xlCellTypeBlanks	4	空格
xlCellTypeComments	-4144	內含註解的儲存格
xlCellTypeConstants	2	常數
xlCellTypeFormulas	-4123	內含公式的儲存格
xlCellTypeLastCell	11	範圍中最右下角的儲存格
xlCellTypeSameFormatConditions	-4173	使用相同條件式格式的儲存格
xlCellTypeSameValidation	-4175	使用相同資料驗證的儲存格
xlCellTypeVisible	12	可見儲存格

▶ XlSpecialCellsValue 列舉

常數	值	對象
xlErrors	16	錯誤值
xlLogical	4	邏輯值
xlNumbers	1	數字
xlTextValues	2	文字

　　下列程式碼會選擇儲存格範圍 B2:F7 中的「空格」。

巨集 10-36

```
Range("B2:F7").SpecialCells(xlCellTypeBlanks).Select
```

實例 選擇空格

下列程式碼會在儲存格範圍 B2:F7 中選擇「內含公式的儲存格」。

巨集 10-37

```
Range("B2:F7").SpecialCells(xlCellTypeFormulas).Select
```

實例 選擇內含公式的儲存格

下列程式碼會從儲存格範圍 B2:F7 內，所有只含常數（非公式的值）的儲存格中，選擇輸入數值的儲存格。

巨集 10-38

```
Range("B2:F7").SpecialCells(xlCellTypeConstants, xlNumbers).Select
```

實例 在常數當中只選擇數值

　　利用 SpecialCells 方法，可以輕鬆選取到「忘記輸入的儲存格（空白儲存格）」或是檢查「是否有選取到內含公式的儲存格」，是個用途極廣的好方法。

Column ## 使用 **UsedRange** 取得已使用的儲存格範圍

　　以巨集處理儲存格範圍時，可以用不加引數的「Cells 屬性」指定「工作表中所有的儲存格」。下列程式碼會清除工作表上所有的儲存格。

巨集 10-39

```
Cells.Clear
```

　　此外，使用 Worksheet 物件的「UsedRange 屬性」能取得工作表內「已使用的儲存格範圍」。下列程式碼會選擇當前工作表中已使用的儲存格。

巨集 10-40

```
ActiveSheet.UsedRange.Select
```

　　兩者都能用於「想對所有工作表執行某項動作」的情況。

Column　使用方括號的語法糖

前面介紹過即時運算視窗內可以執行簡短程式碼，可以一併記住一個方式，就是使用「[]（方括號）」的語法糖。

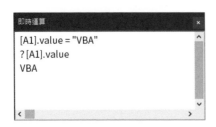

在即時運算視窗中，若以方括號包住儲存格位址字串，就能視為對應的 Range 物件來使用。以下兩個程式碼同樣用於輸入值到儲存格 A1 中。

```
Range("A1").Value = "VBA"
[A1].value = "VBA"
```

比起每次都得動用 Shift 鍵來輸入「Range("A1")」，寫「[A1]」輕鬆太多了。下面這種寫法也是相同的功能。

```
[A1] = "VBA"
```

這是 Range 物件特有的「如果不指定屬性或方法直接寫成指定值的形式，就會輸入值」的機制。VBA 會自行判斷「應該是想輸入值」並操作 Value 屬性。方便是方便沒錯，但看上去有些不自然。

畢竟這也是個不太嚴謹的寫法，所以不怎麼推薦用在標準模組裡。不過，如果只是想在即時運算視窗中簡單操作、檢視單一儲存格或儲存格範圍的話，這個方法會很方便。

Chapter 11

變更儲存格的
值或外觀

本章將介紹如何輸入值或公式到儲存格中，以及設定儲存格格式的方式。
例如，從普通的輸入值，到 Excel 獨有的輸入相對引用公式，甚至影響資
料易讀性的字型、框線、格式的設定方式等。

11-1 輸入或刪除值及公式

　　Excel 儲存格在顯示值的機制上，分為「儲存值」和「以指定格式顯示值」兩個階段。首先要看的是使值儲存於儲存格內的方式，也就是「輸入值的方式」。

■■ 輸入值或公式到儲存格

　　只要將 Range 物件的 **Value** 屬性指定為要輸入的值，就能輸入值到儲存格中。包含數值等各種值，甚至表達公式的字串都可以輸入。

　　下列程式碼會在儲存格中輸入各式各樣的值。

巨集 11-1

```
Range("C2").Value = "VBA"
Range("C3").Value = 1800
Range("C4").Value = #6/5/2018#
Range("C5").Value = "=10*5"     ' 是可以用 Value，但還是推薦用 Formula
```

　　下列程式碼會輸入整個陣列的值到儲存格範圍 C7:E7。

巨集 11-2

```
Range("C7:E7").Value = Array(1, 2, 3)
```

實例 輸入值到儲存格中

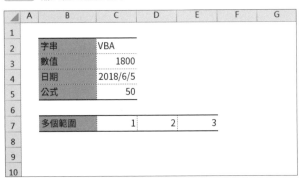

使用 **Formula** 屬性輸入公式，就能在程式碼中更清楚地表達「這裡輸入的是公式」。下列程式碼會將公式（=10*5）輸入到儲存格 C5。

巨集 11-3

```
Range("C5").Formula = "=10*5"
```

此外，指定陣列形式的值到一儲存格範圍的 Value 屬性中，就能將陣列的值全部輸入到儲存格中。如上述範例就輸入了整個一維陣列的值，當然輸入二維陣列也可以用這種方式。

Column　專屬於非英語環境的函數要用 FormulaLocal 屬性

要寫明輸入公式的話可以用 Formula 沒錯，但如果使用的是專屬於非英語版本 Excel 的函數，那就得使用「FormulaLocal 屬性」。

例如「將數值轉換為日圓表示法的 YEN 工作表函數」就是專屬於日文版的函數，若用 Formula 屬性來輸入會發生錯誤，但用 FormulaLocal 屬性就能正確輸入、計算。下列程式碼會在儲存格 A2 中輸入公式，其內容是以 YEN 函數將儲存格 A1 的值轉換為日圓表示法。

巨集 11-4

```
Range("A2").FormulaLocal = "=YEN(A1)"
```

如果不確定哪個函數是專屬本地語言環境，也可以全都用 FormulaLocal 屬性來輸入。另外，若使用下節介紹的「FormulaR1C1Local 屬性」就能輸入使用相對引用的公式。

以 FormulaR1C1 輸入相對引用形式

利用 **FormulaR1C1** 屬性能輸入使用相對引用的公式。下列程式碼會在 D 欄儲存格中輸入公式，內容為其左方兩格（B 欄）與其左方一格（C 欄）的乘積。

巨集 11-5

```
Range("D3:D6").FormulaR1C1 = "=R[0]C[-2]*R[0]C[-1]"
```

實例 以相對引用形式輸入公式

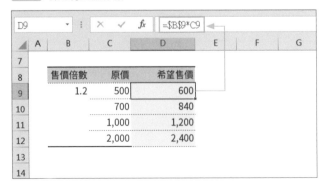

在公式內要以「**R[列位移數]C[欄位移數]**」的寫法表達相對於此儲存格的位置。例如「R[1]C[2]」表「向下一格、向右兩格」、「R[-1]C[-2]」表「向上一格、向左兩格」。

儲存格內輸入的公式會遵循 Excel 的顯示設定，引用式會在顯示時自動被轉換為 A1 形式字串。

此外，要指定特定儲存格時，要用不加方括號的「**R 列號 C 欄號**」形式。例如「R1C2」就是「第一列、第二欄」，即「儲存格 B1」。下列程式碼會在 D 欄儲存格中輸入公式，內容為其左方一格（C 欄）與儲存格 B9(R9C2) 的乘積。

巨集 11-6

```
Range("D9:D12").FormulaR1C1 = "=R9C2*R[0]C[-1]"
```

實例 引用特定儲存格

▦ 使用 ClearContents 僅清除儲存格的值

使用 **ClearContents** 方法就會清除儲存格的值。和按下「Delete」鍵同樣會清除儲存格的值,但保留其格式等資訊。

■ **ClearContents** 方法

```
目標儲存格 .ClearContents
```

下列程式碼只會清除儲存格 B2 的值。

巨集 11-7

```
Range("B2").ClearContents
```

ClearContents 方法也能用於一片儲存格範圍,此時會清除該範圍內所有儲存格的值,同時也能用於合併儲存格。下列程式碼會清除合併儲存格範圍 B4:C5 內的值。

巨集 11-8

```
Range("B4:C5").ClearContents
```

實例 只清除儲存格的值

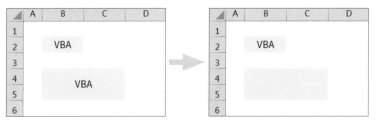

若要對合併儲存格使用 ClearContents 方法,指定範圍時必須「包含已合併的所有儲存格」。如果只對範圍內的左上儲存格使用 ClearContents 方法就會出錯。

這時還可以用「在合併儲存格內左上儲存格的 Value 屬性中指定空字串」這種手法,單純從外觀上清除值。下列程式碼會在儲存格 B4 中輸入空字串。

巨集 11-9

```
Range("B4").Value = ""
```

這個寫法「要清除值的感覺」不明顯,但如果有人因為工作表上有很多合併儲存格而感到困擾,可以考慮這個方式。

另外還有一種寫法,是利用會回傳「合併中的儲存格範圍」的 **MergeArea** 屬性。下列程式碼會清除有包含儲存格 B4 的合併儲存格的值。

巨集 11-10

```
Range("B4").MergeArea.ClearContents
```

這個寫法在指定儲存格未受合併時稍嫌冗長,但有「要清除值的感覺」。而且這樣寫出來的話,之後重看程式碼時,還有容易回想起「這就是當時因為合併儲存格,讓我苦惱半天那個案件──」的優點。

11-2　設定儲存格的外觀

　　接著要介紹如何設定儲存格的外觀。內容有字型、顯示格式、框線、背景色、欄寬、列高等，可以調整許多元素。

　　像實驗報告或工作報告的「外觀」會直接牽涉到資料是否容易理解，甚至還會影響可信度；但手動調整格式又很花時間，這時只要用巨集，就能一口氣整理成想要的「外觀」。

設定字型

　　使用 Range 物件的 Font 屬性，可以存取內含該儲存格範圍字型資訊的 **Font** 物件，利用其中的各種屬性就能設定字型。

▶ **Font** 物件的屬性（摘錄）

屬性	用途
Name	設定字型名稱
Size	設定字型大小
Bold	設定粗體字
Italic	設定斜體字
Color	以 RGB 形式設定色彩
ColorIndex	以調色盤形式設定色彩
ThemeColor	以佈景主題色彩形式設定色彩（顏色）
TintAndShade	以佈景主題色彩形式設定色彩（亮度）

　　下列程式碼會將儲存格範圍 B2:F6 的字型設為「Meiryo」，大小設為「12」點。

巨集 11-11

```
With Range("B2:F6").Font
    .Name = "Meiryo"
    .Size = 12
End With
```

實例 設定字型

◢	A	B	C	D	E	F	G
1							
2		ID	商品名稱	價格	數量	小計	
3		VBA-001	皮膚護理凝膠(小)	300	40	12,000	
4		VBA-002	皮膚護理凝膠(大)	500	35	17,500	
5		Ex-04W	盒裝衛生紙	250	80	20,000	
6		Ex-04E	袖珍包衛生紙	50	200	10,000	
7							

◢	A	B	C	D	E	F	G
1							
2		ID	商品名稱	價格	數量	小計	
3		VBA-001	皮膚護理凝膠(小)	300	40	12,000	
4		VBA-002	皮膚護理凝膠(大)	500	35	17,500	
5		Ex-04W	盒裝衛生紙	250	80	20,000	
6		Ex-04E	袖珍包衛生紙	50	200	10,000	
7							

　　此外，字型分成適用於中文的字型，與適用於歐美文字的字型（即不適用於中文的字型）。若針對任意儲存格範圍按「適用中文的字型→適用歐美文字的字型」這個順序設定，則「中文設為前面設定的字型，英文、數字設為後面設定的字型」。

　　下列程式碼會針對儲存格範圍 B2:F6，設定中文字型為「MS PGothic」、英文及數字為「Arial」。

巨集 11-12

```
With Range("B2:F6").Font
    .Name = "MS PGothic"
    .Name = "Arial"
End With
```

實例 分別設定中文與英文、數字的字型

▲	A	B	C	D	E	F	G
1							
2		ID	商品名稱	價格	數量	小計	
3		VBA-001	皮膚護理凝膠(小)	300	40	12,000	
4		VBA-002	皮膚護理凝膠(大)	500	35	17,500	
5		Ex-04W	盒裝衛生紙	250	80	20,000	
6		Ex-04E	袖珍包衛生紙	50	200	10,000	
7							

　　字型也會成為設定儲存格寬度、高度的基準，所以整理格式時「首先從設定字型開始」會比較好。

Column **Excel 預設字型的變遷**

　　日文版 Excel 的預設字型經歷了「MSPGothic → Meiryo → YuGothic」的變遷。所以依使用者開始用 Excel 的年代不同，「一直以來看習慣的字型」也會不同。因此代代相傳的 Excel 活頁簿通常使用「MS PGothic」字型。所以在決定「好讀的」字型時，可以先想是誰要使用這個活頁簿，再選擇對方「習慣的」字型，也是個很有效果的方式。

　　順帶一提，「Application.StandardFont 屬性」可以取得執行巨集環境的預設字型，而「Application.StandardFontSize 屬性」則能取得預設字型大小。

11-3 設定顯示格式

儲存於儲存格裡的值，顯示時會套用設定於儲存格上的「格式」。例如「1234」這個值，依據設定不同，可以顯示為「1,234」「001234」「1234.00」等不同樣貌。讓我們以 VBA 來設定顯示格式吧。

設定儲存格格式

基本上儲存格格式是以 **NumberFormatLocal** 屬性來設定。下列程式碼會將儲存格 B2 設定為「千位分隔」格式。

巨集 11-13

```
Range("B2").NumberFormatLocal = "#,###"
```

實例 儲存格的格式設定

只要在 Excel 中點選**常用→格式→儲存格格式**，在「儲存格格式設定」對話框的**數值標籤**內選擇**自訂**，就能檢視能以哪些格式字串設定 NumberFormatLocal 屬性。

Excel 的格式要以使用預留位置的格式字串來指定，像是「@（儲存格中的文字）」「#（儲存格中的數值）」等等，設定預留位置的部分會依儲存格的輸入值而顯示，其他部份則會原樣顯示。

■ **NumberFormatLocal** 屬性

```
儲存格範圍 .NumberFormatLocal = 格式字串
```

▶ 儲存格的格式設定

「種類」欄位顯示的字串，能直接套用 NumberFormatLocal 屬性。

▶ 常使用的預留位置（摘錄）

預留位置	意義
@	字串
#	數值
0	表示數值位數。如「000」會將「1」表示為「001」
#,###	分隔位數
00.00	使用等寬字型時對齊小數點
yyyy, mm, dd	分別表示年、月、日
h, m, s	分別表示時、分、秒。但「m」根據前後文也可能不是「分」而是「月」
aaa, aaaa	以「週一」「星期一」等表示星期幾
ge, gge, ggge	「H30」、「平 30」、「平成 30」等日本年號（僅日文語系下可用）

例如「@ 先生」這個格式字串，就是「在儲存格輸入的文字後面加上『先生』的格式」。下列程式碼會使儲存格範圍 B2:B4 裡的名稱的顯示格式全部附上「先生」。

巨集 11-14

```
Range("B2:B4").NumberFormatLocal = "@ 先生 "
```

實例 能加上「先生」的格式設定

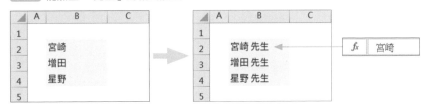

但實際值並未改變，只是透過格式在顯示值時加上了「先生」而已。就像這樣，結合「預留位置與要顯示的值」來設定顯示格式。

此外，指定 Format 函數（112 頁）的格式設定時所用的方式，與現在利用預留位置指定格式的方式幾乎完全相同。

Column **NumberFormat 屬性**

其實還有一個無論名稱或是用途，都和 NumberFormatLocal 屬性極為相似的「NumberFormat 屬性」。這是個「未特別支援其他語言的屬性」，所以有些非英文表現的格式無法使用。

因此若使用環境不是英文版 Excel 的話，也可以直接記住「設定格式要用 NumberFormatLocal 屬性」就好。

■ 畫框線的方式

畫框線時要以「指定要畫框線的位置取得 **Border** 物件」、「以 Border 物件的各種屬性設定框線種類及色彩」的兩階段思維來設定。

使用 **Border** 屬性，就能取得指定位置的 Border 物件。

■ **Borders 屬性**

儲存格範圍 .Borders (指定位置的常數)

要以 **XlBordersIndex** 列舉中的常數，指定要畫框線的位置。

▶ **XlBordersIndex 列舉的常數**

常數	值	位置
xlEdgeTop	8	上端
xlEdgeBottom	9	下端
xlEdgeLeft	7	左端
xlEdgeRight	10	右端
xlInsideHorizontal	12	範圍內的橫向框線
xlInsideVertical	11	範圍內的縱向框線
xlDiagonalUp	6	對角框線（左下到右上）
xlDiagonalDown	5	對角框線（左上到右下）

指定位置後，可以用以下 Border 物件的各種屬性設定該位置的框線。

▶ **Border 物件的屬性（摘錄）**

屬性	用途
LineStyle	以 XlLineStyle 列舉指定框線種類
Weight	框線粗細
Color	以 RGB 值設定色彩
ColorIndex	以調色盤編號設定色彩
ThemeColor	以佈景主題色彩形式設定色彩（顏色）
TintAndShade	以佈景主題色彩形式設定色彩（亮度）

可以實際畫一次框線，並以「錄製巨集」將過程錄製為程式碼，再參考錄製下來的值來設定調整框線屬性的常數。

下列程式碼會在儲存格範圍 B2:D6 的「上端」、「下端」、「範圍內橫向」三個位置設定框線。

巨集 11-15

```
With Range("B2:D6")
    '設定上端框線
    With .Borders(xlEdgeTop)
        .LineStyle = xlContinuous
        .Weight = xlMedium
        .ThemeColor = msoThemeColorAccent6
    End With
    '設定下端框線
    With .Borders(xlEdgeBottom)
        .LineStyle = xlContinuous
        .Weight = xlMedium
        .ThemeColor = msoThemeColorAccent6
    End With
    '設定範圍內的橫向框線
    With .Borders(xlInsideHorizontal)
        .LineStyle = xlContinuous
        .Weight = xlHairline
        .ThemeColor = msoThemeColorAccent6
    End With
End With
```

實例 框線設定

▲	A	B	C	D	E
1					
2		商品名稱	價格	數量	
3		皮膚護理凝膠(小)	300	40	
4		皮膚護理凝膠(大)	500	35	
5		盒裝衛生紙	250	80	
6		袖珍包衛生紙	50	200	
7					

◢	A	B	C	D	E
1					
2		商品名稱	價格	數量	
3		皮膚護理凝膠(小)	300	40	
4		皮膚護理凝膠(大)	500	35	
5		盒裝衛生紙	250	80	
6		袖珍包衛生紙	50	200	
7					

此外，如果不需指定位置，而是要設定某個儲存格範圍內的所有框線，那直接使用 Borders 集合本身即可。

下列程式碼會將儲存格範圍 B2:D6 全部畫成格狀框線。

巨集 11-16

```
With Range("B2:D6").Borders
    .LineStyle = xlContinuous
    .Weight = xlThin
    .ThemeColor = msoThemeColorAccent6
End With
```

實例 設定格狀框線

◢	A	B	C	D	E
1					
2		商品名稱	價格	數量	
3		皮膚護理凝膠(小)	300	40	
4		皮膚護理凝膠(大)	500	35	
5		盒裝衛生紙	250	80	
6		袖珍包衛生紙	50	200	
7					

若要去除框線，將 **LineStyle** 屬性設定為常數「xlNone」即可。

■ 設定背景色與 Excel 中管理色彩的方法

利用儲存格的 Interior 屬性可以取得其 **Interior** 物件。使用此物件中管理色彩的四個屬性，就能指定儲存格的背景色。

▶ 管理色彩的四個屬性

屬性	用途
Color	以 RGB 值設定色彩
ColorIndex	以調色盤編號設定色彩
ThemeColor	以佈景主題色彩形式設定色彩（顏色）
TintAndShade	以佈景主題色彩形式設定色彩（亮度）

　　幾乎所有可以設定色彩的物件中，都會提供這些屬性。其實 Excel 中有三種指定「色彩」的機制。

● 設定 RGB 值

　　所謂的 RGB 值，是指改變光的三原色「紅、綠、藍」的比例來表現不同顏色。可以藉由 **Color** 屬性以 RGB 值指定色彩。下列程式碼會將儲存格 B2 的背景色設定為 RGB 值「255, 0, 0」（紅色）。

巨集 11-17

```
Range("B2").Interior.Color = RGB(255, 0, 0)
```

實例 設定儲存格的背景色

　　設定 RGB 值時，要在 **RGB** 函數的引數裡，按「紅、綠、藍」的順序分別指定「0 ～ 255」之間的值。

■ RGB 函數

```
RGB ( R值 ,  G值 ,  B值 )
```

● 以調色盤編號設定色彩

Excel 在每個活頁簿上都提供了 56 色的調色盤。可以藉由 **ColorIndex** 屬性以調色盤編號指定色彩。

■ ColorIndex 屬性

```
ColorIndex = 調色盤編號
```

下列程式碼會將儲存格 B2 的背景色設定為調色盤編號 6 號（在筆者的環境中是黃色）。

巨集 11-18

```
Range("B2").Interior.ColorIndex = 6
```

可以用 Workbook 物件的 **Colors** 屬性來確認調色盤上有哪些顏色（請參照範例檔案「11 章：輸入及清除值 .xlsm」，範例檔案可至博碩官網下載使用。

● 以佈景主題色彩來設定色彩

Excel 內建的色彩設定方式，是利用佈景主題色彩。這個方式可以依據活頁簿本身「佈景主題」的基本 12 色，藉由更改其基本色調與亮度，使 Excel 各部份的顏色具有整體感。

▶ 佈景主題色彩方式

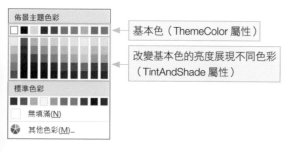

基本色（ThemeColor 屬性）

改變基本色的亮度展現不同色彩（TintAndShade 屬性）

以手動設定儲存格的背景色等所顯示的「佈景主題色彩」為例，第一列是基本色，往下逐列改變基本色的亮度以展現不同色彩。

VBA 中用 **ThemeColor** 處理基本色，**TintAndShade** 處理其亮度。要以表達 12 個基本色的 **MsoThemeColorSchemeIndex** 列舉的常數來指定 ThemeColor 屬性。

■ **ThemeColor 屬性**

```
ThemeColor = 基本色
```

▶ **MsoThemeColorSchemeIndex 列舉的常數**

常數	值	基本色
msoThemeAccent1	5	輔色 1
msoThemeAccent2	6	輔色 2
msoThemeAccent3	7	輔色 3
msoThemeAccent4	8	輔色 4
msoThemeAccent5	9	輔色 5
msoThemeAccent6	10	輔色 6
msoThemeDark1	1	深色 1
msoThemeDark2	3	深色 2
msoThemeFollowedHyperlink	12	已瀏覽過的超連結
msoThemeHyperlink	11	超連結
msoThemeLight1	2	淺色 1
msoThemeLight2	4	淺色 2

TintAndShade 屬性要設定「-1（最暗）～ 1（最亮）」間的值。

■ **TintAndShade 屬性**

```
TintAndShade = 亮度
```

活頁簿目前設定的基本色，可以點選**工作表上→色彩→自訂色彩**，從彈出的「建立新的佈景主題色彩」對話框中確認。

▶ 「建立新的佈景主題色彩」對話框

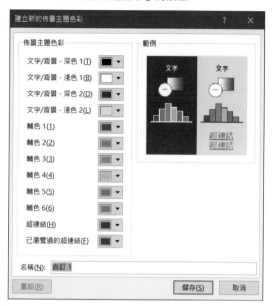

這個方式是「以 **ThemeColor** 指定基本色，再以 **TintAndShade** 決定其亮度」。下列程式碼會將儲存格 B2 的背景色設成「基本色為輔色 1」、「亮度 0.5」。

巨集 11-19

```
With Range("B2").Interior
    .ThemeColor = msoThemeAccent1
    .TintAndShade = 0.5
End With
```

另外，若在 **Pattern** 屬性中指定常數「x1None」，就會清除儲存格目前的背景色。下列程式碼會清除儲存格 B2 的背景色。

巨集 11-20

```
Range("B2").Interior.Pattern = xlNone
```

設定儲存格的欄寬、列高與其單位

使用儲存格的 **ColumnWidth** 及 **RowHeight** 屬性分別可以指定其欄寬及列高。

以 ColumnWidth 屬性指定儲存格欄寬時，使用的數值是表達「可以輸入幾個標準字型的『0』」。

■ **ColumnWidth 屬性**

```
ColumnWidth = 欄寬
```

RowHeight 屬性會以點為單位指定儲存格列高。

■ **RowHeight 屬性**

```
RowHeight = 列高
```

下列程式碼會設定儲存格 B2 的欄寬為「10」、列高為「20」。

巨集 11-21

```
With Range("B2")
    .ColumnWidth = 10
    .RowHeight = 20
End With
```

此外，若以 **AutoFit** 方法結合 **EntireColumn** 屬性及 **EntireRow** 屬性，就能因應儲存格目前的輸入值自動調整儲存格的大小。下列程式碼會因應儲存格範圍 B3:D6 中現有的值，來調整其欄寬與列高。

巨集 11-22

```
' 自動調整欄寬
Range("B3:D6").EntireColumn.AutoFit
' 自動調整列高
Range("B3:D6").EntireRow.AutoFit
```

實例 因應輸入文字自動調整

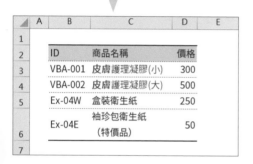

如果是要把其他工作表或網頁上所複製過來的資料,迅速調整成欄寬較好看的格式時,這個功能就非常實用了。

Column 若 AutoFit 以後「還想再稍微擴張一點」

以 AutoFit 方法自動調整儲存格大小是很方便,但有時會有「想在邊界多留一些空白」的需求。這時只要用 AutoFit 調整過,再用迴圈調整一次儲存格欄寬、列高就好。

下列程式碼會將以儲存格 B2 為起點的範圍,擴大為「邊緣多留一些空白」的狀態。

巨集 11-23

```
Dim rng As Range
With Range("B2").CurrentRegion
    ' 設定欄寬
    .EntireColumn.AutoFit
```

```
    For Each rng In .Columns
        rng.ColumnWidth = rng.ColumnWidth + 2
    Next
    '設定列高
    .EntireRow.AutoFit
    For Each rng In .Rows
        rng.RowHeight = rng.RowHeight + 10
    Next
End With
```

▲	A	B	C	D	E
1					
2		ID	商品名稱	價格	
3		VBA-001	皮膚護理凝膠(小)	300	
4		VBA-002	皮膚護理凝膠(大)	500	
5		Ex-04W	盒裝衛生紙	250	
6		Ex-04E	袖珍包衛生紙 (特價品)	50	
7					

只要用上這個「邊緣留白」的手法，就能運用在「若只用 AutoFit 調整，就會在使用某些字型印刷時超出格線」等令人困擾的狀況上。

設定顯示位置與自動換列

儲存格內的值，可以在 **HorizontalAlignment** 屬性指定常數，以設定水平方向（橫方向）的顯示位置，**VerticalAlignment** 屬性則用於設定垂直方向（縱方向）。

■ HorizontalAlignment 屬性

```
HorizontalAlignment = 水平位置
```

■ **VerticalAlignment 屬性**

```
VerticalAlignment = 垂直位置
```

下列程式碼會設定儲存格內的值在水平方向上的顯示位置。

巨集 11-24

```
Range("B2").HorizontalAlignment = xlLeft      '左
Range("B4").HorizontalAlignment = xlCenter    '中
Range("B6").HorizontalAlignment = xlRight     '右
```

下列程式碼會設定儲存格內的值在垂直方向上的顯示位置。

巨集 11-25

```
Range("D2").VerticalAlignment = xlTop         '上
Range("D4").VerticalAlignment = xlCenter      '中
Range("D6").VerticalAlignment = xlBottom      '下
```

實例 設定顯示位置

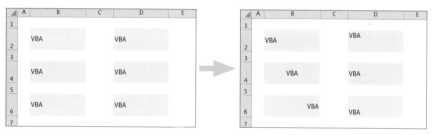

此外，若指定 **WrapText** 屬性為「True」，能將儲存格內超出欄寬的文字「自動換列顯示」。下列程式碼會使儲存格 B8 裡的值自動換列。

巨集 11-26

```
Range("B8").WrapText = True
```

若指定儲存格的 **ShrinkToFit** 屬性為「True」，就能使儲存格內的文字「縮小顯示」以符合目前的欄寬。下列程式碼會使儲存格 B10 的值縮小顯示。

巨集 11-27

```
Range("B10").ShrinkToFit = True
```

Column 利用工作表的放大／縮小來調整其外觀

在 Excel 中使用工作表時，若調整右下角的「縮放」滑桿或按鈕，就能擴大／縮小顯示工作表上的內容。

特別是同時使用筆記型電腦及桌上型電腦工作時，要在螢幕解析度差異較大的情況下顯示同一個活頁簿，可能會覺得活頁簿內容「過大」或「過小」。只要利用這個功能，就能在一定程度上在「看起來和往常一樣」的狀態進行作業。

使用「Window 物件的 Zoom 屬性」就能以 VBA 設定縮放倍率。下列程式碼會將當前視窗的縮放倍率設為 150%。

巨集 11-28

```
ActiveWindow.Zoom = 150
```

此外，指定 Zoom 屬性為「True」，就能使「特定儲存格範圍縮放至符合視窗大小」。

巨集 11-29

```
ActiveWindow.Zoom = True
```

這樣就會將目前選取的儲存格範圍的縮放倍率，自動調整至符合視窗大小。若再搭配選取特定範圍的程式碼或事件處理，就能實作在選取工作表時，自動調整縮放倍率至符合視窗大小的處理。

Chapter 12

以 VBA 進行
資料處理

本章將介紹「排列順序（排序）」與「擷取（篩選）」這兩個在處理資料上
最基本、同時也最常用的功能。就讓我們看看如何在 VBA 及 Excel 當中執
行這兩個功能，以及各種需要注意的細節。

12-1 排列順序與擷取

Excel 中，原先就能對表格形式的資料進行簡單的排序與擷取。Excel 的功能中，「排序」功能（**資料→排序**）正如其名用於排列資料順序，而「篩選」功能（**資料→篩選**）則用以擷取想要的資料。底下來介紹在 VBA 裡使用這兩個功能的方式。

其實排序有兩種方式

VBA 提供了兩種資料排序的方式。

第一個排序方式是利用 Range 物件的 **Sort** 方法，這是從以前就存在的方式（使用時不受 Excel 版本限制），因此使用起來比較輕鬆，但另一方面每個設定都得以引數指定，不僅麻煩，發生錯誤時也不易看出原因。

另一個排序方式是利用 **Sort** 物件來做，這是個比較新的物件（在 Excel 2007 添加）。特徵是可以藉其屬性設定各種有關排序的項目，所以設定排序時較有條理而容易思考，但就是程式碼寫起來會比較長。一言以蔽之就是「添加於 Excel 2007，條理分明專用於排序的物件」。

▶ 兩種排序方法

方式	特徵
Sort 方法的方式	以 Range 物件的 Sort 方法進行排序。是從以前就存在的方式。雖然用起來比較輕鬆，但跟 Sort 物件相比之下稍嫌雜亂
Sort 物件的方式	以 Sort 物件的各種設定進行排序。是相對較新的物件，也因為是排序專用的物件，所以設定上較易理解

以 Sort 方法進行排序

以 Sort 方法進行排序時，要設定各種引數對目標儲存格範圍執行排序。

■ **Sort 方法**

> 內含資料的儲存格範圍 .Sort 各種引數 := 值

▶ **Sort 方法的引數**

引數	用途
Header	指定第一列是否為標題列。xlNo（不是標題列：預設）、xlYes（是標題列）、xlGuess（自動判定）
Key1	排序目標欄位的名稱或者儲存格範圍
Order1	指定 Key1 中欄位的排序順序。xlAscending（升序：預設值）、xlDescending（降序）
Key2	第二順位目標欄位的名稱或者儲存格範圍
Order2	指定 Key2 中欄位的排序順序
Key3	第三順位目標欄位的名稱或者儲存格範圍
Order3	指定 Key3 中欄位的排序順序
MatchCase	要將大小寫視為相異就設為 True，不需要就設為 False
Orientation	指定排序方向。xlSortColumns（循欄排序：預設值）、xlSortRows（循列排序）
SortMethod	指定是依筆劃排序（xlStroke）或依注音排序（xlPinYin：預設值）

但使用引數 Orientation 時，用以指定循欄或列排序的 xlSortColumns 及 xlSortRows 的常數值好像設反了，當指定預設值 xlSortRows 預期要「循列排序」時，卻不知為何會循欄排序，要注意這點。

下列程式碼會依「出貨量」欄（欄位）的值，將當前工作表的儲存格範圍 B2:F7 排序為「降序」。另外，若不存在目標欄位名稱（本例中為「出貨量」）會發生錯誤，還請注意。

巨集 12-1

```
Range("B2:F7").Sort Header:=xlYes, Key1:="出貨量 ", Order1:=xlDescending
```

實例 使用 Sort 方法進行排序

	A	B	C	D	E	F	G
1							
2		ID	負責人	商品	日期	出貨量	
3		1	增田	蘋果	4月18日	50	
4		2	宮崎	橘子	4月18日	30	
5		3	星野	橘子	4月19日	50	
6		4	宮崎	蘋果	4月19日	20	
7		5	增田	蘋果	4月20日	80	
8							

	A	B	C	D	E	F	G
1							
2		ID	負責人	商品	日期	出貨量	
3		5	增田	蘋果	4月20日	80	
4		1	增田	蘋果	4月18日	50	
5		3	星野	橘子	4月19日	50	
6		2	宮崎	橘子	4月18日	30	
7		4	宮崎	蘋果	4月19日	20	
8							

　　指定排序目標欄位時，引數 **Key1** 中也可以指定儲存格範圍。下列程式碼會以指定儲存格範圍的形式，依「出貨量」欄（欄位）的值，將當前工作表的儲存格範圍 B2:F7 排序為「降序」。

巨集 12-2

```
Range("B2:F7").Sort Header:=xlYes, Key1:=Range("F2:F7"), Order1:=xlDescending
```

　　若要設定多個欲排序欄位，可以用引數指定最多三個欄位的名稱。下列程式碼會分別依「負責人」、「商品」、「日期」三欄（欄位）排序儲存格範圍 B2:F7。

巨集 12-3

```
Range("B2:F7").Sort Header:=xlYes, _
    Key1:=" 負責人 ", Order1:=xlAscending, _
    Key2:=" 商品 ", Order2:=xlAscending, _
    Key3:=" 日期 ", Order3:=xlDescending
```

實例 以多個欄位名稱設定欲排序欄位

▲	A	B	C	D	E	F	G
1							
2		ID	負責人	商品	日期	出貨量	
3		3	星野	橘子	4月19日	50	
4		2	宮崎	橘子	4月18日	30	
5		4	宮崎	蘋果	4月19日	20	
6		5	增田	蘋果	4月20日	80	
7		1	增田	蘋果	4月18日	50	
8							

設定了多個欄位進行排序時，會依照「Key1 > Key2 > key3」的優先順序進行。此外，單一 Sort 方法無法進行四個欄位以上的排序，所以就分成兩次以上的 Sort 方法來進行吧。

■ 以 Sort 物件進行排序

使用 Sort 物件時，要以「先建構排序設定再執行」的方式進行排序。

Sort 物件提供了下列屬性／方法。

▶ **Sort 物件の屬性 / 方法（摘錄）**

名稱	用途
SetRange 方法	設定排序範圍
Apply 方法	執行排序
SortFields 屬性	存取統一管理各欄位排序資訊（SortField 物件）的 SortFields 集合。各欄位的排序設定要以 Add 方法追加
Header 屬性	設定第一列是否為標題列。指定為 xlYes 表示要視為標題列，指定為 xlNo 則否。而 xlGuess 表示交由 Excel 判斷
Orientation 屬性	設定排序方向。xlTopToBottom（循欄排序：預設值）、xlLeftToRight（循列排序）
MatchCase 屬性	設定是否區分大小寫。指定為 True 表示區分大小寫，指定為 False 則否
SortMethod 屬性	設定排序方法。要依注音排序就指定為 xlPinYin，要依筆劃排序就指定為 xlStroke

在參考手冊中，Orientation 屬性的常數寫的是 xlSortColumns/xlSortRows，但因為「欄」、「列」的值設反了，所以用上表的兩個常數來指定較不容易混亂（或許也因為這樣，使用「錄製巨集」錄下來的程式碼也是用 xlTopToBottom/xlLeftToRight）。

當使用 Sort 物件，在填充排序的目標欄位跟條件時，要以 **SortFields.Add** 方法傳遞必要的資訊。而在引數 **Key** 中必須指定整個欄位的儲存格範圍，不能像 Sort 方法一樣只指定表格標題。

■ **SortFields.Add 方法**

```
SortFields.Add 各種引數 := 值
```

▶ **SortFields.Add 方法的引數（摘錄）**

引數	用途
Key	指定排序目標欄位的儲存格範圍。必須指定
Order	設定要以升序（xlAscending）或降序（xlDescending）排列
SortOn	從下列對象中指定「排序對象」。儲存格值（SortOnValues：預設值）、字型色彩（SortOnFontColor）、儲存格色彩（SortOnCellColor）、圖示（SortOnIcon）
SortOnValue	指定「排序對象」後，若以色彩或圖示排序時要在此指定選項

下列程式碼會依「出貨量」欄（欄位）的值，將當前工作表的儲存格範圍 B2:F7 排序為「降序」。

此外，Sort 物件是由每個工作表各自管理，要以 Worksheet 物件的 Sort 屬性進行存取。

巨集 12-4

```
With ActiveSheet.Sort
    ' 清除現有的排序設定
    .SortFields.Clear
    ' 設定目標範圍及是否含標題列
    .SetRange Range("B2:F7")
    .Header = xlYes
    ' 新增排序條件
```

```
    .SortFields.Add Key:=Range("B2:F7").Columns(5), Order:=xlDescending
    ' 執行排序
    .Apply
End With
```

實例 以 **Sort** 物件進行排序

▲	A	B	C	D	E	F	G
1							
2		ID	負責人	商品	日期	出貨量	
3		5	增田	蘋果	4月20日	80	
4		3	星野	橘子	4月19日	50	
5		1	增田	蘋果	4月18日	50	
6		2	宮崎	橘子	4月18日	30	
7		4	宮崎	蘋果	4月19日	20	
8							

　　只要以 SortFields.Add 方法新增所有排序條件，就能依多組條件進行排序。會優先以較早新增的條件開始排序。下列程式碼會依「負責人」、「商品」、「日期」欄（欄位）這些關鍵字來排序儲存格範圍 B2:F7。

巨集 12-5

```
With ActiveSheet.Sort
    ' 清除現有的排序設定
    .SortFields.Clear
    ' 設定目標範圍及是否含標題列
    .SetRange Range("B2:F7")
    .Header = xlYes
    ' 新增排序條件，從上到下分別是「負責人」、「商品」、「日期」欄位
    .SortFields.Add Key:=Range("B2:F7").Columns(2), Order:=xlAscending
    .SortFields.Add Key:=Range("B2:F7").Columns(3), Order:=xlAscending
    .SortFields.Add Key:=Range("B2:F7").Columns(4), Order:=xlDescending
    ' 執行排序
    .Apply
End With
```

　　此外，利用 Sort 物件新增的排序設定會直接被保留下來。只要選擇排序範圍後，點選**資料→排序**，就能在執行過排序後於「排序」對話框裡檢視設定。

▶ 檢視排序設定

Column 日文語系下的漢字讀音

　　日文語系下的 Excel 在輸入值到儲存格時，會一併記錄漢字的讀音。因為排序時的預設是用「讀音進行排序」的，所以就算看上去是相同的值，有可能會因為輸入的讀音不同，或是複製貼上的值沒記錄到原來的讀音，而在排序時被當成了不同的值。因此若排序結果不如預期時，可以先檢查是不是因為這個關係。

　　另外，如果要取消用讀音進行排序，使用 Sort 方法時，要在引數 SortMethod 指定常數 xlStroke；使用 Sort 物件時，要在 SortMethod 屬性指定常數 xlStroke 後再 Apply。

■ 以 AutoFilter 方法進行擷取

　　使用 Range 物件的 **AutoFilter** 方法可以進行擷取（篩選）

■ AutoFilter 方法

```
內含資料的儲存格範圍 .AutoFilter 各種引數 := 值
```

　　AutoFilter 方法要先指定需套用篩選的儲存格範圍，再用以下引數指定擷取條件並執行。

▶ **AutoFilter 方法的引數**

引數	用途
Field	需要篩選的目標欄位序號。必須指定
Criteria1	擷取條件
Operator	以 XlAutoFilterOperator 列舉中的常數指定篩選種類
Criteria2	追加的擷取條件
VisibleDropDown	以 True/False 指定是否顯示自動篩選箭號

下列程式碼會在儲存格範圍 B2:F50 中，擷取出第「3」欄是「咖哩」的資料。

巨集 12-6

```
Range("B2:F50").AutoFilter Field:=3, Criteria1:=" 咖哩 "
```

實例 擷取資料

執行 AutoFilter 方法時，若僅傳遞目標欄位的序號到引數中，就能清除擷取條件，只留下自動篩選箭號。

巨集 12-7

```
Range("B2:F50").AutoFilter Field:=3
```

若要清除整個篩選設定，可以不指定引數直接執行 AutoFilter 方法。

巨集 12-8

```
Range("B2:F50").AutoFilter
```

或是將工作表的 **AutoFilterMode** 屬性設定為 False。

巨集 12-9

```
ActiveSheet.AutoFilterMode = False
```

此外，AutoFilter 方法可以指定 **XlAutoFilterOperator** 列舉中的常數到引數 **Operator** 裡，以使用各種不同的篩選方法。

▶ **XlAutoFilterOperator** 列舉的常數

常數	值	用途
xlAnd	1	擷取時以 And 條件套用於 Criteria1、Criteria2 上
xlOr	2	擷取時以 Or 條件套用於 Criteria1、Criteria2 上
下列是 Excel 2007 以後可以使用的常數		
xlTop10Items	3	擷取資料最上位指定數量的值
xlBottom10Items	4	擷取資料最下位指定數量的值
xlTop10Percent	5	擷取資料最上位指定比例的值
xlBottom10Percent	6	擷取資料最下位指定比例的值
xlFilterValues	7	擷取一維陣列的值
xlFilterCellColor	8	擷取儲存格色彩
xlFilterFontColor	9	擷取字型色彩
xlFilterIcon	10	擷取圖示種類
xlFilterDynamic	11	擷取日期或時間時，取得相對於執行當下時間的「本月」、「下個月」等

下面簡單介紹幾個篩選設定：

下列程式碼會擷取第二欄的值中，是「增田 宏樹」或「宮崎 陽平」之一的記錄。

巨集 12-10

```
Range("B2:F50").AutoFilter Field:=2, _
    Criteria1:="增田 宏樹", Operator:=xlOr, Criteria2:="宮崎 陽平"
```

下列程式碼會擷取第四欄的值中，同時滿足「1000 以上」及「小於 2000」（即 1000 ～ 1999）的記錄。

巨集 12-11

```
Range("B2:F50").AutoFilter Field:=4, _
    Criteria1:=">=1000", Operator:=xlAnd, Criteria2:="<2000"
```

下列程式碼會擷取第三欄中儲存格色彩是「紅色（RGB 255,0,0）」的記錄。

巨集 12-12

```
Range("B2:F50").AutoFilter Field:=3, _
    Criteria1:=RGB(255, 0, 0), Operator:=xlFilterCellColor
```

下列程式碼會擷取第三欄的值中，為「啤酒、印度奶茶、咖哩、咖啡」之一的記錄。

巨集 12-13

```
Range("B2:F50").AutoFilter Field:=3, _
    Criteria1:=Array("啤酒", "印度奶茶", "咖哩", "咖啡"), _
    Operator:=xlFilterValues
```

下列程式碼會擷取第五欄所有值中，排在前三名（包含相同值）的記錄。

巨集 12-14

```
Range("B2:F50").AutoFilter Field:=5, Criteria1:=3, Operator:=xlTop10Items
```

下列程式碼會擷取第五欄所有值中，倒數 5% 的記錄。

巨集 12-15

```
Range("B2:F50").AutoFilter Field:=5, Criteria1:=5, Operator:=xlBottom10Percent
```

下列程式碼會擷取第二欄的日期是「這個月」的記錄。

巨集 12-16

```
Range("B2:F50").AutoFilter Field:=2, _
    Criteria1:=xlFilterThisMonth, Operator:=xlFilterDynamic
```

另外，AutoFilter 方法一次只能篩選一個欄位。若要擷取多個欄位，就要對每個欄位各執行一次 AutoFilter 方法。

Column 要怎麼知道現在的篩選設定？

想知道目前工作表上套用的篩選設定，可藉由 Worksheet 物件的 AutoFilter 屬性存取「AutoFilter 物件」，再以其各種屬性取得篩選設定。

▉▉ 要如何轉錄篩選結果？

如果要將套用篩選後擷取出來的結果轉錄到其他地方，只要直接複製篩選完的範圍再貼上即可，不用特別多做些「只複製可見儲存格」之類的處理。

下列程式碼會複製套用過篩選的儲存格範圍 B2:F50，並在「擷取結果」工作表中，連同欄寬一起全部貼到以儲存格 B2 為起點的位置上。可以實際對原始資料所在的工作表進行篩選，再複製貼上試試。

巨集 12-17

```
Range("B2:F50").Copy
'連同欄寬全部貼到目標工作表上
With Worksheets("擷取結果").Range("B2")
    .PasteSpecial xlPasteColumnWidths
    .PasteSpecial xlPasteAll
End With
```

實例 複製篩選結果

	A	B	C	D	E	F	G
1							
2		負責人	商品		單價	數量	
14		12 增田 宏樹	咖啡		5,980	300	
17		15 增田 宏樹	咖啡		5,980	300	
22		20 增田 宏樹	咖啡		5,980	90	
33		31 增田 宏樹	咖啡		5,980	10	
41		39 增田 宏樹	咖啡		5,980	20	
48		46 松井 典子	咖啡		5,980	5	
51							
52							

	A	B	C	D	E	F	G
1							
2		ID 負責人	商品		單價	數量	
3		12 增田 宏樹	咖啡		5,980	300	
4		15 增田 宏樹	咖啡		5,980	300	
5		20 增田 宏樹	咖啡		5,980	90	
6		31 增田 宏樹	咖啡		5,980	10	
7		39 增田 宏樹	咖啡		5,980	20	

■■ 篩選日期值時要小心

在運用 AutoFilter 方法進行擷取時，需要當心表格中含日期值的欄位。例如下圖這個第二欄為日期的表格。

▶ 內含日期值的表格

	A	B	C	D	E	F
1						
2			日	商品	庫存	
3		1	2018/4/1	橘子	504	
4		2	2018/4/15	橘子	549	
5		3	2018/5/13	橘子	460	
6		4	2018/4/1	蘋果	784	
7		5	2018/4/15	蘋果	149	
8		6	2018/5/13	蘋果	383	

要對這個儲存格範圍「擷取第二欄是『2018 年 4 月 1 日』的資料」的話，程式碼該怎麼寫才好呢？首先來看看「正確」的寫法。

巨集 12-18

```
' 利用與目標欄同樣形式的「字串」來擷取
Range("B2:D8").AutoFilter Field:=2, Criteria1:="2018/4/1"
```

實例 以字串擷取日期資料

確實達成了我們的擷取需求。那接下來看看兩個「不正確」的程式碼吧。

巨集 12-19

```
' 以序列值來擷取
Range("B2:D8").AutoFilter Field:=2, Criteria1:=#4/1/2018#
Range("B2:D8").AutoFilter Field:=2, Criteria1:=DateValue("2018/4/1")
```

實例 以序列值擷取日期資料

明明就沒有發生錯誤，結果卻「沒有符合的資料」。不知為何，在擷取日期資料時，必須指定「與儲存格內顯示格式相同的字串」。

但是 VBA 在處理日期時，基本會利用序列值進行計算。而且也常需要擷取計算出來的日期，這種時候只好用「在引數 Operator 裡面指定 xlAnd 來計算『期間』」這種技巧來規避問題了。

巨集 12-20

```
Dim myDate As Date
' 在變數 myDate 中容納序列值
myDate = DateValue("2018/4/1")
' 計算求出期間後，再以序列值進行擷取
Range("B2:D8").AutoFilter Field:=2, _
    Criteria1:=">=" & myDate, Operator:=xlAnd, Criteria2:="<=" & myDate
```

　　例如要篩選內容為日期值的欄位時，指定引數 **Criteria1** 為「>=2018/4/1」，引數 **Criteria2** 為「<=2018/4/30」這種表達算式的字串，並指定引數 **Operator** 為「xlAnd」，就能擷取「4/1 ～ 4/30 這個期間內」的值。

　　這個「指定期間的方式」和顯示格式無關，純粹是以序列值進行計算並擷取。而想擷取特定日期的資料時，只要將兩個引數指定成同一天，例如「>=4/1」「<=4/1」，就能無視顯示格式，表達出「4/1 ～ 4/1 這個期間」，也就是只擷取「4/1 當天」的資料。

　　程式碼寫起來相當奇特，但這樣寫的話，即使之後變更了日期值的顯示格式，依然能以序列值擷取特定日期。所以要擷取含有日期值的欄位時，把這個奇特的手法記起來吧。

12-2 「進階篩選」功能

其實 Excel 還有「進階篩選」功能，可以將擷取條件寫在儲存格中進行篩選／轉錄，是個非常方便的功能，不過意外地很少人知道。

■■ 「進階篩選」的功能機制

首先來介紹這個功能的機制，假設有一張欄位如下的表格。

▶ 擷取目標表格

	ID	接單日	負責人	商品	單價	數量
	1	12/1	增田 宏樹	啤酒	1,820	100
	2	12/1	宮崎 陽平	水梨乾	3,900	10
	3	12/1	星野 啓太	印度奶茶	2,340	15
	4	12/2	前田 健司	巧克力	1,200	30
	5	12/2	增田 宏樹	巧克力	1,200	20
	6	12/2	三田 聰	白巧克力	390	40
	7	12/3	星野 啓太	巧克力	1,660	40
	8	12/3	增田 宏樹	微辣墨西哥辣醬	2,860	30
	9	12/4	宮崎 陽平	巧克力	1,660	10
	10	12/4	星野 啓太	蛤蜊巧達濃湯	1,260	200

接著如下圖，先把擷取條件寫在儲存格裡，欄位標題寫在上面，想擷取的值寫在下面。若有多個條件，就直接寫下多個值。值的寫法用等號、不等號甚至萬用字元都可以。

列成縱向的值會視為「Or 條件」，列成橫向的值則視為「And 條件」。

▶ 擷取條件式的例子

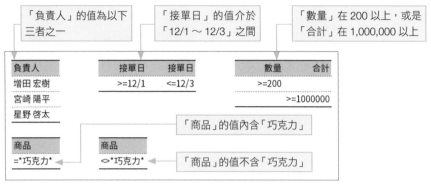

「負責人」的值為以下三者之一

「接單日」的值介於「12/1～12/3」之間

「數量」在 200 以上，或是「合計」在 1,000,000 以上

負責人	接單日	接單日	數量	合計
增田 宏樹	>=12/1	<=12/3	>=200	
宮崎 陽平				>=1000000
星野 啓太				

「商品」的值內含「巧克力」

商品	商品
=*巧克力*	<>*巧克力*

「商品」的值不含「巧克力」

寫完擷取條件後，按下功能區上**資料**→**排序與篩選**裡的**進階篩選**按鈕。就會彈出「進階篩選」對話框。在「**資料範圍**」指定要擷取資料的儲存格範圍，在「**準則範圍**」指定寫著擷取條件的儲存格範圍，並按下**確定**，就能以上述條件擷取目標範圍的資料。

▶ 「進階篩選」對話框

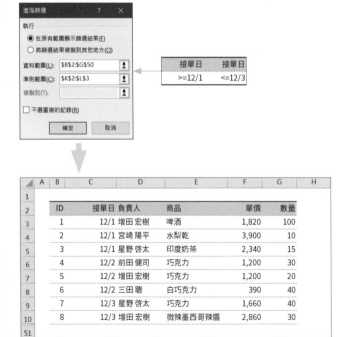

	A	B	C	D	E	F	G	H
1								
2		ID	接單日	負責人	商品	單價	數量	
3		1	12/1	增田 宏樹	啤酒	1,820	100	
4		2	12/1	宮崎 陽平	水梨乾	3,900	10	
5		3	12/1	星野 啓太	印度奶茶	2,340	15	
6		4	12/2	前田 健司	巧克力	1,200	30	
7		5	12/2	增田 宏樹	巧克力	1,200	20	
8		6	12/2	三田 聰	白巧克力	390	40	
9		7	12/3	星野 啓太	巧克力	1,660	40	
10		8	12/3	增田 宏樹	微辣墨西哥辣醬	2,860	30	
51								

　　以上就是「進階篩選」功能的概述。而使用 **AdvancedFilter** 方法，就能在 VBA 當中使用這個功能。

以 VBA 一口氣解決擷取與轉錄

　　在對要擷取的儲存格範圍執行 AdvancedFilter 方法時，可以指定以下引數。

■ **AdvancedFilter** 方法

```
資料輸入範圍 .AdvancedFilter 各種引數 := 值
```

▶ **AdvancedFilter** 方法的引數

引數	用途
Action	指定要在原有範圍顯示篩選結果（xlFilterInPlace），或是將篩選結果複製到其他地方（xlFilterCopy）。必須指定
CriteriaRange	寫著擷取條件的儲存格範圍
CopyToRange	將結果複製到其他地方時，要複製到的儲存格
Unique	以 True/False 指定是否刪除重複的記錄

　　下列程式碼會以儲存格範圍 K2:L3 內的擷取條件，擷取儲存格範圍 B2:G50 表格中的資料。

巨集 12-21

```
Range("B2:G50").AdvancedFilter _
    Action:=xlFilterInPlace, CriteriaRange:=Range("K2:L3")
```

實例 以 **AdvancedFilter** 方法進行擷取

因為擷取條件寫在儲存格裡面了，程式碼變得相當簡潔。

此外，要轉錄資料時才能真正展現 AdvancedFilter 方法的價值。下列程式碼會依儲存格範圍 K2:L3 的擷取條件，擷取儲存格範圍 B2:G50 表格中的資料，並將擷取結果轉錄到「擷取結果」工作表中，以儲存格 B2 為起點的位置。

巨集 12-22

```
Range("B2:G50").AdvancedFilter _
    Action:=xlFilterCopy, CriteriaRange:=Range("K2:L3"), _
    CopyToRange:=Worksheets(" 擷取結果 ").Range("B2")
```

實例 以 AdvancedFilter 方法進行擷取並轉錄結果

	A	B	C	D	E	F	G	H
1								
2		ID	接單日	負責人	商品	單價	數量	
3		1	12/1	增田 宏樹	啤酒	1,820	100	
4		2	12/1	宮崎 陽平	水梨乾	3,900	10	
5		3	12/1	星野 啓太	印度奶茶	2,340	15	
6		4	12/2	前田 健司	巧克力	1,200	30	
7		5	12/2	增田 宏樹	巧克力	1,200	20	
8		6	12/2	三田 聰	白巧克力	390	40	
9		7	12/3	星野 啓太	巧克力	1,660	40	
10		8	12/3	增田 宏樹	微辣墨西哥辣醬	2,860	30	
11								

‹ › … │ 篩選日期值 │ 篩選設定 │ 擷取目的地 │ ⊕

轉錄擷取結果時，要將引數 **Action** 指定為「xlFilterCopy」，再以引數 **CopyToRange** 指定轉錄位置。想要如上例般轉錄到別的工作表也沒問題。

只要用如此簡單的程式碼，就能轉錄擷取結果（圖例中已調整了儲存格欄寬，但其實轉錄時並不會一併轉錄欄寬）。

和前面以 AutoFilter 方法擷取並複製結果的處理相比，程式碼的量變少了，看一眼就能掌握「啊，這就是我要的轉錄擷取結果」，就連速度都變快了。只是，要先在儲存格中寫好擷取條件。即使如此，仍然是十分有用的工具，還請多加利用。

只擷取必要欄位

若使用 AdvancedFilter 方法轉錄時，在引數 CopyToRange 指定的儲存格範圍中寫下「要擷取的資料欄位名稱」，那就只會轉錄名稱相符的欄位。

例如，在轉錄目的工作表的儲存格範圍 I2:J2 中，如下圖般寫下「負責人」、「數量」這兩個欄位的標題。

▶ 寫下欄位標題

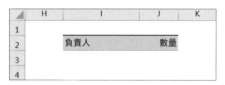

把這個儲存格範圍指定到引數 CopyToRange 中，再執行 AdvancedFilter 方法。下列程式碼中，會以儲存格範圍 K2:L3 內的擷取條件，擷取並轉錄儲存格範圍 B2:G50 表格（參閱 320 頁）中的資料。

巨集 12-23

```
Range("B2:G50").AdvancedFilter _
    Action:=xlFilterCopy, CriteriaRange:=Range("K2:L3"), _
    CopyToRange:=Worksheets(" 擷取結果 ").Range("I2:J2")
```

實例 轉錄時指定欲轉錄欄位

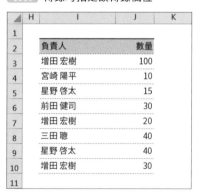

　如此一來，就會在滿足擷取條件的記錄中，只轉錄欄位名稱相符的資料。因此，若只是要從龐大的表格中轉錄所需欄位的話，會是個非常實用的工具。

　此外，即使是擷取全部資料，但如果先在轉錄目的位置內，將標題排列為所需的順序，就能快速做出欄位順序和原來表格不同的表格。

▶ **轉錄時更動欄位順序**

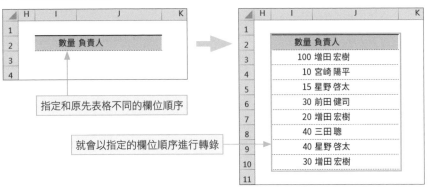

Column　拼湊擷取條件的思考流程

　使用 AdvancedFilter 方法上最大的難關，就是「不確定擷取條件該怎麼寫」。然而，只要能跨越這個難關，就是非常方便的工具了。所以這裡要介紹筆者本身撰寫擷取條件的思考流程。

　最初要整理想擷取哪些資料。此時筆者會使用「特定的」這個關鍵字，例如「接單日在特定月份的＋特定負責人的＋特定商品」。只要寫成自己可以接受的內容後，就把欄位名稱全部抓出來排成一列。

　接著以「一列寫一個條件」的思維來整理擷取條件。例如想從「負責人」欄位擷取「增田 宏樹」、「宮崎 陽平」這兩人的資料，原則是「一列一個人」，所以排成直的。

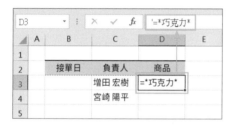

再來思考其他欄位的寫法。例如「商品」欄位中的目標是「針對增田要調查內含『巧克力』的資料，而宮崎並無特別條件」的情況下，就要在「增田」的同一列寫下表達「包含『巧克力』」的條件式。而「宮崎」並無特別條件，故留空。

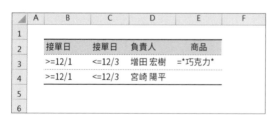

若條件式以等號開頭，需要將儲存格格式設定為「文字」，或者輸入時在最前面加上「'」（單引號）。

最後要在「接單日」欄位指定期間。例如「12/1 ～ 12/3」，按「一列一個條件」的原則，需要在同一列中寫下「12/1 以後」、「12/3 以前」兩個條件式，因此追加一個「接單日」欄位，寫成如下圖的條件式。

	A	B	C	D	E	F
1						
2		接單日	接單日	負責人	商品	
3		>=12/1	<=12/3	增田 宏樹	=*巧克力*	
4		>=12/1	<=12/3	宮崎 陽平		
5						
6						

無論「增田」或「宮崎」都是要擷取同一段時間的資料，所以按「一列寫一個條件」的原則寫下兩列相同期間，就完成了。

從「總之先寫下欄位名稱」開始，再遵循「一列寫一個條件」、「不需指定條件的地方可以留空」的規則，一點一點地拼湊出需要的擷取條件吧。

　　順帶一提，如果要擷取「空白儲存格」，那儲存格的值只要以文字輸入一個「=」即可。因此下圖的擷取條件就表示「『負責人』欄位中的未輸入（空白）資料」。

12-3　如何刪除重複的內容？

我們常常需要從已輸入的資料中，將沒有重複的資料抓出來建表（即不重複值列表）。來看看 VBA 提供了哪些手段解決這個問題。

▦ Dictionary 便於取得不重複值列表

若需求是只靠 VBA 程式碼製作不重複值列表，**Dictionary 物件**（158 頁）會是個很方便的工具。

例如下列程式碼，將儲存格範圍 B2:E5 中的不重複值製成一維陣列。

巨集 12-24

```
Dim rng As Range, uniqueList() As Variant, dic As Object
' 建立 Dictionary 物件
Set dic = CreateObject("Scripting.Dictionary")
' 遍歷儲存格範圍 B2:E5，並取出不重複值
For Each rng In Range("B2:E5")
    If Not dic.Exists(rng.Value) Then dic.Add rng.Value, "dummy"
Next
' 以陣列容納 Dictionary 物件的鍵值
uniqueList = dic.Keys
' 檢視陣列內容
MsgBox "不重複值：" & Join(uniqueList, ",")
```

利用 Dictionary 物件的 **Exists** 方法，可以檢查儲存格的值是否存在於 Dictionary 物件現有的鍵值內，若不存在就追加進去。只要最後取得所有鍵值，就能得到不重複值的列表了。

■ **Exists** 方法

```
Dictionary 物件 .Exists 鍵值
```

實例 取得不重複值

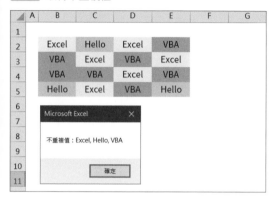

　　上述範例是遍歷儲存格範圍內的值，但其他型態的列表，也能用同樣的方法抓出所有不重複的值。

這不是有「移除重複項」的功能嗎？

　　其實有個正適合用於刪除工作表上重複資料的功能，就是「移除重複項」，光看名稱就知道用途了吧。**RemoveDuplicates** 方法可以透過 VBA 執行這個功能。

■ RemoveDuplicates 方法

> 目標儲存格範圍 .RemoveDuplicates 欲比較欄的資訊， 設定第一列是否為標題列

▶ RemoveDuplicates 方法的引數

引數	用途
Columns	指定要比較哪一欄。也能指定陣列以比較多個欄位
Header	以常數指定第一列是否為標題列。有標題列（xlYes）／無標題列（xlNo）／自動判斷（xlGuess）

　　例如，下圖在儲存格範圍 B2:F9 製作了一張可能有重複資料的表格。

▶ 有重複內容的資料

	訂單 ID	負責人	商品	價格	數量
	S-01	增田	蘋果	120	11
	S-02	宮崎	橘子	80	20
	S-02	宮崎	橘子	80	20
	S-03	星野	蘋果	120	20
	S-04	三田	葡萄	350	20
	S-05	三田	葡萄	350	20
	S-06	前田	蘋果	120	8

第二、第三筆資料一模一樣，而第五、第六筆資料只有「訂單 ID」不同，其他四個欄位卻完全相同。看上去像是同一筆交易不小心輸入了兩次。

若要以第一欄（訂單 ID）為基準刪除這張表中的重複資料，其程式碼如下。

巨集 12-25

```
Range("B2:F9").RemoveDuplicates Columns:=1, Header:=xlYes
```

實例 以第一欄為基準刪除重複資料

	訂單 ID	負責人	商品	價格	數量
	S-01	增田	蘋果	120	11
	S-02	宮崎	橘子	80	20
	S-03	星野	蘋果	120	20
	S-04	三田	葡萄	350	20
	S-05	三田	葡萄	350	20
	S-06	前田	蘋果	120	8

若要以第二～五欄為基準刪除重複資料，則程式碼如下。

巨集 12-26

```
Range("B2:F9").RemoveDuplicates Columns:=Array(2, 3, 4, 5), Header:=xlYes
```

實例　以第二～五欄為基準刪除重複資料

▲	A	B	C	D	E	F	G
1							
2		訂單 ID	負責人	商品	價格	數量	
3		S-01	增田	蘋果	120	11	
4		S-02	宮崎	橘子	80	20	
5		S-03	星野	蘋果	120	20	
6		S-04	三田	葡萄	350	20	
7		S-06	前田	蘋果	120	8	
8							

　　這樣就能指定要用哪一欄判斷「重複」，並刪除重複的資料了。此外，會留下的是每組「發生重複」的資料中，最上面的那筆資料。

「移除重複項」功能不可信的情況

　　剛剛介紹了利用 RemoveDuplicates 方法去除重複資料的方法，但其實在 Excel 2007 剛新增這個功能時，有「特定條件下重複值會刪不乾淨」的 Bug。儘管之後修正了這個錯誤，但依然會有結果不如預期的可能。

　　若使用 Excel 2016 以後的環境應該是沒問題，但如果還是會擔心，就自己寫一個刪除重複資料的處理吧。其實在思考這個處理怎麼寫的過程，也是一個逐漸掌握技能的方式。

　　那麼，要用什麼材料來判斷「重複」呢？如果是表格形式的資料，常將「特定欄位中具相同值的資料」判斷為重複資料。

　　按照這個想法，首先排序這個關鍵欄位，使相同值連續排在一起。下圖中針對「訂單 ID」欄位排序，排序後更容易比較其值。

▶ 排序關鍵欄位

	A	B	C	D
1				
2		訂單 ID	負責人	商品
3		S-04	三田	葡萄
4		S-05	三田	葡萄
5		S-02	星野	蘋果
6		S-06	前田	蘋果
7		S-01	增田	蘋果
8		S-02	宮崎	橘子
9		S-02	宮崎	橘子
10				

	A	B	C	D
1				
2		訂單 ID	負責人	商品
3		S-01	增田	蘋果
4		S-02	星野	蘋果
5		S-02	宮崎	橘子
6		S-02	宮崎	橘子
7		S-04	三田	葡萄
8		S-05	三田	葡萄
9		S-06	前田	蘋果
10				

接著遍歷整欄「訂單 ID」的值，以迴圈重複「如果和前一個值相同，就刪除這筆資料」的話應該就行了吧。依這個想法撰寫出下列程式碼，會先排序第一欄（訂單 ID），並刪除「訂單 ID」與前一筆記錄相同的記錄。

巨集 12-27

```
'宣告管理目標列的變數
Dim curRow As Long
'從「訂單 ID」欄的第二個資料開始向下進行迴圈
For curRow = 4 To 9
    Cells(curRow, "B").Select  ' 選取儲存格，讓使用者容易看出檢查到哪一筆資料
    '若值跟上一個儲存格相同，就刪除這筆資料
    If Cells(curRow, "B").Value = Cells(curRow - 1, "B").Value Then
        Range(Cells(curRow, "B"), Cells(curRow, "F")).Delete Shift:=xlShiftUp
    End If
Next
```

實例 排序關鍵欄位以刪除重複資料①

	A	B	C	D	E	F	G
1							
2		訂單 ID	負責人	商品	價格	數量	
3		S-01	增田	蘋果	120	11	
4		S-02	星野	蘋果	120	20	
5		S-02	宮崎	橘子	80	20	
6		S-04	三田	葡萄	350	20	
7		S-05	三田	葡萄	350	20	
8		S-06	前田	蘋果	120	8	
9							

　　但檢視執行結果時，發現並未順利刪除所有重複資料，這是為什麼呢？其實是因為若處理中有「刪除」這個動作，那由上而下進行迴圈的過程中，每次刪除時下方的資料就會發生位移。如果逐行執行上面的程式碼觀察其行為，就能理解這個機制了吧。

　　所以這種內含刪除動作的處理，才會綁定「從下往上反向進行迴圈」這個想法。

巨集 12-28

```
' 宣告管理目標列的變數
Dim curRow As Long
' 從「訂單 ID」欄末端的資料開始，向上進行迴圈到第二個資料為止
For curRow = 9 To 4 Step -1
    ' 若值跟上一個儲存格相同，就刪除這筆資料
    If Cells(curRow, "B").Value = Cells(curRow - 1, "B").Value Then
        Range(Cells(curRow, "B"), Cells(curRow, "F")).Delete
Shift:=xlShiftUp
    End If
Next
```

實例 排序關鍵欄位以刪除重複資料②

▲	A	B	C	D	E	F	G
1							
2		訂單 ID	負責人	商品	價格	數量	
3		S-01	增田	蘋果	120	11	
4		S-02	星野	蘋果	120	20	
5		S-04	三田	葡萄	350	20	
6		S-05	三田	葡萄	350	20	
7		S-06	前田	蘋果	120	8	
8							

　　改成由下而上進行迴圈後，就如我們所願刪除了所有重複資料。所以製作這種內含刪除動作的處理時，基本上只要按照「先排序再由下而上迴圈」的規則來寫，就能順利達成需求。範例中是預設資料已經過手動排序，但先用巨集自動排序也沒問題。

以多欄的值判斷重複

接著讓我們想想，若想要依據多欄的值來判斷是否重複，程式應該怎麼寫呢？

以下是一種利用 Dictionary 物件的方式。在 Dictionary 物件中記錄每筆資料時，把該筆資料內所有想用來判斷重複的欄中的值，連接成一個字串作為「鍵值」，並以該列列號為「值」。若要記錄鍵值時發現已存在於字典中，那就刪除字典中前一次記錄的列號所對應的該筆資料，以這個方針撰寫程式碼。下列程式碼會將 C、D、E、F 欄的值全部連接作為鍵值，以刪除重複資料。

巨集 12-29

```
Dim curRow As Long, dic As Object, tmpKey As String
' 建立 Dictionary 物件
Set dic = CreateObject("Scripting.Dictionary")
' 從末端資料開始，向上進行迴圈到第二個資料為止
For curRow = 9 To 4 Step -1
    ' 將目標列的 C、D、E、F 欄的資料連接成字串作為鍵值，和其列號一起記錄到字典中
    tmpKey = Cells(curRow, "C").Value & Cells(curRow, "D").Value & _
             Cells(curRow, "E").Value & Cells(curRow, "F").Value
    ' 若發生重複（已記錄過）的話，就刪除表格中的對應資料，並覆蓋字典中的記錄
    If dic.Exists(tmpKey) Then
        Range(Cells(dic(tmpKey), "B"), _
            Cells(dic(tmpKey), "F")).Delete xlShiftUp
        dic(tmpKey) = curRow
    Else
    ' 若未重複就新增這列資料
        dic.Add tmpKey, curRow
    End If
Next
```

實例 以多欄內容判斷並刪除重複資料

A	B	C	D	E	F	G
1						
2	訂單 ID	負責人	商品	價格	數量	
3	S-01	增田	蘋果	120	11	
4	S-02	宮崎	橘子	80	20	
5	S-02	宮崎	橘子	80	20	
6	S-03	星野	蘋果	120	20	
7	S-04	三田	葡萄	350	20	
8	S-05	三田	葡萄	350	20	
9	S-06	前田	蘋果	120	8	
10						

A	B	C	D	E	F	G
1						
2	訂單 ID	負責人	商品	價格	數量	
3	S-01	增田	蘋果	120	11	
4	S-02	宮崎	橘子	80	20	
5	S-03	星野	蘋果	120	20	
6	S-04	三田	葡萄	350	20	
7	S-06	前田	蘋果	120	8	
8						

　　雖然實作上有點硬來，但學會「將所有目標欄位連接起來的值，作為鍵值進行判定」這種想法的話，對以後很多比較記錄的情況都很有用。

12-4 統一資料格式

這節會介紹各種統一顯示格式的手法。其實以筆者的角度來看，這並非是那種賣相很好「能吸引人」的主題；反而像是需要穩紮穩打的基本功類型。

若需要正確處理資料，不可避免會遇到這個統一顯示格式的過程。這個過程雖然重要，但是既單調又費神，所以正適合用 VBA 一口氣解決掉。

可以用來統一或修正顯示格式的工具

在此，先舉幾個能對應各種需求的方式。

● 統一全半形、大小寫、平假名片假名

下列程式碼會將儲存格範圍 B3:B6 中的英文（目標 A）統一成半形，並將單字字首轉換成大寫。

巨集 12-30

```
Dim rng As Range
For Each rng In Range("B3:B6")
    rng.Value = StrConv(rng.Value, vbNarrow + vbProperCase)
Next
```

下列程式碼會將儲存格範圍 D3:D6 中輸入的文字統一成全形，並以大寫顯示。

巨集 12-31

```
Dim rng As Range
For Each rng In Range("D3:D6")
    rng.Value = StrConv(rng.Value, vbUpperCase + vbWide)
Next
```

實例 統一全半形、大小寫

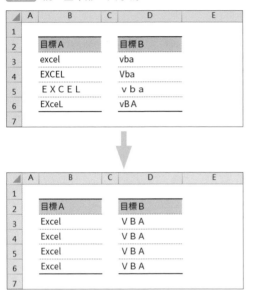

使用 **StrConv** 函數可以轉換字串形式，詳細說明請參照 111 頁。

● 將英文、數字統一成半形，片假名統一成全形

下列程式碼會將所有儲存格範圍 B3:B6 內資料的英文、數字統一成半形，片假名統一成全形。而處理完半形英文、數字後，就要用上 **PHONETIC** 工作表函數了。

巨集 12-32

```
Dim rng As Range
For Each rng In Range("B3:B6")
    ' 先將內容全部統一成半形、大寫
    rng.Value = StrConv(rng.Value, vbNarrow + vbUpperCase)
    ' 以 PHONETIC 工作表函數取得片假名表示法，再取代儲存格中的值
    rng.Value = Application.WorksheetFunction.Phonetic(rng)
Next
```

實例 英文、數字統一成半形，片假名統一成全形

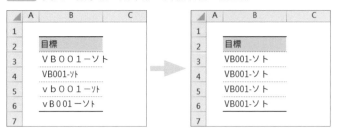

上述程式碼利用了「PHONETIC 函數能將半形日文讀音回傳為全形，並以片假名表示」這個性質。

● 將數值統一顯示為特定 ID 形式等

下列程式碼會取出儲存格範圍 B3:B6 範圍資料中的數值，並轉換為 ID 形式。

巨集 12-33

```
Dim rng As Range
For Each rng In Range("B3:B6")
    ' 如果資料內容能視為數值，就套用 Format
    If IsNumeric(rng.Value) Then
        rng.Value = Format(Val(StrConv(rng.Value, vbNarrow)), "VB-000")
    End If
Next
```

實例 將數值統一轉換為 ID 等形式

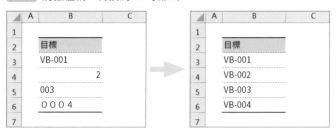

將數值轉換為 ID 形式時會用到 **Format** 函數（112 頁）等方式。

● 只取出資料內的數值

下列程式碼會針對儲存格範圍 B3:B6 中輸入的資料，只取出裡面的數值。

巨集 12-34

```
Dim rng As Range, regExpObj As Object, tmpMatches As Object
Set regExpObj = CreateObject("VBScript.RegExp")
' 設定為能夠只取出數值的模式字串
regExpObj.Global = True
regExpObj.Pattern = "\d[ \.\d]*"
' 匹配儲存格範圍內的值，若成功匹配就取代回儲存格中
For Each rng In Range("B3:B6")
    Set tmpMatches = regExpObj.Execute(StrConv(rng.Value, vbNarrow))
    If tmpMatches.Count > 0 Then
        rng.Value = tmpMatches(0).Value
    End If
Next
```

實例 只取出資料內的數值

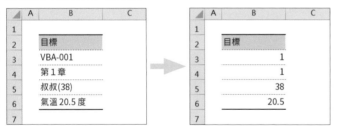

只取出數值的程式碼運用了 **RegExp** 物件（114 頁）以使用正規表示式。

● 設法將被轉為序列值的值還原成文字

像是輸入「01-01」卻被自動轉換成「1 月 1 日」這種情況，可以用 **Format**
函數強迫還原回去。下列程式碼會將儲存格範圍 B3:B6 中輸入的序列值轉換為
文字。

巨集 12-35

```
Dim rng As Range
For Each rng In Range("B3:B6")
    ' 以 Format 函數取出「月、日」資訊
    rng.Value = Format(rng.Value, "'mm-dd")
Next
```

實例 將被轉換成序列值的值還原成文字

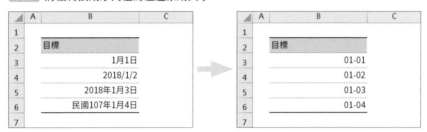

還原時在格式字串的最前面加上了「'（單引號）」，使其輸入時被 Excel 視為文字。

使用「取代」功能一次修正所有項目

下圖中每列的公司及負責人名稱都相同，但表示法卻各自相異。試著一口氣修正這種同樣內容卻有不同表示法的問題吧。

▶ 要統一不同的表示法

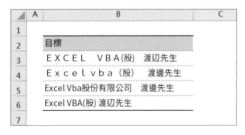

首先要在儲存格上分別製作修正前、修正後的值清單。這個例子中想將表示法統一為「Excel VBA（股）渡邊先生」。

▶ 修正清單

	C	D	E	F
1				
2		修正前	修正後	
3		Excel	Excel	
4		VBA	VBA	
5		渡辺	渡邊	
6		(股)	(股)	
7		股份有限公司	(股)	
8				
9				

　　最後一列從圖上看不出來，儲存格 D8 是「全形空格」，儲存格 E8 則是「半形空格」，也就是「將空格統一成半形」的動作。

　　準備好這張修正清單後，就能利用從 VBA 執行「取代」功能的 **Replace** 方法（347 頁），遍歷整個修正清單並取代所有內容。

　　下列程式碼會以儲存格範圍 D3:D8 的修正清單為標準，取代儲存格範圍 B3:B6 中的所有資料。

巨集 12-36

```
Dim sourceRng As Range, replaceTable() As Variant, i As Long
' 設定欲取代範圍
Set sourceRng = Range("B3:B6")
' 設定取代清單
replaceTable = Range("D3:E8").Value
' 執行取代
For i = 1 To UBound(replaceTable)
    sourceRng.Replace LookAt:=xlPart, _
                      What:=replaceTable(i, 1), _
                      Replacement:=replaceTable(i, 2), _
                      MatchCase:=False, _
                      MatchByte:=False
Next
```

實例 以取代功能統一表示法

列在清單中的修正項目全都取代完成了呢。因為統一表示法的原則全部寫在儲存格中，優點就是能直接看出做了什麼樣的修正。

另外，關於 Replace 各種引數的設定，請參照 348 頁。

Column 是不是還忘了「日文讀音」？

日文語系下的 Excel 儲存格會保留漢字的日文讀音。進行排序時要特別注意。

如果要一口氣去除所有資料的日文讀音，只要寫個「儲存格範圍 .Value= 儲存格範圍 .Value」就可以了。Value 屬性的值並不包含日文讀音，所以執行後僅會保留儲存格內的值，並刪除日文讀音的資訊。下列程式碼會清除儲存格 A1:C10 的日文讀音。

巨集 12-37

```
Range("A1:C1").Value = Range("A1:C1").Value
```

只是若指定像「Cells.Value = Cells.Value」這種過大的儲存格範圍會發生錯誤。所以在清除日文讀音時，記得控制一次要處理的儲存格數量。

以搜尋來尋找目標資料

處理資料時和排序、擷取同樣重要的功能，就是「尋找」及「取代」了。這兩個功能分別能利用定義在 Range 物件上的 **Find** 方法及 **Replace** 方法來操作。

■ 以 Find 方法進行尋找

對目標儲存格範圍使用 Find 方法進行尋找時，要指定下列引數再執行。

■ **Find 方法**

```
目標儲存格範圍 .Find 尋找目標 [, 各種引數 := 值 ]
```

▶ Find 方法的引數

引數	說明
What	指定尋找目標。必須指定
After	指定開始搜尋的基準儲存格。會從這個儲存格的「下一個儲存格」開始搜尋
LookIn	指定搜尋對象為 xlValues（儲存格內容）、xlFormulas（公式）、xlNotes（註解）
LookAt	指定搜尋方法為 xlWhole（完全相符）、xlPart（部分相符）
SearchOrder	指定搜尋優先方向為 xlByRows（循列方向）、xlByColumns（循欄方向）
SearchDirection	指定搜尋方向為 xlNext（由上至下）、xlPrevious（由下至上）
MatchCase	指定大小寫是否須相符。True（須相符）、False（不須相符）
MatchByte	指定全半形是否須相符。True（須相符）、False（不須相符）
SearchFormat	指定是否進行格式搜尋。True（是）、False（否）

必須指定的引數只有指定尋找目標的 **What**。若省略後面的引數，就會沿用「尋找及取代」對話框的設定，或是上一次的搜尋設定。

此外，Find 方法會以 Range 物件回傳「與搜尋條件相符的儲存格」，未找到則會回傳「Nothing」。這個機制有以下這些基本的使用方式。

■ **以 Find 方法進行尋找**

```
Dim 儲存格 As Range
Set 儲存格 = 目標儲存格範圍 .Find(利用各種引數進行設定)
If Not 儲存格 Is Nothing Then
     有找到尋找目標的處理
Else
     未找到尋找目標的處理
End If
```

如果確定百分之百能找到目標，那也可以寫成下面這麼簡單的程式碼。下列程式碼會移動到輸入了「Excel」的儲存格。

巨集 12-38

```
Application.GoTo Cells.Find("Excel")
```

如果要把「未找到尋找目標時」的處理仔細寫出來的話，程式碼就會長一些。下列程式碼會在 C 欄中尋找所有值為「古川」的儲存格，並選取第一個找到的儲存格。

巨集 12-39

```
Dim findCell As Range
'以變數接收 Find 方法的結果
Set findCell = Columns("C").Find(What:=" 古川 ")
'不是 Nothing 就表示找到了目標儲存格
If Not findCell Is Nothing Then
    findCell.Select
    MsgBox " 已找到目標：" & findCell.Address
Else
    MsgBox " 未找到目標儲存格 "
End If
```

實例 選取第一個找到的儲存格

■■ 該如何進行「全部搜尋」

　　在 Find 方法指定引數進行搜尋後，會回傳「第一個找到的儲存格」。倘若有多個儲存格符合搜尋條件，要如何取得所有的相符儲存格呢？

　　其實只要使用對應一般功能中「找下一個」的 **FindNext** 方法，就能抓出所有相符儲存格了。

■ FindNext 方法

```
儲存格範圍 .FindNext(After:= 作為搜尋基準的儲存格 )
```

　　FindNext 方法會「套用與先前同樣的搜尋條件，從指定到引數中的儲存格的『下一個儲存格』開始搜尋」。引數中通常會指定前次搜尋所找到的儲存格，而避免重複找到同一個儲存格了。

　　下列程式碼會在 C 欄尋找值為「古川」的儲存格，若找到就改變該儲存格的背景色。

巨集 12-40

```
Dim findCell As Range, firstCell As Range, targetRng As Range
' 設定搜尋範圍
Set targetRng = Columns("C")
' 第一次搜尋使用 Find 方法
Set findCell = targetRng.Find(What:=" 古川 ")
' 要是沒找到就結束處理
If findCell Is Nothing Then
    MsgBox " 未找到目標儲存格 "
    Exit Sub
End If
' 記錄第一次搜尋找到的儲存格
Set firstCell = findCell
' 第二次以後的搜尋使用 FindNext 方法
Do
    ' 撰寫針對找到的儲存格的處理 ( 本例中為變更背景色 )
    findCell.Interior.ThemeColor = msoThemeColorAccent4
    ' 尋找「下一個儲存格」
    Set findCell = targetRng.FindNext(After:=findCell)
Loop Until findCell.Address = firstCell.Address
```

實例 搜尋全部

	A	B	C	D	E	F
1						
2		ID	負責人	課程	備註	
3		1	古川	Excel 一般功能	公式、函數與圖表製作	
4		2	中山	Word 一般功能	單頁文書的製作方式	
5		3	山崎	Access 一般功能	介紹資料表、查詢、報告的基礎	
6		4	那須	資料庫概述	從 Excel、Access 中的表格資料製作開始教學	
7		5	古川	Excel VBA	從物件概述介紹到控制結構	
8		6	中山	Word 進階	以如何製作有階層構造的文件為主	
9		7	山崎	Access VBA	結合巨集功能進行學習	
10		8	那須	SQL 敘述	包含如何用在 Excel 與 Access 中的範例	
11		9	吉原	PowerPoint 一般功能	連同簡報的方式在內都會學習	
12		10	宇都宮	資訊系統基礎	從滑鼠、鍵盤的使用方式開始教學	
13						

所以若想用這個方式製作「搜尋全部」的處理：

① 記錄指向最初找到的儲存格的引用

② 第一次搜尋用 Find，之後的搜尋用迴圈執行 FindNext 直至滿足終止
條件

③ 設定迴圈的終止條件為「找到的目標儲存格和最初找到的是同一個儲存
格」，就判定「全部找過一輪」而終止迴圈

④ 雖然想用 Is 運算子來比較儲存格是否相同，但因為 Range 物件比較特
別而無法比較（75 頁），因此要改用比較儲存格位址等方式

在寫程式的時候要注意上面幾個地方。

只要掌握上面幾個要點，寫出第一次程式碼後，就可以拿來作為模板，用
於所有需要「搜尋全部」的處理上。所以第一次寫還是得努力弄懂這個機制，
這樣以後就只需要複製並修改一些地方，使它符合需求就好。如果想要應用這
個模式，寫成「搜尋所有工作表」或「搜尋所有活頁簿」也是沒問題的。

Column　若變更儲存格的值，終止條件也會隨之改變

在前文的範例中，找到搜尋結果後只做了「上色」這個動作，也就是沒有變更
其值。說得更明白一點，「只要找完一輪，下一次就一定會找到這個儲存格」。

但如果像是「搜尋後要清除相符儲存格」這類，在處理過程中會改變儲存格的
值的情況就不一樣了。這時終止條件要改成「FindNext 的結果為 Nothing（即找不
到目標儲存格時）」。以上面的程式碼為例，就是「Loop Until findCell.Address =
firstCell.Address」的部分要改成「Loop Until findCell Is Nothing」。

▊ 以 Replace 方法進行取代

以 VBA 執行「取代」功能的 **Replace** 方法，指定以下引數後就可以用於
想取代的儲存格當中。

▆ Replace 方法

```
目標儲存格範圍 .Replace 尋找目標， 取代成何值 [, 各種引數 := 值 ]
```

必須指定的引數有指定尋找目標的 **What**，還有指定要取代成何值的
Replacement。若省略後面的引數，則會沿用「尋找與取代」對話框的設定，
或是上一次的取代設定。

▶ **Replace 方法的引數**

引數	説明
What	指定尋找目標。必須指定
Replacement	要取代成何值。必須指定
LookAt	指定搜尋方法為 xlWhole（完全相符）、xlPart（部分相符）
SearchOrder	指定搜尋優先方向為 xlByRows（循列方向）、xlByColumns（循欄方向）
MatchCase	指定大小寫是否須相符。True（須相符）、False（不須相符）
MatchByte	指定全半形是否須相符。True（須相符）、False（不須相符）
SearchFormat	指定是否進行格式搜尋。True（是）、False（否）
ReplaceFormat	指定是否取代格式。True（取代）、False（不取代）

下列程式碼會將儲存格範圍 B2:E12 中的「試算表」全部取代為「Excel」。

巨集 12-41

```
Range("B2:E12").Replace _
    What:=" 試算表 ", Replacement:="Excel", LookAt:=xlPart
```

實例 使用 Replace 進行取代

Chapter 13

處理其他活頁簿
的資料

本章將會介紹如何處理「其他檔案」的資料。有時資料可能保存在其他活
頁簿、文字檔等各種檔案中,因此會著重介紹如何利用 VBA 來取得這些檔
案中的資料。

13-1　如何取得其他活頁簿的資料

所需的資料如果分散在多個不同活頁簿裡，自然就會產生集中資料的需求。但人工來做這件事又很費時，這時就該輪到 VBA 出場了。

基本上是先開啟再存取

處理其他活頁簿資料的基本方式是「取得目標活頁簿的 **Workbook** 物件，並藉此物件操作目標活頁簿」。如果目標活頁簿已開啟，可以直接透過 **Workbooks** 集合取得其物件。下列程式碼會存取開啟中的活頁簿「分店 A.xlsx」，並輸入「Hello」到第一張工作表的儲存格 A1 內。

巨集 13-1

```
Workbooks("分店A.xlsx").Worksheets(1).Range("A1").Value = "Hello"
```

而當目標活頁簿未開啟，就必須先開啟該活頁簿才能存取。即使只是想要裡面的資料，基本操作依然是「先開啟活頁簿，取得資料後再關閉」。

開啟其他活頁簿的典型操作

傳遞活頁簿的儲存路徑到 Workbooks 集合的 **Open** 方法中再執行，就能開啟目標活頁簿。

■ Open 方法

```
Workbooks.Open 目標活頁簿儲存路徑
```

此外，Open 方法會在開啟活頁簿後，回傳該活頁簿的 Workbook 物件。只要將回傳值設定到變數中，就可以透過變數操作剛才開啟的活頁簿。

■ 結合 Open 方法與變數

```
Dim 變數 As Workbook
Set 變數 = Workbooks.Open( 活頁簿儲存路徑 )
```

　　下列程式碼會開啟「C:\excel」資料夾內的「分店資料 .xlsx」，並輸入「Hello」到儲存格 A1 內。

▶ 欲操作活頁簿的儲存位置

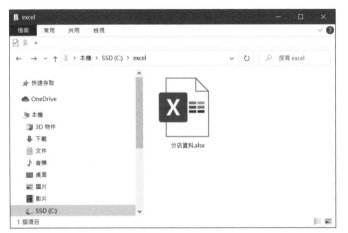

巨集 13-2

```
Dim dataBook As Workbook
Set dataBook = Workbooks.Open("C:\excel\ 分店資料 .xlsx") dataBook.
Worksheets(1).Range("A1").Value = "Hello"
```

開啟活頁簿後的注意事項

　　執行開啟活頁簿這類操作時，得注意「當前活頁簿會改變」這件事。

　　以 Open 方法開啟活頁簿後，當前活頁簿就會轉為剛開啟的活頁簿。若未注意這個機制可能會引起以下這種問題。下列程式碼是要開啟「C:\excel」資料夾內的「分店資料 .xlsx」，並將其中儲存格範圍 B2:G7 內的資料，轉錄至原先活頁簿中以儲存格 B2 為起點的位置。

巨集 13-3

```
Dim dataBook As Workbook
'開啟活頁簿
Set dataBook = Workbooks.Open("C:\excel\ 分店資料 .xlsx")
'複製已開啟活頁簿上的資料
dataBook.Worksheets(1).Range("B2:G7").Copy
'「想要」轉錄資料到原先活頁簿中儲存格 B2 的程式碼
Range("B2").PasteSpecial xlPasteAll
```

上述程式碼想完成的是「開啟存有資料的活頁簿，並將該活頁簿內特定儲存格範圍，轉錄到執行巨集時的當前工作表中」。問題就出在最後一行的「Range("B2")」上，Range 這個屬性用於取得「當前工作表上的儲存格」，但在開啟活頁簿後，當前工作表就轉為剛開啟活頁簿內的工作表了。

也就是說，這個程式碼在「複製已開啟活頁簿內，第一張工作表上的儲存格範圍」後，會直接「把內容貼到同一個活頁簿內，當前工作表上的儲存格 B2」。

若要修正上述問題，只需將程式碼改為在開啟目標活頁簿前，先以變數記錄「當前工作表」，貼上時再透過此變數指定儲存格。

巨集 13-4

```
Dim targetSheet As Worksheet, dataBook As Workbook
'記錄開始執行時的當前工作表
Set targetSheet = ActiveSheet
'開啟活頁簿
Set dataBook = Workbooks.Open("C:\excel\ 分店資料 .xlsx")
'複製已開啟活頁簿上的資料
dataBook.Worksheets(1).Range("B2:G7").Copy
'將資料貼到最初記錄的工作表上
targetSheet.Range("B2").PasteSpecial xlPasteAll
```

此外，若是要轉貼資料到「巨集所在的活頁簿」內的工作表，使用 ThisWorkbook 屬性會更方便。ThisWorkbook 屬性固定回傳「此巨集所在的活頁簿」，而不受當前工作表影響。

　　下列程式碼會開啟「C:\excel」資料夾內的「分店資料 .xlsx」，並將第一張工作表上從儲存格 B2 開始的儲存格範圍，轉錄至巨集所在的活頁簿後，再關閉剛剛開啟的活頁簿。

巨集 13-5

```
Dim dataBook As Workbook
' 開啟活頁簿
Set dataBook = Workbooks.Open("C:\excel\ 分店資料 .xlsx")
' 複製已開啟活頁簿的資料
dataBook.Worksheets(1).Range("B2").CurrentRegion.Copy
' 將資料貼到巨集所在的活頁簿內
ThisWorkbook.Worksheets(1).Range("B2").PasteSpecial xlPasteAll
' 關閉活頁簿
dataBook.Close
```

Column　轉錄時不顯示開啟活頁簿的動作

　　「開啟活頁簿，待轉錄完成再關閉」這一連串動作其實不會花多少時間，但還是會在螢幕上看到活頁簿瞬間開啟才關閉，亦即畫面會閃個幾下。如果過程中不想見到畫面閃爍的話，可以用 **ScreenUpdating** 屬性暫時關閉螢幕更新，詳情請參閱 444 頁。

■■ 實用的相對路徑寫法

　　在指定活頁簿路徑時，最好記住 Workbook 物件上 **Path** 屬性的用法。Path 屬性會回傳某個活頁簿所在資料夾的路徑。以下程式碼會取得巨集所在活頁簿的路徑，並顯示於訊息方塊中，請將活頁簿儲存到任意資料夾內再執行。

巨集 13-6

```
MsgBox " 路徑：" & ThisWorkbook.Path
```

實例 **顯示活頁簿路徑**

　　只要利用這個值，要寫出「與某活頁簿位於相同資料夾內的活頁簿」的路徑就簡單了。例如「分店資料 .xlsx」與巨集所在的活頁簿位於相同資料夾，其路徑就能用「ThisWorkbook.Path &"\ 分店資料 .xlsx"」表示。有些需要移動檔案的情形，例如「在桌面新增資料夾，將正在進行的業務檔案放進去處理，待完成後再移動到備份用資料夾中」這種，因為能以特定活頁簿的路徑為基準撰寫相對路徑，因此不需修改程式碼就能解決需求。

■ 要如何關閉活頁簿？

　　利用 **Close** 方法，就可以關閉特定活頁簿。

■ **Close 方法**

```
Workbook 物件 .Close [SaveChanges]
```

　　下列程式碼會關閉當前活頁簿。

巨集 13-7

```
ActiveWorkbook.Close
```

　　此外，若要關閉的活頁簿內容曾經修改，執行 Close 方法時會彈出詢問是否儲存的訊息。若執行 Close 方法時指定引數 **SaveChanges** 為「False」，就是「不儲存變更直接關閉活頁簿」。下列程式碼將不儲存變更直接關閉當前活頁簿。

巨集 13-8

```
ActiveWorkbook.Close SaveChanges:=False
```

　　反之，指定引數 SaveChanges 為「True」，就會儲存並覆蓋檔案內容。下列程式碼會儲存並關閉當前活頁簿。

巨集 13-9

```
ActiveWorkbook.Close SaveChanges:=True
```

　　此時同樣不會彈出確認訊息。

▓▓ 儲存活頁簿的三種方式

　　使用 Save 方法，會在存檔時覆蓋已存在的活頁簿。

■ **Save 方法**

```
Workbook 物件 .Save
```

　　下列程式碼會儲存並覆蓋當前活頁簿。

巨集 13-10

```
ActiveWorkbook.Save
```

　　利用 SaveAs 方法，就能將尚未儲存或現有的活頁簿「命名並儲存」。需要在引數 Filename 中以完整路徑指定活頁簿名稱。

■ **SaveAs 方法**

```
Workbook 物件 .SaveAs Filename
```

　　下列程式碼會將當前活頁簿儲存為「C:\excel\ 備份 \ 營業額資料 .xlsx」這個含路徑的檔案名稱。

巨集 13-11

```
ActiveWorkbook.SaveAs Filename:="C:\excel\ 備份 \ 營業額資料 .xlsx"
```

實例 命名並儲存活頁簿

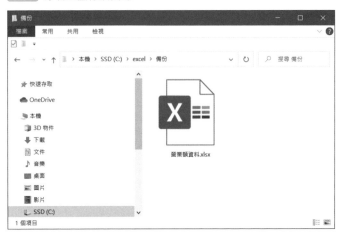

　　在指定路徑字串時，不一定要一次寫完檔名，可以先寫到指定資料夾的部份，之後再連接到指定檔案名稱前即可。下列程式碼會先寫好資料夾「C:\excel\ 備份」這個路徑，再連接到活頁簿名稱「營業額資料 .xlsx」並儲存。

巨集 13-12

```
' 寫好要儲存的資料夾位址字串
Dim folderPath As String
folderPath = "C:\excel\ 備份 "
' 連接到活頁簿名稱形成完整路徑，再儲存
ActiveWorkbook.SaveAs Filename:=folderPath & "\ 營業額資料 .xlsx"
```

　　使用 SaveCopyAs 方法可以儲存活頁簿的副本，可用於備份檔案等情況。與 **SaveAs** 方法相同，以引數 **Filename** 指定複製後的活頁簿副本名稱。

■ **SaveCopyAs** 方法

```
Workbook 物件 .SaveCopyAs Filename[, 密碼 ]
```

　　下列程式碼會在當前活頁簿名稱後加上「_ 年月日」，並另存副本到當前活頁簿所在的資料夾內。

巨集 13-13

```
Dim newName As String
'，寫出在活頁簿名稱後加上日期的位址字串
newName = Split(ActiveWorkbook.FullName, ".")(0)
newName = newName & Format(Date, "_yyyymmdd.xl\sx")
'，將當前活頁簿的副本以上述位址儲存
ActiveWorkbook.SaveCopyAs Filename:=newName
```

實例 複製活頁簿並儲存

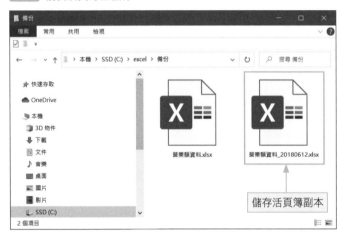

以密碼加密儲存活頁簿

在 SaveAs 方法的引數 **Password** 中指定要當作密碼的字串，就能以密碼加密儲存活頁簿。下列程式碼會以「pass」這個密碼加密儲存當前活頁簿。另外，若要儲存檔案的資料夾（目錄）設定了存取權限，可能會無法執行。

巨集 13-14

```
ActiveWorkbook.SaveAs _
    Filename:="C:\excel\備份\營業額資料.xlsx", _
    Password:="pass"
```

實例 儲存活頁簿時以密碼加密

經此方式儲存的活頁簿，在開啟時會要求輸入密碼。而在 **Open** 方法的引
數 **Password** 中指定密碼字串後，就能用巨集開啟以密碼加密的活頁簿。

巨集 13-15

```
Workbooks.Open _
    Filename:="C:\excel\ 備份 \ 營業額資料 .xlsx", _
    Password:="pass"
```

Column　預留位置的跳脫字元

巨集 13-13 的程式碼中，在以日期產生檔案名稱時，利用了 Format 函數。此
時在添加副檔名「xlsx」時寫成了「xl\sx」這樣，在「s」前面擺了一個「\」的形
式。這是因為「s」在函數中是表達「秒」的預留位置，如果要使用的是「s」這個
文字本身，就必須在前面加上「\」使其跳脫上述意義。

13-2　一次處理多個活頁簿

來思考如何將散佈於多個活頁簿內的資料「匯集到一個活頁簿內的處理」。首先要介紹如何集中已開啟活頁簿內的資料，再推廣到能夠一口氣解決未開啟活頁簿，或是特定資料夾內所有活頁簿的方式。

將待處理活頁簿列成表再迴圈

基本思維都是「將待處理活頁簿製成列表，再進行迴圈」。在製作列表時，與其做成「Workbook 物件列表」，不如製作「活頁簿名稱列表」更為簡單方便。關於列表的資訊請參閱 147 頁。

如下圖所示，開啟了「分店 A.xlsx」、「分店 B.xlsx」、「分店 C.xlsx」三個活頁簿，均有表格形式的資料，儲存在「營業額」工作表上以儲存格 B2 為起點的位置。

▶ 三個活頁簿

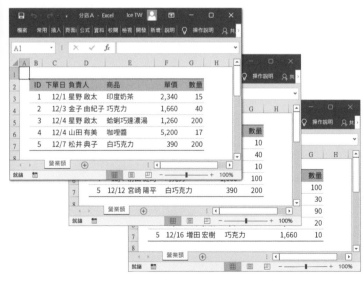

　　試著集中這些資料到特定活頁簿的「統計」工作表中，本例所使用的「統計」工作表如下圖，已經預先輸入了標題列。

▶ 統計資料的活頁簿

　　下列程式碼會針對已開啟的「分店 A.xlsx」、「分店 B.xlsx」、「分店 C.xlsx」三個活頁簿，分別複製其「營業額」工作表上以儲存格 B2 為起點的範圍，再將資料轉錄到「統計」工作表的儲存格中。

巨集 13-16

```
Dim bookNameList() As Variant, tmpName As Variant
Dim copyRng As Range, pasteRng As Range
' 將活頁簿名稱製成列表
bookNameList = Array(" 分店 A .xlsx", " 分店 B .xlsx", " 分店 C .xlsx")
' 對上述列表進行迴圈
For Each tmpName In bookNameList
    ' 取得每個活頁簿內「營業額」工作表上從儲存格 B2 開始的表格
    Set copyRng = _
        Workbooks(tmpName). _
        Worksheets(" 營業額 ").Range("B2").CurrentRegion
    ' 在巨集所在活頁簿內，取得「統計」工作表上 B 欄可以開始轉錄的位置
    Set pasteRng = _
        ThisWorkbook.Worksheets(" 統計 "). _
        Cells(Rows.Count, "B").End(xlUp).Offset(1)
    ' 複製標題列以外的資料範圍
    copyRng.Rows("2:" & copyRng.Rows.Count).Copy
    ' 以開始轉錄的位置為起點，只貼上複製資料的值
    pasteRng.PasteSpecial xlPasteValues
Next
```

實例 集中已開啟活頁簿的資料

上述處理過程使用 Array 函數（147 頁）製作活頁簿名稱列表，並以 ForEach 敘述對此列表進行迴圈。注意迴圈內「Workbooks（tmpName）」的部分，將每個設定到變數 tmpName 中的活頁簿名稱用在 For Each 敘述中，以操作列表中的活頁簿。

剩下的部分説簡單點就是複製再轉錄。這次複製的是各活頁簿內標題列以外的資料範圍，也可以隨自己的需求修改這些針對活頁簿的處理。

統計所有未開啟的活頁簿

接下來要介紹如何處理未開啟的活頁簿。基本流程依舊是「列出列表→進行迴圈」，但要外加開啟與關閉活頁簿的動作。若執行巨集的活頁簿同資料夾內有「分店 A.xlsx」、「分店 B.xlsx」、「分店 C.xlsx」，下列程式碼會分別複製這三個活頁簿中的「營業額」工作表上以儲存格 B2 為起點的資料，再貼到原先活頁簿內的「統計」工作表上。

巨集 13-17

```
Dim bookPathList() As Variant, tmpPath As Variant
Dim tmpBook As Workbook, copyRng As Range, pasteRng As Range
，將活頁簿的路徑字串製成列表
bookPathList = Array( _
    ThisWorkbook.Path & "\分店A.xlsx", _
```

```
    ThisWorkbook.Path & "\ 分店 B .xlsx", _
    ThisWorkbook.Path & "\ 分店 C .xlsx" _
)
' 對上述列表進行迴圈
For Each tmpPath In bookPathList
    ' 開啟每個活頁簿
    Set tmpBook = Workbooks.Open(tmpPath)
    ' 複製「營業額」工作表的資料再貼到目標工作表上
    Set copyRng = tmpBook.Worksheets(" 營業額 ").Range("B2").CurrentRegion
    Set pasteRng = ThisWorkbook.Worksheets(" 統計 "). _
        Cells(Rows.Count, "B").End(xlUp).Offset(1)
    copyRng.Rows("2:" & copyRng.Rows.Count).Copy
    pasteRng.PasteSpecial xlPasteValues
    ' 關閉活頁簿
    tmpBook.Close
Next
```

　　將活頁簿的路徑字串製成列表，再利用 For Each 敘述進行迴圈。迴圈內利用列表內的值開啟活頁簿，複製完資料後再關閉活頁簿。

　　這段「製作路徑列表→開啟活頁簿→針對活頁簿處理→關閉活頁簿」的流程，就是批次處理未開啟活頁簿的基本流程。

▓ 統計特定資料夾的活頁簿

　　最後來看看要怎麼一口氣統計特定資料夾內的 Excel 活頁簿吧。例如存在「統計用」資料夾，與撰寫巨集的活頁簿位於同一階層。

▶ 「統計用」資料夾的內容

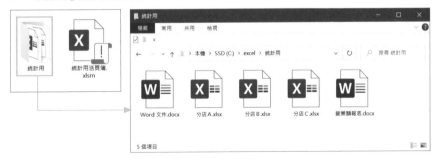

　　除了 Excel 活頁簿之外，「統計用」資料夾內還有一些其他檔案。若能自動抓出 Excel 活頁簿的路徑列表，就能用前一節介紹的方式統計這些活頁簿了。也就是說，需要學會的只剩下「如何將整個資料夾內的活頁簿製成路徑字串列表」。

　　所以在此要來製作巨集，以求列出指定資料夾內的 Excel 活頁簿（副檔名為「xlsx」的檔案）。能完成需求的方法很多，這次採用 **FileSystemObject** 物件（366 頁）撰寫程式碼如下。下列程式碼會將「統計用」資料夾內所有的 Excel 活頁簿路徑製成列表。請在與「統計用」資料夾位於同資料夾的活頁簿中執行此巨集。

巨集 13-18

```
Dim fso As Object, dic As Object
Dim tmpFile As Object, tmpExtension As String
' 建立 FileSystemObject 及 Dictionary 物件
Set fso = CreateObject("Scripting.FileSystemObject")
Set dic = CreateObject("Scripting.Dictionary")
' 將「統計用」資料夾內，副檔名為「xlsx」的檔案路徑新增到字典中
With fso.GetFolder(ThisWorkbook.Path & "\ 統計用 ")
    For Each tmpFile In .Files
        tmpExtension = fso.GetExtensionName(tmpFile)
        If tmpExtension = "xlsx" Then
            dic.Add tmpFile.Path, "dummy"
        End If
    Next
End With
' 檢視字典中的列表
Debug.Print Join(dic.Keys, vbCrLf)
```

實例 資料夾內所有 **Excel** 活頁簿的列表

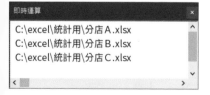

FileSystemObject 的使用方式，請參閱 366 頁之後的解說。

Column　將製作列表的處理化為函數

將資料夾內的 Excel 活頁簿製成列表的程式，內容是「利用 FileSystemObject 將所有『統計用』資料夾內副檔名為『xlsx』的檔案新增到 Dictionary 物件中，再以一維陣列的形式取出」。

試著將上述流程寫成函數吧。

巨集 13-19

```
Function getBookPathList(folderPath As String) As Variant
    Dim dic As Object, tmpFile As Object, tmpExtension As String
    Set dic = CreateObject("Scripting.Dictionary")
    '在引數中指定的資料夾內，
    '將副檔名為「xlsx」的檔案路徑新增到字典中
    With CreateObject("Scripting.FileSystemObject")
        For Each tmpFile In .GetFolder(folderPath).Files
            tmpExtension = .GetExtensionName(tmpFile)
            If tmpExtension = "xlsx" Then dic.Add tmpFile.Path, "dummy"
        Next
    End With
    getBookPathList = dic.Keys
End Function
```

這樣做出來的函數「getBookPathList」就會在引數中指定的資料夾內，僅挑出 Excel 活頁簿，並以一維陣列的形式回傳路徑列表。361 頁的程式碼（巨集 13-17）中，若使用這個函數來實作路徑列表，就不需更動後面的程式碼，直接能統計整個「統計用」資料夾內的 Excel 活頁簿。

巨集 13-20

```
Dim bookPathList() As Variant, tmpPath As Variant
Dim tmpBook As Workbook, copyRng As Range, pasteRng As Range
'將活頁簿的路徑字串製成列表
'   bookPathList = Array( _
'   ThisWorkbook.Path & "\分店A .xlsx", _
'   ThisWorkbook.Path & "\分店B .xlsx", _
'   ThisWorkbook.Path & "\分店C .xlsx" _
')
```

```
bookPathList = getBookPathList(ThisWorkbook.Path & "\ 統計用 ")
' 對上述列表進行迴圈
For Each tmpPath In bookPathList
    ' 開啟每個活頁簿
    Set tmpBook = Workbooks.Open(tmpPath)
    ' 複製「營業額」工作表的資料再貼到目標工作表上
    Set copyRng = tmpBook.Worksheets(" 營業額 ").Range("B2").
CurrentRegion
    Set pasteRng = ThisWorkbook.Worksheets(" 統計 "). _
    Cells(Rows.Count, "B").End(xlUp).Offset(1)
    copyRng.Rows("2:" & copyRng.Rows.Count).Copy
    pasteRng.PasteSpecial xlPasteValues
    ' 關閉活頁簿
    tmpBook.Close
Next
```

只要像這樣從「製作列表的方式」下手，就能各種方式統計活頁簿了。

13-3 操作檔案・資料夾必備的 FileSystemObject

利用 VBA 處理各式檔案時，大致能分成兩種方式。一是利用 **Open** 敘述，二是利用 **FileSystemObject** 這個外部函式庫。

Open 敘述是種自古流傳下來，以程序式設計為主的方式；FileSystemObject 則是以物件導向為主的方式，本書介紹的是後者。

■ FileSystemObject 是什麼？

FileSystemObject（之後以 FSO 稱之）是在外部函式庫 **Microsoft ScriptingRuntime** 中提供的物件，設計給操作檔案及資料夾時使用。

使用 CreateObject 函數建立介面物件時，類別字串要指定為「Scripting. FileSystemObject」。

■ **FileSystemObject** 的類別字串

```
CreateObject("Scripting.FileSystemObject").
```

▶ **FileSystemObject** 上提供的方法（摘錄）

屬性	用途
GetFolder	回傳指定路徑資料夾的 Folder 物件
GetFile	回傳指定路徑檔案的 File 物件
CreateFolder	新增資料夾
GetExtensionName	回傳處理指定路徑檔案的副檔名字串
FileExists	回傳指定路徑檔案是否存在

在 FSO 中使用 **GetFolder** 方法及 **GetFile** 方法，分別能取得處理目的資料夾的 **Folder** 物件，以及處理目的檔案的 **File** 物件，再利用這兩個物件上的各種屬性及方法，來操作資料夾或檔案。

▶ **Folder 物件的屬性／方法（摘錄）**

Name 屬性	用途
Path 屬性	取得路徑字串
Files 屬性	取得處理資料夾內檔案的集合（Files 集合）
Copy 方法	複製整個資料夾
Delete 方法	刪除整個資料夾
Move 方法	移動整個資料夾

▶ **File 物件的屬性／方法（摘錄）**

Name 屬性	用途
Path 屬性	取得路徑字串
ParentFolder	取得儲存屬性檔案的資料夾
Copy 方法	複製檔案
Delete 方法	刪除檔案
Move 方法	移動檔案

▨ FileSystemObject 的用法

FSO 最基本的使用流程，就是「以 **CreateObject** 建立 **FSO** →取得檔案或資料夾→操作檔案或資料夾」，在此介紹幾個 FSO 的使用範例。

● 取得檔案列表

下列程式碼會取得與巨集所在活頁簿位於同資料夾內的檔案列表。

巨集 13-21

```
Dim fso As Object, tmpFile As Object
Set fso = CreateObject("Scripting.FileSystemObject")
' 對保存活頁簿的資料夾內所有檔案進行迴圈
For Each tmpFile In fso.GetFolder(ThisWorkbook.Path).Files
    Debug.Print tmpFile.Name
Next
```

● 複製特定檔案

下列程式碼會複製「C:\excel\備份\營業額資料.xlsx」，在檔案名稱後加上「備份」存為新檔案。

巨集 13-22

```
Dim fso As Object, filePath As String
Set fso = CreateObject("Scripting.FileSystemObject")
filePath = "C:\excel\備份\營業額資料.xlsx"
'當目標檔案存在就複製此檔案
If fso.FileExists(filePath) Then
    fso.GetFile(filePath).Copy _
    "C:\excel\備份\營業額資料_備份.xlsx"
End If
```

● 重新命名檔案

下列程式碼會將「C:\excel\備份\營業額資料.xlsx」重新命名為「變更後的名稱.xlsx」。

巨集 13-23

```
CreateObject("Scripting.FileSystemObject") _
    .GetFile("C:\excel\備份\營業額資料.xlsx") _
    .Name = "變更後的名稱.xlsx"
```

實例 重新命名檔案

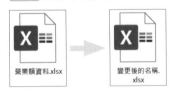

● 複製整個資料夾

下列程式碼會複製與巨集所在活頁簿位於同資料夾內的「分店資料」資料夾，並在複製後的資料夾名稱後加上「備份」。

巨集 13-24

```
Dim tmpFolder As Object
'取得與巨集所在活頁簿位於同資料夾內的「分店資料」資料夾
Set tmpFolder = _
    CreateObject("Scripting.FileSystemObject") _
        .GetFolder(ThisWorkbook.Path & "\ 分店資料 ")
'複製整個資料夾
tmpFolder.Copy ThisWorkbook.Path & "\ 分店資料 _ 備份 "
```

實例 複製資料夾

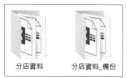

Column 若想知道關於 FileSystemObject 更詳盡的資訊

若想更詳細地了解 FSO、Folder 物件、File 物件等等，還請參閱 Microsoft 技術文件（https://docs.microsoft.com/zh-tw/）搜尋 FileSystemObject 物件。

此外，若在 VBE 的設定引用項目（215 頁）內引用「MicrosoftScriptingRuntime」，再到瀏覽物件上參閱有關「Scripting」的項目，就能查詢到內部提供哪些物件、屬性及方法了。

順帶一提，能實作關聯陣列（157 頁）的 Dictionary 物件也在這個函式庫裡。先引用這個項目，瀏覽一下內部功能，或許就能找到對自己有幫助的工具。

■ 顯示可選擇檔案或資料夾的對話框

若要讓使用者選擇想處理的檔案或資料夾，能彈出專用對話框的 **FileDialog** 物件非常實用。

▶ **FileDialog 物件的屬性／方法（摘錄）**

屬性／方法	用途
Title 屬性	設定顯示標題
InitialFileName 屬性	設定初始資料夾
AllowMultiSelect 屬性	指定是否可選擇多個檔案。True（可以）、False（不可以）
SelectedItem 屬性	取得所選檔案／資料夾
Show 方法	彈出對話框。若使用者未選擇而直接關閉對話框會回傳「0」、選擇了目標則會回傳「-1」

　在 Application 物件的 **FileDialog** 屬性中，指定 **MsoFileDialogType** 列舉內的四個常數之一，就能取得對應的 FileDialog 物件。

▶ **MsoFileDialogType 列舉的常數**

常數	值	用途
msoFileDialogFilePicker	3	指定「瀏覽」對話框以供選擇檔案
msoFileDialogFolderPicker	4	指定「瀏覽」對話框以供選擇資料夾
msoFileDialogOpen	1	指定「開啟舊檔」對話框
msoFileDialogSaveAs	2	指定「儲存檔案」對話框

　若要取得用於選擇檔案的對話框，程式碼如下。

巨集 13-25

```
Dim fd As FileDialog
'取得選擇檔案對話框
Set fd = Application.FileDialog(msoFileDialogFilePicker)
```

　用到 FileDialog 物件時，通常是以「先設定好各種屬性，再以 **Show** 方法彈出對話框」這種風格來撰寫程式碼。

　此外，Show 方法還會以「0（取消選擇）」或「-1（已選擇）」回傳使用者的選擇結果。當使用者選擇目標後，會在 **SelectedItem** 屬性中，以索引值從「1」開始的陣列保存所選檔案或資料夾的路徑資訊。下列程式碼會彈出選擇檔案的對話框，並取得使用者的選擇結果。

巨集 13-26

```
Dim fd As FileDialog
Set fd = Application.FileDialog(msoFileDialogFilePicker)
' 設定對話框標題與初始資料夾
With fd
    .Title = " 請選擇檔案 "
    .InitialFileName = ThisWorkbook.Path
End With
' 彈出對話框並取得選擇結果
If fd.Show = 0 Then
    Debug.Print " 選擇已取消 "
Else
    Debug.Print " 所選檔案名稱：", fd.SelectedItems(1)
End If
```

實例 取得選擇檔案的結果

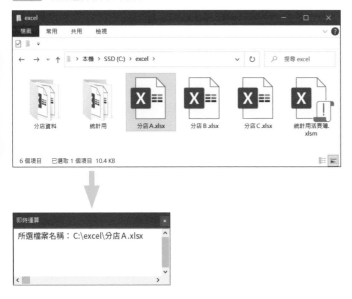

另外，在選擇資料夾時要以：

```
Application.FileDialog(msoFileDialogFolderPicker)
```

取用 FileDialog 物件，這時對話框內就只會顯示資料夾（而不會顯示檔案）。

若使用 FileDialog 物件取得的路徑字串，就能實作「對使用者選擇的檔案或資料夾進行處理」這種需求了。

Column　**Excel 2000 前無法使用 FileDialog 物件**

FileDialog 物件是在 Excel2002 添加的物件，所以 Excel 2000 前無法使用。

FileDialog 物件提供了能指定初期設定外觀（顯示圖示或列表等設定）的「InitialView 屬性」，但有的 Windows 版本無法使用，例如 Windows 10 中這個設定就沒有作用。原因是作為基礎的「檔案總管」已經改變了顯示形式，所以跟剛添加這個功能時相比，已經有很多地方不一樣了。這也是因為 VBA 的歷史悠久，才會有這種現象。

Chapter 14

「輸出」統計與
分析結果

本章介紹如何在 Excel 工作表上「輸出」完成的表格，換言之就是關於
「列印」的知識。坦白說，Excel 與列印有關的功能都不算好用，不過如
果用 VBA 進行一次性的微調，還是能降低過程中的工作量。後面還會一併
介紹如何「匯出」Excel 活頁簿的檔案給客戶，也就是傳送活頁簿時的注
意事項，以及各種在此有所幫助的 VBA 機制。

14-1 列印結果

　　Excel 也許是把重心都放在螢幕上能看見的執行、檢視表格計算上了，相比之下在列印上可以說是功能欠缺，相當棘手。列印結果和所見不同的情況是時有所聞。

　　即便如此，還是有必須要列印的場合，過程中有些基本設定或細節的調整也不得不手動進行，不過還是能以巨集先大概設定一番。就讓我們開始學習與列印有關的機制吧！

列印與預覽的機制

　　Excel 中點選**檔案→列印**會開啟後台檢視，可以在這裡調整各種關於列印的設定。而這些設定在 VBA 中是以工作表的 **PageSetup** 物件管理，可以透過 Worksheet 物件的 PageSetup 屬性取得此物件。

▶ 在後台檢視中的列印設定

因此調整列印設定時，需要存取每個工作表的 PageSetup 物件。PageSetup 物件上提供了對應各種設定的屬性，詳如下表。

▶ **PageSetup 物件的屬性（摘錄）**

屬性	用途
PrintArea	以儲存格位址字串設定列印範圍（只透過 Worksheet 物件設定）
PaperSize	設定紙張大小
Orientation	設定紙張方向為橫向（xlLandscape）或直向（xlPortrait）
TopMargin	以點為單位設定上邊界
BottomMargin	以點為單位設定下邊界
LeftMargin	以點為單位設定左邊界
RightMargin	以點為單位設定右邊界
PrintTitleColumns	設定標題欄
PrintTitleRows	設定標題列
Zoom	設定縮放比例。同等大小（100％）就指定為「100」，放大為 150% 就設為「150」。若指定為 False，則會依據 FitToPagesTall 或 FitToPagesWide 的設定自動計算
FitToPagesTall	以高度為基準決定放大倍率
FitToPagesWide	以寬度為基準決定放大倍率
CenterHorizontally	設定列印時是否左右置中。是（True）、否（False）
CenterVertically	設定列印時是否上下置中。是（True）、否（False）
Pages	總頁數
BlackAndWhite	設定是否以黑白列印。是（True）、否（False）

下列程式碼會調整當前工作表的印刷設定為「直向、將工作表放入單一頁面」。

巨集 14-1

```
With ActiveSheet.PageSetup
    '以位址「字串」指定列印範圍
    .PrintArea = ActiveSheet.Range("B4:I52").Address
    '列印方向為「直向」
```

```
    .Orientation = xlPortrait
    ' 設定縮放比例
    .Zoom = False
    ' 自動調整縮放比例,使所有欄、列都放入「1」頁當中
    .FitToPagesTall = 1
    .FitToPagesWide = 1
End With
```

使用 **PrintOut** 方法能啟動列印,而在 Workbook、Worksheets、Worksheet 甚至 Range 上都提供了 PrintOut 方法,分別可以列印對應目標。

■ **PrintOut 方法**

```
欲列印物件 .PrintOut
```

下列程式碼會套用目前的列印設定印出當前工作表。

巨集 14-2

```
ActiveSheet.PrintOut
```

若不是要啟動列印,而想先在預覽列印內確認外觀,可以使用 **PrintPreview** 方法。

■ **PrintPreview 方法**

```
欲列印物件 .PrintPreview
```

下列程式碼會顯示當前工作表的預覽列印視窗。

巨集 14-3

```
ActiveSheet.PrintPreview
```

實例 顯示預覽列印

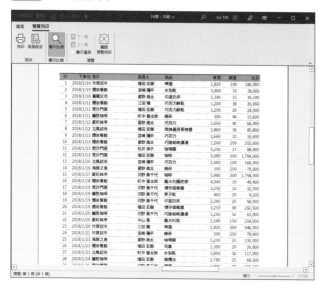

調整列印設定時,會花掉很多時間與印表機驅動程式通訊,因此巨集不建議寫成每次列印前都調整列印設定。

若將列印設定的巨集與啟動列印的巨集分開寫,當無需更動列印設定時,就只需執行啟動列印的巨集即可。

另外,Excel 在調整完列印設定或實際列印後,都會在工作表上以虛線分隔每頁的邊界。只要將目標工作表的 **DisplayPageBreaks** 屬性指定為 False 即可隱藏上述虛線。下列程式碼會隱藏當前工作表上的頁面分隔虛線。

巨集 14-4

```
ActiveSheet.DisplayPageBreaks = False
```

若由巨集啟動列印,將上面這行加在 PrintOut 方法後面即可。

Column 提升與印表機驅動程式間通訊速度的機制

Excel 2010 以後的版本，在 Application 物件上提供了能暫時控制與印表機間通訊的「PrintCommunication 屬性」。

將此屬性設定為「False」就能暫時關閉與印表機間的通訊。原先每調整一項列印設定都會與印表機進行通訊，但若先關閉通訊，調整完所有列印設定後再設定此屬性為「True」，就能將所有列印設定一次性傳送給印表機。

```
' 暫時關閉與印表機間的通訊
Application.PrintCommunication = False
' 調整各種列印設定
' 重新開啟與印表機間的通訊
Application.PrintCommunication = True
```

意即能縮短列印設定的處理時間。若要在 Excel 2010 以後的環境調整列印設定，請在撰寫程式時將上述機制納入其中。

14-2　將結果轉換為 PDF 檔案

若想將檔案轉成 PDF 檔案而非列印出來，就不能採用 PrintOut 方法，而要改用 **ExportAsFixedFormat** 方法。

該如何轉換為 PDF 檔案？

執行 ExportAsFixedFormat 方法時，將引數 **Type** 指定為常數「**xlTypePDF**」，並將引數 **Filename** 指定為 PDF 檔的路徑字串，就能將任意活頁簿或工作表的內容轉成 PDF 檔案。

■ ExportAsFixedFormat 方法

```
欲輸出物件 .ExportAsFixedFormat _
    Type:=xlTypePDF, _
    Filename:=PDF 檔案路徑
```

下列程式碼會將當前工作表的內容儲存到活頁簿所在的資料夾中，並命名為「營業額明細表 .pdf」。

巨集 14-5

```
ActiveSheet.ExportAsFixedFormat _
    Type:=xlTypePDF, _
    Filename:=ThisWorkbook.Path & "\ 營業額明細表 .pdf"
```

實例 轉換為 PDF 檔案

營業額明細表.pdf - Adobe Acrobat Pro DC

ID	下單日	客戶	負責人	商品	單價	數量	合計
1	2018/1/10	珍寶超市	增田 宏樹	啤酒	1,820	100	182,000
2	2018/1/10	煙囪餐館	宮崎 陽平	水梨乾	3,900	10	39,000
3	2018/1/10	喜羅公司	星野 啟太	印度奶茶	2,340	15	35,100
4	2018/1/11	煙囪餐館	三田 聰	巧克力餅乾	1,200	30	36,000
5	2018/1/11	毘沙門屋	增田 宏樹	巧克力餅乾	1,200	20	24,000
6	2018/1/11	蘆筍咖啡	町中 普太郎	綠茶	390	40	15,600
7	2018/1/12	愛莉絲亭	星野 啟太	巧克力	1,660	40	66,400
8	2018/1/12	北風超商	增田 宏樹	微辣墨西哥辣醬	2,860	30	85,800
9	2018/1/13	煙囪餐館	宮崎 陽平	巧克力	1,660	10	16,600
10	2018/1/13	煙囪餐館	星野 啟太	巧達蛤蜊濃湯	1,260	200	252,000
11	2018/1/13	毘沙門屋	松井 典子	咖哩醬	5,200	17	88,400
12	2018/1/13	毘沙門屋	增田 宏樹	咖啡	5,980	300	1,794,000
13	2018/1/16	北風超商	宮崎 陽平	巧克力	1,660	100	166,000
14	2018/1/16	海豚之島	星野 啟太	綠茶	390	200	78,000
15	2018/1/17	愛莉絲亭	河野 美千代	咖啡	5,980	300	1,794,000
16	2018/1/18	煙囪餐館	町中 普太郎	義大利麵疙瘩	4,940	10	49,400
17	2018/1/19	毘沙門屋	河野 美千代	博伊森莓醬	3,250	10	32,500
18	2018/1/19	蘆筍咖啡	河野 美千代	李子乾	460	20	9,200
19	2018/1/19	煙囪餐館	河野 美千代	印度奶茶	2,340	25	58,500
20	2018/1/19	煙囪餐館	增田 宏樹	博伊森莓醬	3,250	90	292,500
21	2018/1/20	蘆筍咖啡	河野 美千代	巧達蛤蜊濃湯	1,260	50	63,000
22	2018/1/20	愛莉絲亭	中山 篤	義大利餃	2,540	100	254,000
23	2018/1/20	珍寶超市	三田 聰	啤酒	1,820	300	546,000
24	2018/1/21	珍寶超市	宮崎 陽平	綠茶	390	200	78,000
25	2018/1/23	海豚之島	星野 啟太	咖哩醬	5,200	25	130,000
26	2018/1/23	煙囪餐館	增田 宏樹	司康	1,300	20	26,000
27	2018/1/23	北風超商	町中 普太郎	水梨乾	3,900	30	117,000
28	2018/1/24	蘆筍咖啡	增田 宏樹	橄欖油	2,780	25	69,500
29	2018/1/25	毘沙門屋	河野 美千代	啤酒	1,820	87	158,340
30	2018/1/25	蘆筍咖啡	町中 普太郎	巧克力	1,660	10	16,600
31	2018/1/25	毘沙門屋	增田 宏樹	巧克力	1,660	10	16,600
32	2018/1/25	毘沙門屋	河野 美千代	水果雞尾酒	5,070	40	202,800
33	2018/1/26	蘆筍咖啡	宮崎 陽平	綠茶	390	200	78,000
34	2018/1/26	蘆筍咖啡	星野 啟太	巧克力	1,660	10	16,600
35	2018/1/27	愛莉絲亭	三田 聰	莫札瑞拉起司	4,530	40	181,200
36	2018/1/30	珍寶超市	增田 宏樹	印度奶茶	2,340	15	35,100

210 x 297 公釐

Column　若使用 Excel 2007 需要安裝其他增益集

ExportAsFixedFormat 方法是在 Excel 2010 才新增的方法，但 Excel 2007 也可以從 Microsoft 的官網上（https://www.microsoft.com/zh-tw/download/）下載這個增益集來使用。

14-3　傳送活頁簿前的準備

　　幾乎每個公司的電腦中都有安裝 Excel，因此各式文件往來時經常不列印紙本，而是選擇直接傳送 Excel 活頁簿。

　　在此要介紹傳送 Excel 活頁簿給對方前，應該先自行檢查的項目，還有如何用 VBA 實行檢查。

檢查是否有隱藏物件

　　若製作過程先隱藏用於暫時處理的工作表或欄位，但完成後卻忘了這件事直接傳給對方，就可能洩露不應外流的資料。

　　例如下列活頁簿在「含有隱藏」工作表中含有隱藏部份，另外還有一張被隱藏的「作業用」工作表。

▶ 含有隱藏部分的工作表

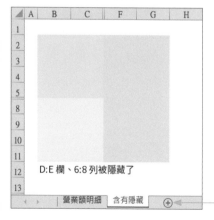

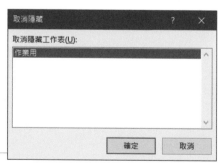

　　此時可以利用下列程式碼，檢查當前活頁簿內是否含有隱藏工作表或儲存格，並顯示結果。

巨集 14-6

```
Dim tmpSht
'檢查隱藏工作表
For Each tmpSht In Worksheets
    '以 Visible 屬性的值判斷工作表是否隱藏
    If Not tmpSht.Visible = xlSheetVisible Then
        Debug.Print "隱藏中工作表:", tmpSht.Name
    End If
    '以全體儲存格可見部分的 Areas.Count 檢查是否含隱藏列、欄
    If Not tmpSht.Cells.SpecialCells(xlCellTypeVisible).Areas.Count = 1 Then
        Debug.Print "含隱藏部分的工作表:", tmpSht.Name
    End If
Next
```

實例 檢查隱藏內容

確認 **Visible** 屬性的值,就能知道工作表是否被隱藏;再以 **Areas.Count**
計算整張工作表上可見儲存格的分割數,只要不是「1」就判斷有隱藏的列
或欄。

只要參照上述檢查結果,實際查看被列出的工作表或儲存格,就能確認方
不方便直接傳送給對方了。

▓▓ 統一選擇儲存格「A1」

當傳送內含多張工作表的活頁簿時,若每張工作表上選擇的都是儲存格
「A1」,那翻閱資料時就不會感到異樣。反之,若沒有特殊目的,卻在開啟後
發現工作表上選擇的是 A1 以外的儲存格,就會讓人感覺到不自然,甚至是
「態度散漫」,導致好不容易完成的資料可靠性降低。

因此，最好將活頁簿統一為「所有工作表上均選擇儲存格 A1」且「選擇第一張工作表」的狀態。若以 VBA 來調整，即使有好幾十張工作表依然能一次解決。

巨集 14-7

```
Dim i As Long
,希望最後選擇的是第一張工作表，因此反向進行迴圈
For i = Worksheets.Count To 1 Step -1
    Application.Goto Worksheets(i).Range("A1"), Scroll:=True
Next
```

在此以 Application 物件的 **Goto** 方法移動至目標儲存格（A1）。將引數 **Scroll** 設為「True」是為了讓所選儲存格顯示在畫面左上角。

實例　選擇儲存格 A1

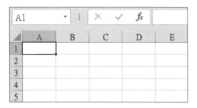

此外，上述程式碼在有隱藏工作表的情況會引發錯誤，因此若包含隱藏工作表，就要在處理中先排除掉。

巨集 14-8

```
Dim i As Long
,希望最後選擇的是第一張工作表，因此反向進行迴圈
For i = Worksheets.Count To 1 Step -1
    ,處理時排除隱藏工作表
    If Worksheets(i).Visible = xlSheetVisible Then
        Application.Goto Worksheets(i).Range("A1"), Scroll:=True
    End If
Next
```

確認活頁簿的「作者」和「修改者」

Excel 活頁簿等 Office 產品的檔案中，有自動儲存「作者」和「修改者」等資訊的機制。如 Excel 2016 只要在功能區點選**檔案**，就能在畫面右下角一帶查看這些資訊。

▶ 顯示文件資訊

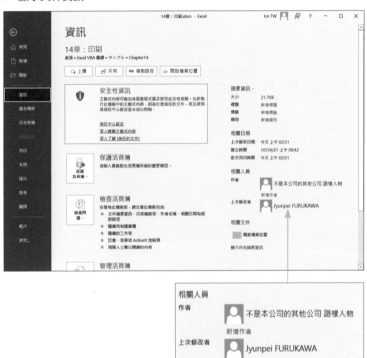

若用之前的活頁簿直接製作新資料，或是將資料外包給其他公司製作，那「作者」欄就可能出現意料之外的名字。

如果收取資料的客戶偶然看到「作者」是聞所未聞、不知從何而來的名字，而且連建立日期都是好幾年前，應該多少會感到疑惑，有時甚至會降低對我方的信任。

因此來撰寫透過巨集確認文件資訊的工具吧。使用 Workbook 物件的 **BuiltInDocumentProperties** 屬性，就能存取任意活頁簿的文件資訊。下列程式碼會<u>取得檔案中「作者」與「上次修改者」的資訊</u>。

巨集 14-9

```
With ActiveWorkbook.BuiltinDocumentProperties
    Debug.Print "作者：", .Item("Author")
    Debug.Print "上次修改者：", .Item("Last author")
End With
```

實例 取得文件資訊

以「Author（或索引值『3』）」能取得「作者」，而以「Last author（或索引值『7』)」則能取得「上次修改者」。

▶ 索引值與值（摘錄）

ID	存取時名稱	元素
3	Author	作者
7	Last author	上次修改者
11	Creation date	建立時間
12	Last Save Time	上次修改日期

這些資訊的值不僅能取得，還可以設定。下列程式碼會<u>設定「作者」為「古川 順平」</u>。

巨集 14-10

```
ActiveWorkbook. _
    BuiltinDocumentProperties("Author").Value = "古川 順平"
```

實例 設定文件資訊

而若指定這些資訊的 Value 值為空白（""），就能刪除作者等資訊。

雖說都是些無傷大雅的部分，但如果能好好統整這些細節，就能避免讓使用者感到異樣，可以更集中在活頁簿的內容。

Chapter 15

與外部資料
的協作處理

本章將介紹如何使用 Excel 匯入外部資料，例如純文字檔案或是以 Access 製成的資料庫等。平日利用各種手段儲存起來的資料，如果傳送到 Excel 這步能簡單些，就能輕鬆利用圖表或樞紐分析表進行分析。越麻煩的步驟或設定，就越適合交給 VBA 處理。

15-1 **Excel** 外部資料協作功能的現況

在介紹 VBA 如何獲取外部資料之前，本節會先大致介紹在 2018 年 6 月這個時間點上（本書日本原書的出版前夕），Excel 獲取外部資料機制的現況。其實這方面是目前較受矚目的主題，功能不斷地推陳出新。

持續改變中的外部資料協作

在 2018 年 6 月的現在，將 Excel 2016 更新到最新版本後，「資料」標籤內「取得與轉換」欄位的外觀如下。

▶ Excel 2016 的「資料」標籤

例如想要讀取純文字檔案，按下從文字檔按鈕後，就會如下圖般顯示準備讀取的視窗。

▶ 純文字檔案的讀取設定

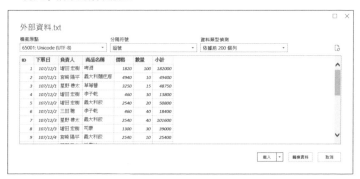

　　光看外觀就和那些古老的對話框不一樣呢！按下**轉換資料**按鈕會開啟
「Power Query」畫面（Power Query 編輯器），在裡面可以詳細設定要讀取的
欄位、擷取條件、合併條件等細節，十分方便。

▶ **Power Query 內的讀取設定**

　　Power Query 的定位與其說是 Excel 自身的功能，不如說是「獨立出來管
理資料的工具，能和各種 Office 產品聯合使用」。而在 VBA 內也新增了處理
Excel 與 Power Query 通訊設定的物件，如 **WorkbookQuery** 物件及 **Queries** 集
合等。

　　可以讀取並且靈活處理，包含純文字檔案、Access 資料庫、Web 網頁、
XML 資料、JSON 資料等各式各樣的資料。

　　另外，現在若用 VBA 的「錄製巨集」功能，錄出來的也都是使用編輯器的
程式碼。可以預期今後 Excel 處理外部資料的機制，會漸漸朝向與 Power
Query 協作的機制發展。

　　也因此筆者曾考慮過，是否要在本書中介紹以 Power Query 為主軸的操作
方式。但有兩個問題：第一是需要環境支援，第二則是目前不易使用 VBA 操
作。其實要說的話還有一點，就是筆者對於「M 語言」這個等同於「Power
Query 版的 SQL」，其實並未精通到能向各位說明的地步。

因此本書中會以那些「老掉牙的技術」為中心進行介紹，也就是從早期就能使用的物件與機制。因此從下一節起所介紹的程式碼雖說在大多環境下都能使用，但還請理解它們「並非是最新的技術」。

Column 想更仔細學習 Power Query 的話

想了解更多關於 Power Query 的資訊，請上 Microsoft 官網（https://docs.microsoft.com/zh-tw/power-query/）並參閱其中各種資訊。

此外，若想認識將上述功能獨立摘出的軟體「Power BI」，也請參考官方網站（https://powerbi.microsoft.com/zh-tw/）。

Column 不使用 Power Query 讀取的方式

若不想使用更新後添加的 Power Query，而要採用以往的各種匯入精靈來讀取，可以點選檔案→選項，從顯示的「Excel 選項」對話框中，在「資料」欄位下方新增的「顯示舊版資料匯入精靈」裡勾選所需項目。

設定完以後，從功能區的資料→取得資料→傳統精靈→從文字檔（舊版）等，點選舊版項目以後，就能以傳統方式讀取資料或錄製巨集。

■■ 以 Power Query 為主軸的處理

雖然前一節那麼說了，但還是會好奇 VBA 在處理時若使用 Power Query 為主軸，程式碼到底會長什麼樣吧？所以還是來看一下實際的程式碼吧。另外，這節的程式碼，只有在 Office365 版的 Excel 2016（版本 1803）確認過動作。

▶ **讀取資料**

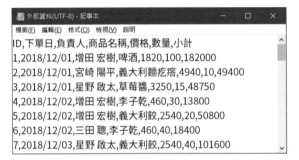

首先是將要傳遞給 Power Query 的「連線目標與擷取條件」資訊記錄為 WorkbookQuery 物件。這個例子的目的是從 CSV 格式的純文字檔案「外部資料 (UTF-8).txt」當中，擷取出「負責人」一欄為「增田宏樹」的記錄。並將「外部資料 (UTF-8).txt」與巨集所在活頁簿儲存於同資料夾。

巨集 15-1

```
Dim filePath As String, queryStr As Variant
' 撰寫路徑與命令
filePath = ThisWorkbook.Path & "\ 外部資料 (UTF-8).txt"
queryStr = Array( _
    "let", _
        "source = Csv.Document(File.Contents(""" & filePath & """)),", _
        "header = Table.PromoteHeaders(source),", _
        "filter = Table.SelectRows(header, each ([ 負責人 ] = "" 增田 宏
樹 ""))", _
    "in", _
        "filter" _
)
queryStr = Join(queryStr, vbCrLf)
' 建立 WorkbookQuery
ActiveWorkbook.Queries.Add Name:="PQ 連線 ", Formula:=queryStr
```

執行後，點選功能區的**資料→連線**後顯示的「活頁簿查詢」區塊內，就會新增一個針對 Power Query 的查詢「PQ 連線」。

目前的版本中在建立查詢之後，若想將其資訊輸出到工作表上，最簡單的方式就是採用 **QueryTable** 物件。下列程式碼會從 PQ 連線讀取資料，並輸出到工作表上以儲存格 B2 為基準的位置。

巨集 15-2

```
With ActiveSheet.QueryTables.Add( _
    Connection:="OLEDB;" & _
        "Provider=Microsoft.Mashup.OleDb.1;" & _
        "Data Source=$Workbook$;Location=PQ 連線 ;", _
    Destination:=Range("B2"), _
    Sql:="Select * From [PQ 連線 ]" _
)
    .Refresh
    .Delete
End With
```

實例 使用查詢來讀取資料

大致區分流程的話，就是「以『M 語言』寫出連線目標、擷取條件」、「建立出活頁簿的查詢（WorkbookQuery 物件）」、「輸出到工作表上」這樣。

只要變更其中 M 語言的部分，就能做出能從各種原始資料中，擷取各種形式資料的工具。取出上例中所用到的 M 語言，結果如下：

```
let
source = Csv.Document(File.Contents(" 純文字檔案的路徑 ")),
header = Table.PromoteHeaders(source),
filter = Table.SelectRows(header, each ([ 負責人 ] = " 增田 宏樹 "))
in
filter
```

在「let」這段逐行撰寫解析資料的過程，在「in」這段指定輸出對象。

上面解說的是今後應該會成為主流的機制，但接下來也該看看一些老掉牙的技術。

Column 可以在 **Power Query** 編輯器中檢視

在 Power Query 編輯器內設定擷取條件的過程中，按下進階編輯器按鈕就能檢視當下所用的 M 語言程式碼。跟在 Access 等軟體內查詢時，可以檢視所用的 SQL 語句這個功能很像。

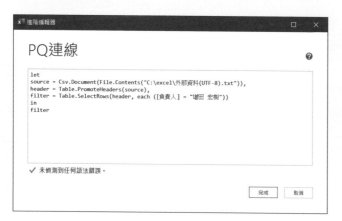

在進階編輯器內還能直接以 M 語言添加程式碼，同時編輯器也會即時幫我們檢查語法結構，是個很可靠的 M 語言學習入門工具呢。

另外，M 語言的參考文件可至 Microsoft 技術文件查看「Power Query M 函式參考　」（https://docs.microsoft.com/zh-tw/powerquery-m/power-query-m-function-reference）。

15-2 由純文字檔案讀取資料

若要在不同軟體間傳送資料，最簡單的方式就是「將資料轉成純文字檔，再讀取該檔案」，來看看怎麼用 VBA 處理這個過程吧。

■ 以 QueryTable 指定分隔符號並讀取檔案

使用 QueryTable 物件，就能將純文字檔案的內容讀取到工作表上的任意位置。

QueryTable 物件中整合了「對外部資料的連線與分割方式」，首先從實際程式碼中感受一下用法吧。下列程式碼會讀取與執行巨集的活頁簿位於同資料夾內的「外部資料 .csv」，並輸出到以儲存格 B2 為基準的位置上。

另外，本章中所用到的純文字檔案與程式碼可至博碩官網下載。

巨集 15-3

```
Dim connectInfo As String
' 製作連線目標的資訊
connectInfo = "TEXT;" & ThisWorkbook.Path & "\ 外部資料 .csv"
' 建立 QueryTable 物件
With ActiveSheet.QueryTables.Add( _
    Connection:=connectInfo, Destination:=Range("B2") _
)
    ' 設定分隔符號
    .TextFileParseType = xlDelimited
    .TextFileCommaDelimiter = True
    ' 讀取
    .Refresh BackgroundQuery:=False
    ' 刪除
    .Delete
End With
```

實例 讀取純文字檔案

只要在想讀入資料的工作表的 QueryTables 集合上執行 **Add** 方法,就能建立新的 QueryTable 物件。

■ **QueryTables.Add 方法**

```
欲讀入資料的工作表 .QueryTables.Add _
Connection:="TEXT; 純文字檔案的路徑字串 ", _
Destination:= 放置讀入資料的儲存格
```

此時引數 **Connection** 內的「TEXT;」後面要寫純文字檔案的完整路徑字串,例如「TEXT;C\excel\ 營業額 .txt」就是將目標指定為「C:\excel」資料夾內的「營業額 .txt」,而引數 **Destination** 則要指定以哪個儲存格為起點來放置讀入資料。此外,Add 方法的回傳值就是新建立的 QueryTable 物件。

但只建立 QueryTable 物件是不會讀取資料的,要利用下列屬性來進行讀取設定。

▶ **QueryTable 的屬性（摘錄）**

屬性	用途
TextFilePlatform	指定檔案原始格式
FieldNames	指定將第一列視為標題列讀入 （True：預設值）、不讀入（False）
TextFileParseType	指定剖析資料的基準是使用分隔符號（xlDelimited）或是 固定寬度（xlFixedWidth）
TextFileCommaDelimiter	指定為 True 就會以逗點為分隔符號
TextFileTabDelimiter	指定為 True 就會以 Tab 鍵為分隔符號
TextFileSemicolonDelimiter	指定為 True 就會以分號為分隔符號
TextFileSpaceDelimiter	指定為 True 就會以空格為分隔符號
TextFileOtherDelimiter	指定任意想用於分隔的其他字元
TextFileConsecutiveDelimiter	指定為 True 可將連續分隔符號視為單一分隔符號處理
AdjustColumnWidth	設定是否自動調整儲存格寬度。是（True）、否（False）
TextFileColumnDataTypes	指定每一欄的資料型態

需要的設定調整結束後，要利用 **Refresh** 方法套用設定讀取資料。這一連串處理的程式碼如下。

■ **讀取純文字檔案**

```
With QueryTable 物件
    . 以各種屬性進行設定
    .Refresh
End With
```

此外，以 QueryTable 物件調整過的讀取設定會保存在活頁簿中，之後每次執行 Refresh 方法都會重新讀取最新版資料。

若只想讀取一次資料，先將 Refresh 方法的引數 **BackgroundQuery** 指定為「False」設為非同步讀取（讀取手法的一種，在尚未讀取完成時暫停後面的處理），待讀取完成後，再執行 **Delete** 方法刪除整個設定。

■ 讀取純文字檔案（讀取完成後刪除設定）

```
With QueryTable 物件
    . 以各種屬性進行設定
    .Refresh BackgroundQuery:=False
    .Delete
End With
```

　　「以要讀取的純文字檔案路徑資訊建立 **QueryTable** 物件」、「調整各種讀取設定，並以 **Refresh** 讀入資料」、「若無需二度讀取資料則 **Delete**」就是讀取純文字檔案時最典型的流程。

指定字元編碼與資料型態的方式

　　讀取純文字檔案時，其字元編碼相當重要。當點選功能區的**資料**→**從文字檔**這類機能，並實際選擇純文字檔案後會顯示對話框（依 Excel 版本而不同），其中「檔案原點」一欄會顯示字元編碼，並同時顯示其頁碼的數值。而在 QueryTable 物件中的 **TextFilePlatform** 屬性中，就可以利用這個數值指定字元編碼。

▶ 對應到字元編碼的值

▶ 對應到字元編碼的值（摘錄）

字元編碼	值
Shift_JIS	932
EUC-JP	51932
UTF-8	65001

下列程式碼會指定字元編碼為 UTF-8、分隔符號為逗號來讀取純文字檔案（與巨集所在活頁簿位於同資料夾內的「外部資料 (UTF-8).txt」），並輸出內容到以儲存格 B2 為基準的位置。

巨集 15-4

```
With ActiveSheet.QueryTables.Add( _
    Connection:="TEXT;" & ThisWorkbook.Path & "\ 外部資料 (UTF-8).txt", _
    Destination:=Range("B2") _
)
    ' 字元編碼設定為 UTF-8
    .TextFilePlatform = 65001
    ' 以下設定分隔符號等再讀取
    .TextFileParseType = xlDelimited
    .TextFileCommaDelimiter = True
    .Refresh BackgroundQuery:=False
    .Delete
End With
```

讀取純文字檔案時，形如「1-1」、「1-2」的值會被視為日期值「1 月 1 日」、「1 月 2 日」讀入。此時若使用 **TextFileColumnDataTypes** 屬性指定每欄的資料型態，就能防止這種現象。下列程式碼會以非日期值的形式，讀取與執行巨集活頁簿位於同資料夾內的「能視為日期的資料 .txt」，並輸出內容到以儲存格 B2 為基準的位置。

巨集 15-5

```
With ActiveSheet.QueryTables.Add( _
    Connection:="TEXT;" & ThisWorkbook.Path & "\ 能視為日期的資料 .txt", _
    Destination:=Range("B2") _
)
```

```
    ' 設定欄位資訊第一欄為「字串」、第二欄為「自動判斷」
    .TextFileColumnDataTypes = Array(xlTextFormat, xlGeneralFormat)
    ' 以下設定分隔符號等並讀取
    .TextFileParseType = xlDelimited
    .TextFileTabDelimiter = True = True
    .Refresh BackgroundQuery:=False
    .Delete
End With
```

實例 以非日期值的形式讀取資料

在指定 TextFileColumnDataTypes 屬性時，要將 **XlColumnDataType** 列舉內的常數輸入為陣列形式，依序指定從第一欄開始的資料型態。

▶ **XlColumnDataType** 列舉的常數

常數	值	形式
xlGeneralFormat	1	自動判斷
xlTextFormat	2	字串
xlSkipColumn	9	不讀入此欄
xlDMYFormat	4	DMY（日月年）形式的日期
xlDYMFormat	7	DYM（日年月）形式的日期
xlEMDFormat	10	EMD（台灣年月日）形式的日期
xlMDYFormat	3	MDY（月日年）形式的日期
xlMYDFormat	6	MYD（月年日）形式的日期
xlYDMFormat	8	YDM（年日月）形式的日期
xlYMDFormat	5	YMD（年月日）形式的日期

Column 指定資料型態以提升讀取速度

前面介紹了以 TextFileColumnDataTypes 屬性指定資料型態，以避免資料被轉換成非預期的形式，但這個機制其實對加速讀取也有效果。

若不事先指定資料型態，讀取時 Excel 就必須個別判斷每筆資料的型態，因此隨著資料量增加，讀取速度會顯著變慢。因此就算「不刻意指定資料型態依然能讀取為所需形式」的情況也好，若指定好每一欄的資料型態，還是能期待讀取速度提升。

逐行檢視並讀取檔案

若需要讀取逐行輸出的大量資料，如 Web 網頁上的日誌資料時，建議學會使用外部函式庫物件 **ADODB.Stream**，基本的利用方式如下。下列程式碼會讀取與執行巨集活頁簿位於同資料夾的「外部資料 (UTF-8).txt」，並將內容顯示於訊息方塊中。

巨集 15-6

```
Dim textStream As Object, buf As String
' 建立 Stream 物件
Set textStream = CreateObject("ADODB.Stream")
With textStream
    ' 開啟串流，調整純文字的讀取設定
    .Open
    .Type = 2 'ADODB 的常數 adTypeText 的值
    .Charset = "UTF-8"
    ' 一次取得純文字檔案的所有內容
    .LoadFromFile ThisWorkbook.Path & "\ 外部資料 (UTF-8).txt"
    buf = .ReadText
    ' 關閉
    .Close
End With
' 顯示取得的內容
MsgBox buf
```

實例 一次取得純文字檔案的所有內容

ADODB.Stream 物件上有以下這些屬性／方法。

▶ **ADODB.Stream 物件的屬性／方法（摘錄）**

屬性／方法	用途
Type 屬性	指定要處理的檔案格式。指定「2」即為純文字檔案（定義於 ADODB 中的常數 adTypeText 的值）
Charset 屬性	指定字元編碼。「Shift_JIS」「UTF-8」「EUC-JP」等
LineSeparator 屬性	由以下的值指定換行字元。「-1(CRLF)」、「13(CR)」、「10(LF)」
EOS 屬性	在以各種方法讀取至檔案末端時回傳 True
Open 方法	開啟串流資料
Close 方法	關閉串流資料
ReadText 方法	讀取指定於引數中的純文字檔案的內容。執行時不指定引數會直接讀取至檔案末端，指定引數為「-2（常數 adReadLine）」則會只讀取一行內容
SkipLine 方法	執行一次就會將讀取位置跳過「一行」

傳遞類別字串「ADODB.Stream」到 CreateObject 函數中，就能建立 ADODB.Stream 物件。

　　若讀取目標是純文字檔案，執行 **Open** 方法後，指定 **Type** 屬性為「2」、**Charset** 屬性為該檔案字元編碼的字串，接著利用 **ReadText** 方法取得純文字檔案的內容，取得資料後在處理最後撰寫 **Close** 方法，以關閉串流資料。

　　另外，若指定 ReadText 方法的引數為「-2」就能逐行取得資料。下列程式碼會逐行取得純文字檔案（和巨集所在資料簿位於同資料夾內的「外部資料 (UTF-8).txt」）中第一行到最後一行的資料，若該行資料中含有「增田」這個字串就轉錄到當前儲存格中。

巨集 15-7

```
Dim textStream As Object, buf As String
'建立 Stream 物件
Set textStream = CreateObject("ADODB.Stream")
With textStream
    .Open
    .Type = 2                       'adTypeText
    .Charset = "UTF-8"
    .LineSeparator = -1             'adCRLF
    '指定讀取檔案
    .LoadFromFile ThisWorkbook.Path & "\外部資料 (UTF-8).txt"
    '在 EOS 屬性為 False(尚未抵達檔案末端 ) 的期間進行迴圈
    Do While .EOS = False
        buf = .ReadText(-2)     '讀取 1 行
        If buf Like "* 增田 *" Then
            ActiveCell.Value = buf
            ActiveCell.Offset(1).Select
        End If
    Loop
    '關閉
    .Close
End With
```

實例 逐行確認內容並讀取

▲	A	B	C	D	E	F	G	H
1								
2		1,2018/12/01,增田 宏樹,啤酒,1820,100,182000						
3		4,2018/12/02,增田 宏樹,李子乾,460,30,13800						
4		5,2018/12/02,增田 宏樹,義大利餃,2540,20,50800						
5		8,2018/12/03,增田 宏樹,司康,1300,30,39000						
6		12,2018/12/04,增田 宏樹,莫札瑞拉起司,4530,300,1359000						
7		20,2018/12/10,增田 宏樹,杏仁,1300,90,117000						
8		26,2018/12/14,增田 宏樹,印度奶茶,2340,20,46800						
9		28,2018/12/15,增田 宏樹,白巧克力,390,25,9750						
10		31,2018/12/16,增田 宏樹,義大利餃,2540,10,25400						
11		36,2018/12/21,增田 宏樹,草莓醬,3250,15,48750						
12		39,2018/12/22,增田 宏樹,印度奶茶,2340,20,46800						
13								
14								
15								

Column 若要設定引用 ADODB 函式庫

在 VBE 的設定引用中勾選「Microsoft ActiveX Data Objects x.x Library（x 為版本編號）」就能引用 ADODB 函式庫。

若希望開發期間能在瀏覽物件中查詢各種物件或屬性／方法，先設定引用函式庫也是個方法。

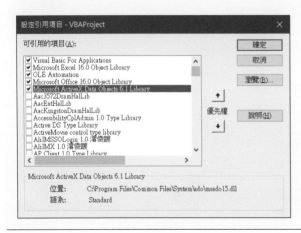

15-3 輸出純文字檔案

接著來看看將 Excel 資料輸出成純文字檔案的方法。

輸出成 CSV 格式或 TAB 字元分隔格式

想將資料輸出成 CSV 格式或 TAB 字元分隔格式時,最簡單的流程就是「建立僅含欲輸出資料的活頁簿,指定 **SaveAs** 方法的引數 **Filename** 為檔案名稱(路徑)、引數 **FileFormat** 為檔案格式,再輸出檔案」。

SaveAs 方法

```
Workbook 物件 .SaveAs _Filename:= 路徑＆檔案名稱 , FileFormat:= 檔案格式
```

下列程式碼會從儲存格 B2 開始的範圍,輸出為 CSV 格式的檔案「CSV 資料 .csv」,並儲存到執行巨集活頁簿所在的資料夾內。

巨集 15-8

```
Dim saveRange As Range, saveBook As Workbook
' 設定要輸出的儲存格範圍
Set saveRange = Range("B2").CurrentRegion
' 建立新活頁簿並複製上述範圍
Set saveBook = Workbooks.Add
saveRange.Copy saveBook.Worksheets(1).Range("A1")
' 儲存為 CSV 格式
saveBook.SaveAs _
    Filename:=ThisWorkbook.Path & "\CSV 資料 .csv", _
    FileFormat:=xlCSV
' 儲存完成後關閉新活頁簿
saveBook.Close
```

實例 以 **CSV** 格式輸出純文字

CSV資料.csv

若將上面 SaveAs 方法的引數 FileFormat 內指定的常數「xlCSV」改為
「xlCurrentPlatformText」，就能以 Tab 字元分隔格式輸出。

```
' 儲存為 Tab 字元分隔格式
saveBook.SaveAs _
    Filename:=ThisWorkbook.Path & "\Tab 字元分隔資料 .txt", _
    FileFormat:=xlCurrentPlatformText
```

接著，Excel 2016 在 2016 年 10 月更新的版本中，追加了常數「xlCSVUTF8」，
可以輸出字元編碼為 UTF-8 的 CSV 格式檔案。

```
' 儲存為字元編碼 UTF-8 的 CSV 格式
saveBook.SaveAs _
    Filename:=ThisWorkbook.Path & "\CSV 資料 (UTF-8).csv", _
    FileFormat:=xlCSVUTF8
```

但反過來說，Excel 未更新到上述版本前，是沒有辦法以 SaveAs 輸出為
UTF-8 的 CSV 格式檔案的（會輸出為相當於 Shift_JIS 的字元編碼）。

輸出成自己喜歡的檔案格式

以 SaveAs 方法輸出純文字檔案是很方便，但多少有點受限，例如輸出值會受到儲存格的顯示形式影響等。

所以接著要介紹的，就是稍下功夫就能自由選擇輸出內容的 **ADODB. Stream** 物件。

先來看看實際程式碼與其結果，下列程式碼會利用 ADODB.Stream 物件，將程式碼內指定的文字輸出為檔案（輸出結果 .txt）。

巨集 15-9

```
Dim textStream As Object, filePath As String
'製作要保存的純文字檔案路徑
filePath = ThisWorkbook.Path & "\ 輸出結果 .txt"
'建立 Stream 物件並輸出
Set textStream = CreateObject("ADODB.Stream")
With textStream
    .Open
    .Type = 2                          'adTypeText
    .Charset = "UTF-8"
    '輸出三次
    .WriteText "Hello", 1              'adWriteLine(有換行)
    .WriteText "Excel"
    .WriteText "VBA!"
    '儲存為檔案
    .SaveToFile filePath, 2            'adSaveCreateOverWrite
    .Close
End With
```

▶ 利用 **ADODB.Stream** 物件輸出文字

輸出結果.txt

以 ADODB.Stream 物件製作純文字檔案時，首先設定好 **Type 屬性**與 **Charset 屬性**，接著在 **WriteText 方法**的引數中指定欲輸出文字。此時若指定第二引數為「1（常數 adWriteLine 的值）」，則輸出第一引數指定的字串後，會加上換行字元。

重複多次 WriteText 輸出完文字，再使用 **SaveToFile 方法**儲存檔案。

如此一來就能自由地製作純文字檔案了。接著來運用這個手法輸出工作表上的文字吧！下列程式碼會將儲存格 B2 開始的表格範圍，逐欄轉換為指定的形式，並輸出為以逗號分隔的純文字檔案（以 Stream 輸出 .txt）。

巨集 15-10

```
Dim filePath As String, rng As Range
'製作要儲存的純文字檔案路徑
filePath = ThisWorkbook.Path & "\以 Stream 輸出 .txt "
'建立 Stream 物件並輸出
With CreateObject("ADODB.Stream")
    .Open
    .Type = 2        'adTypeText
    .Charset = "UTF-8"
    '輸出標題列
    .WriteText "ID,下單日,負責人,商品名稱,價格,數量,小計", 1
    '輸出儲存格範圍 B3:H50 的值
    For Each rng In Range("B3:H50").Rows
        '每次以自訂函數將一列的資料字串化再輸出
        .WriteText getStringFrom(rng), 1
    Next
    .SaveToFile filePath, 2
    .Close
End With
```

表格中一筆記錄（共七欄）的值，是利用下列自訂函數轉換為以逗號分隔的字串。

巨集 15-11

```
'從儲存格範圍製作出以逗號分隔字串的函數
Function getStringFrom(rng As Range) As String
    Dim buf(6) As String
```

```
' 將七欄的值以 Format 函數分別轉換為所需形式的字串
buf(0) = Format(rng.Cells(1).Value, "000")
buf(1) = Format(rng.Cells(2).Value, "yyyy/mm/dd")
buf(2) = rng.Cells(3).Value
buf(3) = rng.Cells(4).Value
buf(4) = Format(rng.Cells(5).Value, "#")
buf(5) = Format(rng.Cells(6).Value, "#")
buf(6) = Format(rng.Cells(7).Value, "#")
' 以逗號連接上述字串並回傳
getStringFrom = Join(buf, ",")
End Function
```

實例 以 ADODB.Stream 輸出檔案

此外,若想自由輸出 UTF-8 格式的純文字檔案,這個利用 ADODB.Stream 的手法也相當有效。

15-4　與外部資料庫協作

　　若要在 Excel 中取用 Access 資料庫的資料，其實筆者很想說「請用 Power Query 吧！」（實際上若環境許可這是最好的方法），但可能處於無法使用的環境下，所以在此要介紹使用外部函式庫 **DAO** 進行協作的方式。

從 Access 資料庫取得資料

　　DAO（DataAccessObject）是由 Microsoft 開發的函式庫，收集了各種便於存取資料庫的物件，特別適用於 Access 資料庫上。

　　這次先在 Access 建立了一個擁有資料表、查詢、參數化查詢的簡單資料庫。以下範例均從這個資料庫取得資料。

▶ 連接 Access 資料庫

▶ **DAO 當中提供的物件（摘錄）**

物件	用途
DBEngine	連接資料庫時的基本物件
Database	存取資料庫所用的物件
Recordset	存取資料表或查詢的結果集合所用的物件
QueryDef	處理參數化查詢等所用的物件

▦ 取得任意資料表的資料

　　下列程式碼會從 Access 資料庫「外部 DB.accdb」內，取出資料表「T_員工」的內容放到工作表上，此處將資料庫檔案與執行巨集的活頁簿儲存於同資料夾中。

巨集 15-12

```
Dim DBE As Object, DB As Object, tmpRS As Object
' 建立 DBEngine 物件
Set DBE = CreateObject("DAO.DBEngine.120")
' 連接資料庫
Set DB = DBE.OpenDatabase(ThisWorkbook.Path & "\外部 DB.accdb")
' 以記錄集接收資料表的內容
Set tmpRS = DB.OpenRecordset("T_員工")
' 轉錄資料
Range("B2").CopyFromRecordset tmpRS
' 中斷連線
tmpRS.Close
DB.Close
```

實例 從 Access 資料庫中讀取任意資料表

▦	T_員工	
	ID	▾	負責人 ▾
	1	增田 宏樹
	2	宮崎 陽平
	3	星野 敏太
	4	三田 聰
	5	山田 有美
	6	松井 典子
	7	金子 由紀子

以 DAO 連接任意資料庫的基本步驟如下：

① 建立 DBEngine 物件

② 以 DBEngine 物件的 OpenDatabase 方法連接任意資料庫，此方法的回傳值即為操作該資料庫的 Database 物件

③ 以 Database 物件的各種方法存取資料表或查詢

而要處理任意資料表的流程如下：

④ 在 OpenRecordset 的引數中指定資料表名稱或查詢名稱，此方法的回傳值即為操作其結果集合的 Recordset 物件

⑤ 透過 Recordset 物件取得結果集合內的資料

另外，在 Excel 的 Range 物件上提供了 **CopyFromRecordset** 方法，能將記錄集合內的資料複製到儲存格中，利用此方法就能輕易地輸出資料到工作表上。

■ **CopyFromRecordset** 方法

```
輸出位置 .CopyFromRecordset 容納記錄集合的物件
```

取得資料後執行 **Recordset** 物件與 **Database** 物件的 **Close** 方法，以中斷與資料庫間的連線。「連接、操作、中斷連線」這一連串操作，就是與資料庫互動時最基本的處理。

取得查詢的結果

Access 資料庫「外部 DB.accdb」內的「Q_ 明細一覽」這個查詢，結合了三張資料表來建立結果集合。

▶ 查詢的定義

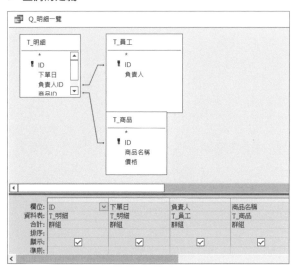

若要以 Excel 讀取執行這類查詢後的結果，方法和讀取資料表時一模一樣。下列程式碼會讀取「外部 DB.accdb」內「Q_ 明細一覽」的結果，並轉錄到以儲存格 B2 為基準的位置。

巨集 15-13

```
Dim DBE As Object, DB As Object, tmpRS As Object
Set DBE = CreateObject("DAO.DBEngine.120")
Set DB = DBE.OpenDatabase(ThisWorkbook.Path & "\ 外部 DB.accdb")
' 以記錄集接收查詢的內容
Set tmpRS = DB.OpenRecordset("Q_ 明細一覽 ")
' 轉錄資料
Range("B2").CopyFromRecordset tmpRS
' 中斷連線
tmpRS.Close
DB.Close
```

實例 讀取查詢的結果

	A	B	C	D	E	F	G	H	I
1									
2		1	2018/12/1	增田 宏樹	啤酒	1820	100	182000	
3		2	2018/12/1	宮崎 陽平	義大利麵疙瘩	4940	10	49400	
4		3	2018/12/1	星野 啟太	草莓醬	3250	15	48750	
5		4	2018/12/2	增田 宏樹	李子乾	460	30	13800	
6		5	2018/12/2	增田 宏樹	義大利餃	2540	20	50800	
7		6	2018/12/2	三田 聰	李子乾	460	40	18400	
8		7	2018/12/3	星野 啟太	義大利餃	2540	40	101600	
9		8	2018/12/3	增田 宏樹	司康	1300	30	39000	
10		9	2018/12/4	宮崎 陽平	義大利餃	2540	10	25400	
11		10	2018/12/4	星野 啟太	橄欖油	2800	200	560000	
12		11	2018/12/4	山田 有美	水果雞尾酒	5070	17	86190	

　　無論是資料表還是查詢，讀取時都是採用「先以 **Recordset** 接收，再執行 **CopyFromRecordset** 方法」這個步驟。

　　即使想取得的結果需要套用複雜的擷取條件，或者得結合多張資料表，只要事先在資料庫端建立好目標查詢，就可以在 Excel 中讀取查詢結果。

■■ 取得參數化查詢的結果

　　Access 資料庫「外部 DB.accdb」內的「PQ_ 員工明細」這個查詢，在執行時會先彈出對話框，詢問想作為擷取目標的員工名稱，這種類型的查詢就稱為參數化查詢。

▶ 會要求參數的查詢

利用 **QueryDef** 物件，就能以 VBA 取得此類型查詢的結果。下列程式碼會傳遞「增田宏樹」這個參數到「外部 DB.accdb」內的「PQ_員工明細」中，取得執行查詢的結果，並轉錄到以儲存格 B2 為基準的位置。

巨集 15-14

```
Dim DBE As Object, DB As Object
Dim tmpQDef As Object, tmpRS As Object
Set DBE = CreateObject("DAO.DBEngine.120")
Set DB = DBE.OpenDatabase(ThisWorkbook.Path & "\ 外部 DB.accdb")
' 取得參數化查詢的定義，並設定參數
Set tmpQDef = DB.QueryDefs("PQ_ 員工明細 ")
tmpQDef.Parameters(" 輸入負責人 ") = " 增田 宏樹 "
' 以記錄集合接收參數化查詢的內容
Set tmpRS = tmpQDef.OpenRecordset
' 轉錄資料
Range("B2").CopyFromRecordset tmpRS
' 中斷連線
tmpRS.Close
DB.Close
```

實例 讀取參數化查詢的結果

A	B	C	D	E	F	G	H	I
1								
2	1	2018/12/1	增田 宏樹	啤酒	1820	100	182000	
3	4	2018/12/2	增田 宏樹	李子乾	460	30	13800	
4	5	2018/12/2	增田 宏樹	義大利餃	2540	20	50800	
5	8	2018/12/3	增田 宏樹	司康	1300	30	39000	
6	12	2018/12/4	增田 宏樹	莫札瑞拉起司	4530	300	1359000	
7	20	2018/12/10	增田 宏樹	杏仁	1300	90	117000	
8	26	2018/12/14	增田 宏樹	印度奶茶	2340	20	46800	
9	28	2018/12/15	增田 宏樹	白巧克力	390	25	9750	
10	31	2018/12/16	增田 宏樹	義大利餃	2540	10	25400	
11	36	2018/12/21	增田 宏樹	草莓醬	3250	15	48750	
12	39	2018/12/22	增田 宏樹	印度奶茶	2340	20	46800	

在 Database 物件的 **QueryDefs** 屬性中，指定參數化查詢的名稱，就能取用操作該參數化查詢的 **QueryDef** 物件。

而取得 QueryDef 物件後，在其 **Parameters** 屬性的引數中，將定義參數時需寫在「[]（方括號）」內的值指定為鍵值，就能指定各參數的值。

設定完參數後執行 QueryDef 物件的 OpenRecordset 方法，會回傳套用上述參數後獲得的資料結果集合的 Recordset 物件。

■ 取得欄位名稱

雖然 CopyFromRecordset 方法能輕易轉錄記錄集合的資料，但卻不會轉錄欄位名稱。因此若有取得欄位名稱的需求，要先透過 Recordset 物件的 Fields 屬性存取 **Field** 物件，再以此物件的 Name 屬性獲取欄位名稱。

下列程式碼會取得「外部 DB.accdb」內「T_ 員工」資料表的資料，並將欄位名稱與資料一併轉錄到以儲存格 B2 為基準的位置。

巨集 15-15

```
Dim DBE As Object, DB As Object, tmpRS As Object, i As Long
Set DBE = CreateObject("DAO.DBEngine.120")
Set DB = DBE.OpenDatabase(ThisWorkbook.Path & "\外部 DB.accdb")
' 以記錄集合接收資料表的內容
Set tmpRS = DB.OpenRecordset("T_ 員工")
' 輸出欄位名稱
For i = 0 To tmpRS.Fields.Count - 1
    Range("B2").Offset(0, i).Value = tmpRS.Fields(i).Name
Next
' 轉錄資料
Range("B3").CopyFromRecordset tmpRS
' 中斷連線
tmpRS.Close
DB.Close
```

實例 連同欄位名稱一起轉錄

▲	A	B	C	D
1				
2		ID	負責人	
3		1	增田 宏樹	
4		2	宮崎 陽平	
5		3	星野 啟太	
6		4	三田 聰	
7		5	山田 有美	
8		6	松井 典子	
9		7	金子 由紀子	
10		8	前田 健司	
11		9	松沢 誠一	
12		10	山本 雅治	

各欄位受到以「0」開始的索引值管理，並且和 Excel 的工作表同樣能以「Fields 集合的 Count 屬性」取得欄位總數。也就是說，只要以索引值「0～Count - 1」執行迴圈，就能遍歷所有欄位。

利用 SQL 語句

若使用 Database 物件的 **OpenRecordset** 方法時，傳遞 SQL 字串到其引數中，就能利用該 SQL 語句讀取資料庫。此時回傳的 Recordset 物件，就會是執行該 SQL 語句的結果集合，再以 **CopyFromRecordset** 方法取出內容即可。

下列程式碼會在「外部 DB.accdb」內執行「Q_明細一覽」這個查詢，將所有負責人為「增田宏樹」且下單日在「2018/12/01 至 2018/12/03」的資料，轉錄到以儲存格 B2 為基準的位置。

巨集 15-16

```
Dim DBE As Object, DB As Object, tmpRS As Object
Set DBE = CreateObject("DAO.DBEngine.120")
Set DB = DBE.OpenDatabase(ThisWorkbook.Path & "\外部DB.accdb")
' 以記錄集合接收 SQL 語句的結果
Set tmpRS = DB.OpenRecordset( _
    "SELECT *" & _
    " FROM" & _
        " Q_明細一覽" & _
    " WHERE" & _
        " 負責人='增田 宏樹' AND" & _
    " 下單日 BETWEEN #2018/12/01# AND #2018/12/03#" _
)
' 轉錄資料
Range("B2").CopyFromRecordset tmpRS
' 中斷連線
tmpRS.Close
DB.Close
```

實例 讀取 **SQL** 語句的結果

▲	A	B	C	D	E	F	G	H	I
1									
2		1	2018/12/1	增田 宏樹	啤酒	1820	100	182000	
3		4	2018/12/2	增田 宏樹	李子乾	460	30	13800	
4		5	2018/12/2	增田 宏樹	義大利餃	2540	20	50800	
5		8	2018/12/3	增田 宏樹	司康	1300	30	39000	
6									

若使用者精通 SQL 語句，用這個方法能更自由地取得所需資料。

寫入 Access 資料庫

以 Recordset 物件連接到想新增記錄的資料表，再利用各種屬性或方法，就能新增記錄到 Access 資料庫內的特定資料表中。

● 新增記錄

下列程式碼會新增一筆記錄到「外部 DB.accdb」內的「T_ 員工」資料表中。

巨集 15-17

```
Dim DBE As Object, DB As Object, tmpRS As Object
Set DBE = CreateObject("DAO.DBEngine.120")
Set DB = DBE.OpenDatabase(ThisWorkbook.Path & "\外部DB.accdb")
' 連接「T_ 員工」資料表
Set tmpRS = DB.OpenRecordset("T_ 員工")
' 新增記錄
tmpRS.AddNew
tmpRS!ID = 11
tmpRS! 負責人 = " 後藤 晉太郎 "
tmpRS.Update
' 中斷連線
tmpRS.Close
DB.Close
```

實例 新增記錄到資料表中

新增記錄時，要以下列步驟在 Recordset 物件中設定值：

① 執行 **AddNew** 方法

② 以「**Recordset 物件 ! 欄位名稱 = 值**」的形式設定各欄位的值

③ 以 **Update** 方法確定新增記錄

若在 Recordset 物件中設定值時引用儲存格內容，就能做出利用工作表上的資料來新增記錄的處理。

● 執行動態 SQL 語句

若執行 Database 物件的 **Execute** 方法時，在引數中傳遞想執行的 SQL 語句，就能執行 SQL 語句的更新查詢或動態查詢，即 UPDATE 語句、DELETE 語句或 INSERT INTO 語句這類。下列程式碼會在「外部 DB.accdb」的「T_員工」資料表中，新增一筆「ID、負責人」欄位分別為「11、後藤晉太郎」的記錄。

巨集 15-18

```
Dim DBE As Object, DB As Object
Set DBE = CreateObject("DAO.DBEngine.120")
Set DB = DBE.OpenDatabase(ThisWorkbook.Path & "\外部 DB.accdb")
'以 SQL 語句新增記錄
DB.Execute "INSERT INTO T_員工 (ID, 負責人 ) VALUES(11, ' 後藤 晉太郎 ') "
'中斷連線
DB.Close
```

● 修正現有記錄

　　若需要修正現有記錄，在開啟 Recordset 時指定 **OpenRecordset** 方法的第二引數為「2（常數 dbOpenDynaset 的值）」，就能以「動態形式」開啟。開啟後，先以 Seek 方法或 FindFirst 方法等，這些用於搜尋的方法移動到要修正的記錄上，再以 **Edit** 方法編輯記錄，待修正結束再以 **Update** 方法確定。

　　下列程式碼會在「外部 DB.accdb」的「T_商品」資料表內，找出「商品名稱」欄位為「橄欖油」的記錄，並修正其「價格」欄位的值。

巨集 15-19

```
Dim DBE As Object, DB As Object, tmpRS As Object
Set DBE = CreateObject("DAO.DBEngine.120")
Set DB = DBE.OpenDatabase(ThisWorkbook.Path & "\ 外部 DB.accdb")
' 連接「T_商品」資料表
' 在第二引數指定代表 dbOpenDynaset 的值「2」以動態開啟資料庫
Set tmpRS = DB.OpenRecordset("T_商品", 2)
' 移動到「商品名稱」的值為「橄欖油」的記錄
tmpRS.FindFirst "商品名稱 = ' 橄欖油 '"
' 若找到搜尋值則修正該筆記錄的值
If Not tmpRS.NoMatch Then
    tmpRS.Edit
    tmpRS! 價格 = 1200
    tmpRS.Update
Else
    MsgBox " 未找到符合條件的記錄 "
End If
' 中斷連線
tmpRS.Close
DB.Close
```

實例 修正現有記錄

ID	商品名稱	價格
C01	李子乾	460
C02	義大利餃	2540
C03	橄欖油	2800
C04	糖漿	1300
C05	水梨乾	3900
C06	螃蟹罐頭	2400
C07	印度奶茶	2340
C08	微辣墨西哥辣醬	2860
C09	咖啡	5980
D01	啤酒	1820
D02	草莓醬	3250
D03	莫札瑞拉起司	4530
D04	巧克力	1200
S01	義大利麵疙瘩	4940
S02	司康	1300
S03	水果雞尾酒	5070
S04	杏仁	1300
S05	白巧克力	390
S06	蛤蜊巧達濃湯	1260
S07	咖哩醬	5200

記錄: 20 之 3　無篩選條件

→

ID	商品名稱	價格
C01	李子乾	460
C02	義大利餃	2540
C03	橄欖油	1200
C04	糖漿	1300
C05	水梨乾	3900
C06	螃蟹罐頭	2400
C07	印度奶茶	2340
C08	微辣墨西哥辣醬	2860
C09	咖啡	5980
D01	啤酒	1820
D02	草莓醬	3250
D03	莫札瑞拉起司	4530
D04	巧克力	1200
S01	義大利麵疙瘩	4940
S02	司康	1300
S03	水果雞尾酒	5070
S04	杏仁	1300
S05	白巧克力	390
S06	蛤蜊巧達濃湯	1260
S07	咖哩醬	5200

記錄: 20 之 3　無篩選條件

　　前文出現了許多不甚熟悉的用語和方法名稱，但由於本書頁數有限，無法全盤詳細解說。總之我們可以先明白，只要「使用 DAO 上提供的各種物件，就能操作外部資料庫」這點，就可以了。

　　另外，DAO 在 Access 中是以 VBA 操作資料庫的基本機制。因此若翻閱有關 Access VBA 的書籍或文章，便能獲得 DAO 更為詳盡的使用方式，有興趣的讀者可以試著接觸這些領域。

Chapter 16

匯入 Web 上的資料

本章將介紹在 Excel 中想要存取 Web 上的資料時，會使用到的工具。從最基礎的複製貼上、修整資料，到取得 HTML 格式、XML 格式，與 SON 格式資料的方式。

16-1 取得 Web 上的資料

使用 Excel 時，經常會有需要從 Web 上存取資料的機會，這時最簡單的方式當然是「從 Web 瀏覽器中複製資料，再貼到 Excel 上」。

▦ 基本是先複製再整理

若要在 Excel 中取用顯示於 Web 瀏覽器上的資料，只需拖曳選取想要的資料，一起按下 **Ctrl** + **C** 鍵複製後，在 Excel 中的任意儲存格貼上即可。

此時分為直接貼上或選擇「選擇性貼上」後再貼上的方式。若選擇直接貼上，會直接將資料中的圖片等一起貼到工作表上。下圖是複製某日「Yahoo! 天氣、災害」頁面上的一週天氣預報（https://weather.yahoo.co.jp/weather/week/）的表格內容，並直接貼上後的結果，連天氣圖示也一起複製過來了呢。

▶ 貼上某天「Yahoo! 天氣、災害」頁面一週天氣預報的結果

若選擇只貼上值的話，結果如下。

▶ 只貼上值的結果

	A	B	C	D	E	F	G	H	I	J
1										
2		日期	4月24日	4月25日	4月26日	4月27日	4月28日	4月29日	4月30日	
3			(火)	(水)	(木)	(金)	(土)	(日)	(月)	
4		北海道	陰天	晴天	多雲時晴	多雲時晴	晴時多雲	多雲時晴	---	
5		(札幌)	陰天	晴天	多雲時晴	多雲時晴	晴時多雲	多雲時晴	---	
6			6月15日	7月18日	7月20日	8月20日	8月18日	7月19日	---/---	
7			10%	40%	20%	20%	10%	10%	---%	
8		東北	雨時多雲	多雲時雨	多雲時晴	陰天	多雲時晴	晴時多雲	---	
9		(仙台)	雨時多雲	多雲時雨	多雲時晴	陰天	多雲時晴	晴時多雲	---	
10			10月15日	11月16日	9月19日	11月20日	12月21日	11月21日	---/---	
11			80%	70%	20%	40%	20%	20%	---%	
12		關東	陰天	多雲時雨	多雲時晴	陰天	多雲時晴	晴時多雲	---	
13		(東京)	陰天	多雲時雨	多雲時晴	陰天	多雲時晴	晴時多雲	---	
14			22/15	22/16	20/13	22/13	23/14	24/14	---/---	
15			30%	90%	40%	40%	30%	20%	---%	
16		信越	雨	多雲時雨	陰天	陰天	晴時多雲	晴時多雲	---	
17		(新潟)	雨	多雲時雨	陰天	陰天	晴時多雲	晴時多雲	---	

複製貼上時，會隨著這份內容的格式，以及 Excel 版本的差異，呈現出不同的結果。但瀏覽器上呈現為表格形式的內容，貼到 Excel 中還是會遵循「一定的規律」。

若貼上的資料直接符合所需格式當然是沒問題，但若不符合，就要先抓到貼上時的「規律」，再搭配迴圈整理資料。

在思考如何將上述資料整理成表格形式的程式碼之前，先來抓出哪些地方是我們所謂的「一定的規律」。

· 第二、三列是日期，下面每四列一組表達一個都道府縣的資料
· 第一列：天氣預報圖示上的顯示文字：需要
· 第二列：天氣預報：不需要（和第一列是相同資料）
· 第三列：最高、最低氣溫：需要，但有部分被 Excel 視為日期，需要轉換
· 第四列：降雨機率：需要

依循上述規律，從複製貼上後散佈於工作表上的資料中，取出需要的部分後再開始整理（下方實例中預先寫上了標題列等部分）。

巨集 16-1

```
Dim rowIndex As Long, colIndex As Long, tmp As Variant
Range("K3:P3").Select
' 從第 4 到第 20 列，以每次跳 4 列的方式進行迴圈
For rowIndex = 4 To 20 Step 4
    ' 從第 3 欄到第 8 欄進行迴圈
    For colIndex = 3 To 8
        With Selection
            ' 取得都道府縣、日期、天氣、最高氣溫、最低氣溫、降雨機率
            .Cells(1).Value = Cells(rowIndex, "B").Value
            .Cells(2).Value = Cells(2, colIndex).Value
            .Cells(3).Value = Cells(rowIndex, colIndex).Value
            ' 從顯示為「6 月 11 日」或「22/15」這類資料中取得兩個數值
            tmp = Cells(rowIndex + 2, colIndex).Text
            tmp = Split(Replace(tmp, "月", "/"), "/")
            .Cells(4).Value = Val(tmp(0))
            .Cells(5).Value = Val(tmp(1))
            .Cells(6).Value = Val(Cells(rowIndex + 3, colIndex).Value)
        End With
        ' 將輸出資料的位置下移一列
        Selection.Offset(1).Select
    Next
Next
```

實例 依循規律整理資料

	J	K	L	M	N	O	P	Q
1								
2		都道府縣	日期	天氣	最高氣溫	最低氣溫	降雨機率	
3		北海道	2018/4/24	陰天	6	15	10%	
4		北海道	2018/4/25	陰天	7	18	40%	
5		北海道	2018/4/26	多雲時晴	7	20	20%	
6		北海道	2018/4/27	多雲時晴	8	20	20%	
7		北海道	2018/4/28	晴時多雲	8	18	10%	
8		北海道	2018/4/29	多雲時晴	7	19	10%	
9		東北	2018/4/24	雨時多雲	10	15	80%	
10		東北	2018/4/25	多雲時雨	11	16	70%	
11		東北	2018/4/26	多雲時晴	9	19	20%	
12		東北	2018/4/27	陰天	11	20	40%	
13		東北	2018/4/28	多雲時晴	12	21	20%	
14		東北	2018/4/29	晴時多雲	11	21	20%	
15		關東	2018/4/24	陰天	22	15	30%	
16		關東	2018/4/25	多雲時雨	22	16	90%	
17		關東	2018/4/26	多雲時晴	20	13	40%	

　　先不論能不能寫出具體程式碼，但只要能抓出規律，就能以巨集轉換出表格形式的資料了。而只要寫出一次巨集，當下次遇到相同格式的內容時，就能沿用這個巨集轉換出想要的格式。

　　若說起訣竅，只要以下面這個步驟來思考的話，處理起來就很方便了。

①嘗試寫出想取得的資料的表格標題
②找出資料的規律
③依循規律大致搭建起迴圈的框架（大多都是沿列、欄方向做雙重迴圈）
④製作取出每個值時所需的資料轉換處理

　　「先複製資料後再修飾」雖然很不起眼，但卻是從 Web 上取得資料時最簡便的方式。

Power Query 是使用首選

　　在介紹完上述的方式後是有點難以啟齒，如果環境可以使用 Power Query 的話，在存取 Web 上表格形式的資料時，點選功能區的**資料→從 Web** 後，將彈出的對話框以 **Power Query** 來存取、轉換資料方式是最方便的。

　　例如指定上述「Yahoo! 天氣、災害」一週天氣預報頁面的 URL 後，就會像下圖般，條列出所有格式能夠讀取的資料。

▶ 以 **Power Query** 選擇表格

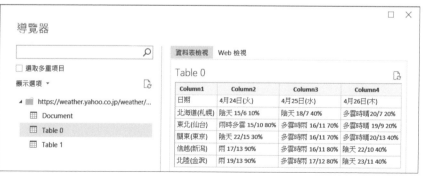

從中選擇想讀取的內容後按下**讀取**按鈕，就會將資料讀到工作表上。此外，也可以不直接讀取，而是按下**轉換資料**，開啟 Power Query 編輯器再指定詳細的讀取方式。

下圖即為在 Power Query 編輯器中指定完讀取方式，再讀取上述內容的結果。不需要撰寫巨集就能解除資料的樞紐狀態，或是將特定欄的值分割為多欄。

▶ 讀取結果

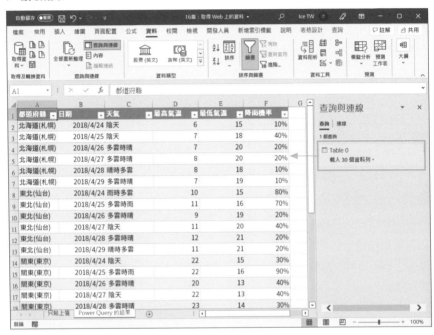

不過，本章之後的篇幅所介紹的，都不會使用到 Power Query。如果環境允許的話，與其繼續往下閱讀，不如直接去研究 Power Query 或許會更符合需求，畢竟它就是如此簡單而方便。

不過，Excel 之所以能夠歷久不衰，就是「即使不使用新功能，多少還是能解決問題」，但如果是特別需要處理 Web 這類資料的話，建議還是可以試試看 Power Query。

Column　**2018 年 6 月時 Power Query 能處理的格式**

　　雖然在上面提到了 Power Query，但到底有哪些資料可以透過 Power Query 取用到 Excel 中呢？

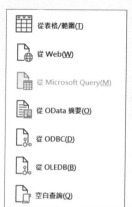

　　在 2018 年 6 月的時間點上，可以處理的資料形式有上圖這些。無論純文字檔案、資料庫、Web 上的資源等全都能處理。如果正在想辦法以 Excel 擷取對應形式的資料，強烈推薦試用一次 Power Query。

16-2　使用巨集取得資料

本節將會開始介紹如何利用 VBA 來取得 Web 上的資料。首先要看的是取得 Web 網頁內容（HTML 形式的資料）的方式。

取得 Web 網頁資料

想處理 Web 網頁資料時，有個方便的外部函式庫 **Microsoft HTML Object Library**。如下圖，在 VBE 選單列上點選**工具→設定引用項目**後，從彈出的對話框設定引用，就能使用函式庫當中提供的物件。

▶ 設定引用項目

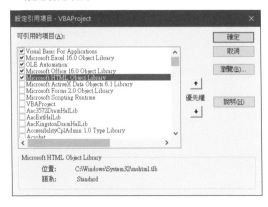

下列程式碼會顯示 SB Creative 出版社的官方網站（http://www.sbcr.jp/pc/）上本文的內容（HTML 文件）。

巨集 16-2

```
Dim baseHTMLDoc As HTMLDocument, HTMLDoc As HTMLDocument
Dim targetURI As String
' 指定想讀取內容的網址
targetURI = "http://www.sbcr.jp/pc/"
```

```
' 生成 HTML 文件
Set baseHTMLDoc = New HTMLDocument
' 以指定 URI 為基礎生成新的 HTMLDocument
Set HTMLDoc = baseHTMLDoc.createDocumentFromUrl(targetURI, vbNullString)
' 等待讀取完成
Do Until HTMLDoc.readyState = "complete"
    DoEvents
Loop
' 顯示本文內容
MsgBox HTMLDoc.body.innerHTML
```

實例 顯示 **HTML** 文件

使用 **HTMLDocument** 物件上的各種屬性，就能處理 HTML 文件。

若要讀取任意 URI 的 Web 網頁，首先要建立用於啟動讀取的 HTMLDocument。
接著再用一次 **createDocumentFromUrl** 方法，使用從特定 URL 讀入的內容來
建立新的 HTMLDocument 物件（因為無法讀入至相同物件）。

■ **createDocumentFromUrl** 方法

```
HTMLDocument 物件 . _
    createDocumentFromUrl ( 欲讀取的 URL, vbNullString)
```

指定於 createDocumentFromUrl 方法第二引數內的 **vbNullString**，是表達「空字元（值為 0 的字串）」的常數，在此指定「開啟時無特別設定」。

此外，讀取 Web 上的資料時還需要等待讀取完成。範例中當 **readyState** 這個表達讀取狀態的字串變成「complete」以前，都在空迴圈內等待。

待讀取完成後，就能使用 HTMLDocument 物件的各種屬性，來存取 HTML 文件內的各種元素（element）。上述範例以 body 屬性存取了本文元素，再以 **outerHTML** 屬性取得其 HTML 內容。

▶ **HTMLDocument** 物件的屬性／方法（摘錄）

屬性／方法	用途
createDocumentFromUrl 方法	以指定到第一引數內的 URI 的 Web 網頁為本，建立新的 HTMLDocument 物件
readyState 屬性	以下列字串表達讀取狀態
	uninitialized：讀取前
	loading：讀取中
	interactive：讀取中（僅部分讀取完成）
	complete：讀取完成
head 屬性	存取 HTML 文件的 head 元素
body 屬性	存取 HTML 文件的 body 元素

▶ 從各元素（**element**）中取得資訊取得的屬性／方法（摘錄）

屬性／方法	用途
outerHTML 屬性	整個元素的 HTML 內容
innerHTML 屬性	元素內部的 HTML 內容
innerText 屬性	元素內部的文字內容
tagName 屬性	元素的標籤名稱
className 屬性	元素的類別名稱
getAttribute 方法	元素上特定屬性的值

含有 JavaScript 的網頁

最近有許多網頁會利用 JavaScript 函式庫，架構出可在瀏覽器上動態變化或更新內容的特性。但這類網頁的內容就無法以上文的程式碼取得，還請見諒。

■ 從 Web 資料中篩選特定元素

HTMLDocument 物件上提供了許多在搜尋元素時很方便的方法，如下表。

▶ **HTMLDocument 物件上搜尋元素時可以使用的方法（摘錄）**

方法	用途
getElementByID	取得持有特定 ID 屬性的單一元素
getElementByName	取得持有特定 name 屬性的元素列表
getElementByClassName	取得持有特定類別名稱的元素列表
getElementsByTagName	取得任意 Tag 的元素列表

以 SB Creative 出版社的「IT 書籍」頁面（http://www.sbcr.jp/pc/）為例。

▶ **在 Web 瀏覽器上的顯示狀態**

這個網頁的 HTML 文件中，畫面中央的書籍名稱部分，在製作時如下般「設定成 item-box__ttl 類別的元素」。

```
<h3 class="item-box__ttl"><a href=" 書籍連結 " > 書籍名稱 </a></h3>
```

依據這個規則，從「http://www.sbcr.jp/pc/」的 HTML 文件中，只擷取類別名稱為「item-box__ttl」的元素，再將這個值與連結內的資訊，轉錄到工作表上以儲存格 B3 為基準的位置（工作表上第二列已經預先寫成了標題列）。

巨集 16-3

```
Dim baseHTMLDoc As HTMLDocument, HTMLDoc As HTMLDocument
Dim elements As IHTMLElementCollection, elem As IHTMLElement
Dim targetURI As String
' 指定想讀取內容的位址
targetURI = "http://www.sbcr.jp/pc/"
' 建立 HTMLDocument
Set baseHTMLDoc = New HTMLDocument
Set HTMLDoc = baseHTMLDoc.createDocumentFromUrl(targetURI, vbNullString)
' 等待讀取完成
Do Until HTMLDoc.readyState = "complete"
    DoEvents
Loop
' 只擷取類別為 item-box__ttl 的元素
    Set elements = HTMLDoc.getElementsByClassName("item-box__ttl")
    ' 輸出
    Range("B3").Select
    Dim tmp As Integer, str As String
    For Each elem In elements
        tmp = InStr(elem.innerHTML, ">")
        str = Right(elem.innerHTML, Len(elem.innerHTML) - tmp)
        ActiveCell.Value = Left(str, Len(str) - 4)
        ActiveCell.Next.Value = Mid(elem.innerHTML, 10, tmp - 11)
        ActiveCell.Offset(1).Select
    Next
```

實例 輸出任意資料

A	B	C
1		
2	書名	連結
3	最強のデータ抽出関数XLOOKUP関数しっかりマスター	https://www.sbcr.jp/product/4815616670/
4	ネットワーク超入門講座 第5版	https://www.sbcr.jp/product/4815616199/
5	Photoshop&Illustratorデザインテクニック大全〔第2版〕	https://www.sbcr.jp/product/4815615642/
6	Excel マクロ＆VBA　〔実践ビジネス入門講座〕【完全版】第2版	https://www.sbcr.jp/product/4815617301/
7	ゼロから学ぶ はじめてのWordPress	https://www.sbcr.jp/product/4815615222/
8	1冊目に読みたいDXの教科書	https://www.sbcr.jp/product/4815614669/
9	いちばんやさしいワード超入門 Office 2021／Microsoft 365対応	https://www.sbcr.jp/product/4815616175/
10	確かな力が身につくPHP「超」入門 第2版	https://www.sbcr.jp/product/4815617141/
11	新・明解C言語 中級編 第2版	https://www.sbcr.jp/product/4815616335/
12	よしもとプログラミング部と学ぶPython「超」入門教室	https://www.sbcr.jp/product/4815609528/
13	CLIP STUDIO PAINTの「良ワザ」事典 第3版〔PRO/EX対応〕	https://www.sbcr.jp/product/4815617288/
14	クイズ de デザイン　解くだけで一生使える知識が学べる！	https://www.sbcr.jp/product/4815614478/
15		

像這樣，在 HTML 文件中篩選特定的標籤、ID、類別名稱等元素，就可以更輕易地存取目標值了。

■ 以 VBA 輸出 URL 編碼

在 URL 的尾端指定參數而存取的內容中，傳遞參數時偶有需要將參數字串編碼成 **URL** 的情形，像是在使用各種搜尋引擎時。

例如在 SB Creative 出版社的書籍搜尋頁（www.sbcr.jp/search.php）上，要以「?w= 搜尋關鍵字」的形式指定搜尋參數。此時若要傳遞「古川順平」這個參數，就要如下般編碼成 URL 後再傳遞。

```
www.sbcr.jp/search.php?w=%E5%8F%A4%E5%B7%9D%E9%A0%86%E5%B9%B3
```

若想以 VBA 取得這個值，在 Excel 2013 以後可以直接利用 **ENCODEURL** 工作表函數。下列程式碼會輸出將「古川順平」編碼成 URL 的值。

巨集 16-4

```
Debug.Print Application.WorksheetFunction.EncodeURL("古川順平")
```

但在 Excel 2010 以前，就得透過 VBA 使用 Microsoft 往日開發的「JScript」這個工具。下列程式碼會以「JScript」輸出「古川順平」編碼成 URL 以後的值。

巨集 16-5

```
Dim str As String
str = "古川順平"
'利用 ScriptControl 執行 JScript 的程式碼
With CreateObject("ScriptControl")
    .Language = "JScript"
    str = .CodeObject.encodeURI(str)        'URL 編碼
End With
Debug.Print str
```

實例　輸出 URL 編碼

即時運算

%E5%8F%A4%E5%B7%9D%E9%A0%86%E5%B9%B3

　　例如指定參數後，要取得搜尋結果的 HTML 文件時，就結合上面這個手法。

16-3 解析 XML 格式

Web 網頁上傳輸的 feed 資訊，大多是基於 XML 格式進行製作的，如 RSS 或 ATOM。因此我們來看看如何用 VBA 處理 XML 格式的資料吧。

以 VBA 處理 XML 格式

要處理 XML 格式的資料時，外部函式庫 **MSXML2** 上提供的 **XMLHTTP** 物件相當實用。在 CreateObject 函數的引數中指定類別字串「MSXML2. XMLHTTP」，即可建立 XMLHTTP 物件。

基本用法是以 **Open** 方法建立通訊請求，以 **Send** 方法發送請求，再透過 **responseText** 屬性取得回應資料的內容。

下列程式碼會讀取 SB Creative 出版社 ATOM 格式的 feed（http://www.sbcr.jp/topics/atom.xml）並顯示內容。

巨集 16-6

```
Dim httpReq As Object, targetURI As String
'指定欲讀取內容的位址
targetURI = "http://www.sbcr.jp/topics/atom.xml"
'以 XMLHTTP 物件通訊
Set httpReq = CreateObject("MSXML2.XMLHTTP")
With httpReq
    .Open "GET", targetURI, False
    .Send
    MsgBox .responseText
End With
```

實例 顯示 feed

▶ **XMLHTTP** 物件的屬性/方法（摘錄）

屬性/方法	用途
open 方法	進行通訊準備。以引數指定通訊方法（"GET"/"POST"）、URI、非同步設定（True：非同步 /False：同步）等等
send 方法	向指定的 URI 發送請求
responsText 屬性	取得回應資料

接著只要解析接收到的 XML 資料，就能取得所需資訊了。

以 DOMDocument 解析 XML 資料

要解析 XML 格式資料有個很實用的物件，就是外部函式庫 MSXML2 中提供的 **DOMDocument** 物件。

傳遞類別字串「MSXML2.DOMDocument.6.0」給 CreateObject 函數，即可建立 DOMDocument 物件。

▶ **DOMDocument 物件的方法（摘錄）**

方法	用途
LoadXML	以引數內指定的字串構建 XML 文件
Load	以引數內指定路徑的 XML 檔案構建 XML 文件
SelectSingleNode	回傳滿足引數內 XPath 表達式的第一個節點
SelectNodes	回傳滿足引數內 XPath 表達式的所有節點

▶ **可由各節點取得資訊的屬性／方法（摘錄）**

屬性／方法	用途
NodeName 屬性	節點名稱
Text 屬性	節點的文字
XML 屬性	節點的 XML 表達字串
GetAttribute 方法	節點上的特定屬性值
Firstchild 屬性	第一個子節點
LastChild 屬性	最後一個子節點
NextSibling 屬性	同階層的「下一個節點」
ChildNodes 屬性	子節點列表

　　基本用法是先使用 **LoadXML** 方法（從字串構建 XML）或 **Load** 方法（從檔案構建 XML）來製作 XML 格式資料。再透過 **FirstChild** 屬性與 **ChildNodes** 屬性移動到所需節點，最後存取其值。

　　也可以使用 **SelectSingleNode** 方法或 **SelectNodes** 方法，以 XML 格式的資料路徑，即「XPath」形式直接指定並存取目標節點。

　　下列程式碼會讀取 SB Creative 出版社 ATOM 形式的 feed（http://www.sbcr.jp/topics/atom.xml），以 XPath 表達式列出「entry」節點，並將資訊輸出到以儲存格 B3 為基準的位置上（在工作表上預先寫好了標題列等部分）。

巨集 16-7

```
Dim httpReq As Object, targetURI As String
Dim DOMDoc As Object, nodeList As Object, node As Object
' 指定欲讀取內容的網址
targetURI = "http://www.sbcr.jp/topics/atom.xml"
' 以 XMLHTTP 物件進行通訊
Set httpReq = CreateObject("MSXML2.XMLHTTP")
With httpReq
    .Open "GET", targetURI, False
    .send
End With
' 以 DOMDocument 進行解析
Set DOMDoc = CreateObject("MSXML2.DOMDocument.6.0")
With DOMDoc
    .async = False
    ' 以由 XMLHTTP 物件讀入資料建構 XML 文件
    .LoadXML httpReq.responseText
    ' 設定使 atom 的命名空間能以「atom:」的形式使用
    .SetProperty _
        "SelectionNamespaces", "xmlns:atom='http://www.w3.org/2005/Atom'"
End With
' 列出「entry」的元素
Set nodeList = DOMDoc.SelectNodes("//atom:entry")
' 從列出的 entry 元素中挑出想要的值
Range("B3").Select
For Each node In nodeList
    ActiveCell.Value = node.SelectSingleNode("./atom:title").Text()
    ActiveCell.Next.Value = _
        node.SelectSingleNode("./atom:link").getAttribute("href")
    ActiveCell.Offset(1).Select
Next
```

實例 顯示 ATOM 形式的 feed

	A	B	C	D
1				
2		タイトル	リンク先	
3		SB新書4月の新刊は3タイトル！試読版も公開中！！	http://www.sbcr.jp/topics/14527/	
4		【書店さまへ】GA文庫4月新刊のポスター＆POPを公開しました！	http://www.sbcr.jp/topics/14525/	
5		【電子書籍】GAノベル創刊2周年サンキューキャンペーン開催中	http://www.sbcr.jp/topics/14514/	
6		『Excel最強の教科書』がCPU大賞・書籍部門1位を受賞	http://www.sbcr.jp/topics/14511/	
7		【特製チートブラシがもらえる】『「キャラの背景」描き方教室』限定イラストカードフェア開催	http://www.sbcr.jp/topics/14469/	
8		【電子書籍】『りゅうおうのおしごと！』アニメ応援感謝 ラノベ×コミカライズ版　コラボキャンペーン	http://www.sbcr.jp/topics/14470/	

16-4　了解 JSON 格式

　　Web 網頁上還會有製成 JSON 格式的資訊，所以也得看看如何以 VBA 處理 JSON 格式的資料。

■ 利用 JScript 這個過往的遺產

　　所謂的 JSON 格式，其實就是以 JavaScript 物件的機制封裝資料的結果。VBA 中不提供處理這種格式的工具，因此只好採用 Microsoft 往日所開發的「JScript」這個工具了。

　　JScript 的定位可以説等同於 JavaScript，其中提供了 eval 函數，能將傳入引數的字串解讀成表達式。故在此要將 JSON 格式的資料傳入 **eval** 函數中，加工成能視為物件的形式。

　　下列程式碼會解析下方格式的 JSON 資料，取出其值後轉錄到工作表上的儲存格範圍 B3:D3（在工作表上預先寫好了標題列等部分）。

■ 要轉錄的 JSON 資料

```
[
    {"ID":"1"," 商品名稱 ":" 蘋果 "," 價格 ":"120"},
    {"ID":"2"," 商品名稱 ":" 橘子 "," 價格 ":"80"},
    {"ID":"3"," 商品名稱 ":" 葡萄 "," 價格 ":"300"}
]
```

巨集 16-8

```
Dim JSONString As String, JSONObj As Object, tmpObj As Object
' 製作 JSON 格式的字串
JSONString = _
"[" & _
    "{""ID"":""1""," " 商品名稱 "":"" 蘋果 ""," " 價格 "":""120""}," & _
    "{""ID"":""2""," " 商品名稱 "":"" 橘子 ""," " 價格 "":""80""}," & _
```

439

```
    "{""ID"":""3"","" 商品名稱 "":"" 葡萄 "","" 價格 "":""300""}" & _
"]"
' 透過 JScript 將其物件化
With CreateObject("ScriptControl")
    .Language = "JScript"
    Set JSONObj = .CodeObject.eval(JSONString)
End With
' 取出值
Range("B3:D3").Select
For Each tmpObj In JSONObj
    Selection.Cells(1).Value = tmpObj.ID
    Selection.Cells(2).Value = tmpObj.商品名稱
    Selection.Cells(3).Value = tmpObj.價格
    Selection.Offset(1).Select
Next
```

實例 JSON 資料的解析

	A	B	C	D	E
1					
2		ID	商品名稱	價格	
3		1	蘋果	120	
4		2	橘子	80	
5		3	葡萄	300	
6					

　　因為 JScript 的開發在很久以前就已經停止了，無法確定這個手法還可以用到什麼時候，因此請當作「應急措施」來使用。

Chapter 17

提升巨集的執行速度

本章將介紹各種能提升執行 Excel 巨集速度的設定。Excel 是一個試算表軟體，使用期間會持續檢查各種操作及輸入，並在計算之餘不斷將結果輸出給螢幕前的使用者。因此若能暫時關閉這些處理，巨集的執行速度將會明顯提升。

17-1 測量巨集的執行速度

每個程式語言，都有許多提升程式執行速度的技巧，例如「指定好所有資料型態」、「一次性讀入大量資料至記憶體」等。但如果只把目光集中在 Excel 的 VBA 上，有個更明確的加速手段，就是「關掉 Excel 裡那些持續作用的機制」。

測量巨集執行速度的簡易手段

討論如何提升執行速度前，在此要先介紹能測量巨集執行速度的簡易工具。

VBA 中提供了 **Timer** 函數，能取得「從午夜 0 時起經過的秒數（Windows 版則會取至毫秒）」，此處要比較在待測巨集執行前後，這個值的變化。下列程式碼會取得並顯示執行其內部處理所花的時間。

巨集 17-1

```
Dim tmpTime As Single, i As Long
' 取得開始時的計時器
tmpTime = Timer
' 撰寫想測量執行時間的程式碼（本例中設為個別清除 A1:A10000 的儲存格）
For i = 1 To 10000
    Cells(i, 1).Clear
Next
' 和結束時的計時器做比較
Debug.Print "處理速度：", Timer - tmpTime
```

實例 測量巨集速度

　　這樣就能以數值掌握執行時間了。雖說這個方式測不了執行過快的巨集，但測量較花時間的巨集已經很夠用了。

　　下圖是先直接執行兩次上述巨集，以及套用下節介紹的高速化設定後，再執行兩次的結果。可以看到，執行時間縮短了將近兩秒。

▶ 套用高速化設定後再執行

17-2　關掉螢幕更新或重新計算以提升速度

　　若要提升巨集的執行速度，最有效的方式就是「關掉」Excel 中的持續性處理。若以 VBA 進行設定，能夠只在執行巨集時關閉處理，執行結束後再重新開啟。

■ 關閉螢幕更新

　　那就一步一步開始設定吧，首先就從螢幕更新開始。通常 VBA 會隨著程式執行，即時更新螢幕上的內容，例如巨集改變了當前工作表，螢幕上也會看到工作表改變；開啟了活頁簿，螢幕上也會看到該活頁簿開啟。

　　但如果最後只想要巨集執行結果，那根本不需要這個功能。畢竟螢幕更新純粹是為了讓使用者知道進度，即使關掉仍然能順利切換「當前工作表」或「當前活頁簿」。而且螢幕更新無論對 Excel 或對電腦而言，都是個「很卡（≒很花時間）」的處理，因此關閉後就能顯著提升速度。

　　螢幕更新受到 Application 物件的 **ScreenUpdating** 屬性管理，以「False」關閉，以「True」開啟。

巨集 17-2

```
'關閉螢幕更新
Application.ScreenUpdating = False

想執行的程式碼

'開啟螢幕更新
Application.ScreenUpdating = True
```

　　另外，在任意巨集內關閉螢幕更新後，即使後面未重新指定 ScreenUpdating 為「True」，巨集執行結束也會自動重新開啟。所以除非執行途中有必要重新開啟螢幕更新（例如要讓使用者選擇儲存格等），不然基本上只要在巨集開頭關掉就好。

停止計算試算表軟體

第二個設定是「工作表上公式的重新計算」。Excel 畢竟是個試算表軟體，只要改變了某個儲存格的值，就會當場檢查是否有公式用到這個值，並**重新計算公式**。

這個設定在 Application 物件的 **Calculation** 屬性中，由下列三種方式管理。

▶ **XlCalculation** 列舉內的常數與重新計算方式

常數	值	重新計算方式
xlCalculationAutomatic	-4105	自動重新計算。自動重新計算所有相關儲存格公式與依附該值的函數
xlCalculationManual	-4135	手動重新計算。僅當使用者選擇「公式」→「執行重新計算」這類情況才會重新計算
xlCalculationSemiautomatic	2	在運算列表之外的範圍自動重新計算。以「資料」→「模擬分析」→「運算列表」建立「運算列表」，只關閉內部的自動重新計算

也就是説，如果執行的巨集無須重新計算工作表上的公式，那暫時「關閉」重新計算的話，有望提升處理速度。

巨集 17-3

```
' 保留巨集執行時的重新計算設定
Dim calcMode As XlCalculation
calcMode = Application.Calculation
' 關閉自動重新計算
Application.Calculation = xlCalculationManual

想執行的程式碼

' 恢復原先設定
Application.Calculation = calcMode
```

由於使用者可能設定了自己的重新計算方式，故在關閉前先以變數保留該方式，待巨集內部處理完再恢復原先的設定。

▄▄ 關閉事件處理

Excel 提供了各種事件處理。也就是說，事件處理會持續待命以即時回應使用者操作。若解除這個緊繃的狀態，處理速度就有望提升。

Application 物件的 **EnableEvents** 屬性可以設定是否要監視事件發生。「False」是關閉、「True」則是開啟。

巨集 17-4

```
' 關閉事件處理
Application.EnableEvents = False

想執行的程式碼

' 重新開啟
Application.EnableEvents = True
```

EnableEvents 屬性不同於螢幕更新的 ScreenUpdating 屬性，巨集執行結束後也不會自動重新開啟。因此若關閉後，最後記得要寫重新開啟的程式碼。

Column 也可以用於中斷事件連鎖

EnableEvents 屬性也能用於中斷「事件連鎖」。例如某張工作表的 Change 事件內寫了「在工作表的值改變時，若值小於 10 就將該值加 1」的處理。

```
Private Sub Worksheet_Change(ByVal Target As Range)
    If Target.Value < 10 Then
        Target.Value = Target.Value + 1
    End If
End Sub
```

試試看在這個狀態下，在儲存格內輸入「1」會怎麼樣。

結果並不是「2」而是「10」呢。這是因為在 Change 事件改變儲存格的值的同時，又引發了下一個 Change 事件，導致 Change 事件連鎖發生。要阻止事件連鎖，只要以 EnableEvents 屬性暫時關閉事件監視，再進行處理即可。

```
Application.EnableEvents = False
If Target.Value < 10 Then
    Target.Value = Target.Value + 1
End If
Application.EnableEvents = True
```

如此一來，輸入「1」後結果就會是「2」了。

▓▓ 略過警告‧確認訊息

最後要介紹是否顯示警告訊息的設定。在 Excel 當中，特別是有關刪除的操作，都會顯示如下圖的警告訊息。

▶ 警告訊息

即使以巨集刪除工作表時，依然會顯示這個訊息，所以巨集會因此停在該處。

若使用 Application 物件的 **DisplayAlerts** 屬性將顯示設定關閉，就能直接刪除而不顯示警告或確認訊息。以「False」關閉，以「True」開啟。

巨集 17-5

```
' 關閉顯示警告訊息
Application.DisplayAlerts = False

如刪除處理這類會顯示警告、確認訊息的處理

' 恢復顯示警告訊息
Application.DisplayAlerts = True
```

　　DisplayAlerts 屬性和管理螢幕更新的 ScreenUpdating 屬性一樣，即使在巨集內關閉，也會在巨集結束後自動重啟。但刪除這類操作通常是「無法復原的高風險操作」。所以養成只在最小範圍內關閉警告訊息，處理後馬上重新開啟的習慣會比較好。畢竟無論執行速度提升多少，要是意外刪除了重要的資料，可是得不償失。

Chapter 18

資料輸入介面

本章將介紹使用工作表當作資料輸入介面時，常會用到的地方。以及在使用 Excel 時，提供資料輸入介面的優點與應該注意的事項。

18-1 思考資料輸入介面的需求

本章的主題是「輸入用工作表」。Excel 的用途極廣，但僅考慮儲存或分析資料時，通常預設內部資料為「表格形式」。

在此由「要以什麼方式輸入，才能讓資料最終化為表格形式？」的觀點出發，來思考要達成目的及該做的準備。

▓ 提供資料輸入介面有什麼優點？

最簡單的解決手段，當然是請輸入資料的人直接依表格規則輸入，但容易讓不習慣輸入表格的人感到困擾。特別像原始資料是「長年以帳簿管理的資料」這類情況，若輸入畫面長得跟帳簿不同，會讓人很不適應，甚至導致部分使用者產生「不知道該在哪裡輸入什麼資料」→「不想碰這個表格了」→「電腦好討厭哦」的心理障礙。

因此若能提供「對輸入資料的使用者來說，容易閱讀與理解的畫面」，就能讓他們更流暢地輸入資料。要合併儲存格也好，要做成 Excel 方格紙也沒問題。總之在製作輸入用工作表時徹底追求「輸入輕鬆」這點，我們再到 VBA 中製作工具，將這張工作表上的資料轉錄為表格形式即可。

▶ 輸入用工作表和以表格形式儲存資料的工作表

資料在輸入用工作表內以帳簿形式輸入

將輸入完成的資料轉錄到儲存工作表中

採用這個方式對使用資料的人也有優點，就是轉錄每筆資料的時候「只需檢查特定『區域』的資料值與形式即可」。

既然輸入畫面獨立出來了，表示還需要轉錄資料的處理。只要在轉錄處理內添加檢查值與轉換形式的流程，就能避免儲藏時摻雜形式不正確的資料。

甚至可以更進一步，在使用者輸入資料時就重複確認「這個值是正確的嗎？」這樣也不用等繁雜的資料輸入完成後，才開始邊猜邊修整資料。

此外，製作巨集時與其寫成一整個大型巨集，個別寫成如「檢查」、「轉錄」、「分析」、「輸出」等簡短且目的明確的巨集會更好，這樣不僅開發時條理清晰，出錯時也能輕易找出該修正哪個巨集的哪個部分。

Column 重點是別妨礙到「平時的 Excel」

在 Excel 中製作上述工具時最好要先注意這一點，那就是「使用者對 Excel 不熟的程度超乎想像」。

正因為 Excel 是很多人日常使用的軟體，若使用時「無法按平時的方式操作」，會感到相當的彆扭。

因此在製作輸入畫面時，不要侷限使用者「必須以我所寫的方式操作」，而是寫成「讓使用者自己動手，只要最後能輸入目的值到所需儲存格，再按下按鈕就好」。這樣對使用者來說會比較沒有壓力。

幾乎每個公司都有異常了解 Excel 的員工，通常也會被稱作「Excel 大師」，其中有些人甚至已經自訂了常用操作到功能區。所以製作輸入工具時，包含這些人在內，若能在不妨礙使用者操作「普通的 Excel」的前提下，依然能以目標形式儲存所需的資料，這樣的巨集就能讓大家輕鬆地使用下去了。

話雖這麼說，如果太過縱容使用者，他們甚至有可能破壞到整張活頁簿的結構。這時利用格式完整的「自訂表單」提供輸入畫面也是種方式。

總之，在製作前先確認使用客群是誰，再構思這個工具的「定位」會更好。

18-2 從輸入工作表轉錄至儲存工作表的工具

接著要製作將「輸入」工作表中訂單形式的內容，轉錄到「儲存」工作表內的工具。

轉錄時應考量的項目

想轉錄工作表上的資料時，要考量的項目大致有以下這些。

① 整理轉錄後的表格應有的標題列（判斷要記錄什麼內容）

② 參照上述標題列項目，分析要如何將原始資料轉換成符合格式的資料（判斷從輸入用工作表中，以什麼格式取出哪些資料）

③ 分析能先取得輸入新資料的位置，再輸入資料的方式

④ 將上述工具全部整合在一起

試著對下列外觀的工作表，逐步進行這幾個步驟吧。

▶ 原始資料為訂單形式工作表

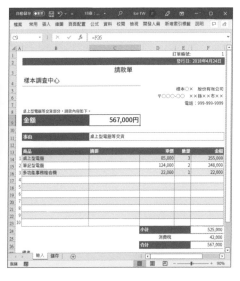

453

此範例的原始資料工作表（輸入用工作表）可至博碩官網下載。

▋▋ 整理表格的標題列

首先要決定這張訂單形式的資料中「必須保留的內容」。在檢視訂單的過程中，將要記錄的內容梳理成橫向列出的形式，本例中選擇記錄以下這些項目。

▶ 先決定標題列

◢	A	B	C	D	E	F	G	H	I
1									
2		訂單編號	發行日	客戶	商品	單價	數量	金額	
3									
4									
5									
6									
7									
8									

這次選擇記錄「訂單編號」、「發行日」、「客戶」、「商品」、「單價」、「數量」、「金額」七個資訊。在決定記錄項目時，一定要選擇一個「能和其他筆訂單（輸入資料）有所區別的值」，也就是所謂的鍵值。而本例中選擇「訂單編號」作為鍵值。

這次在轉錄前先把標題列寫到「儲存」工作表中以儲存格 B2 為起點的位置了，就將此處設為記錄位置，接著來看下一步吧。

▋▋ 製作揀出一整列資料的工具

接著檢視輸入用工作表的目標儲存格，去思考「揀出一整列資料的方法」。本例中七個項目的值與儲存格的關係如下。

▶ 值與儲存格的關係

項目	類型	位置
訂單編號	固定	儲存格 F1
發行日	固定	儲存格 F2
客戶	固定	儲存格 B4
商品	變動（範圍為儲存格 B14:F23）	第 1 欄（B 欄）
單價		第 3 欄（D 欄）
數量		第 4 欄（E 欄）
金額		第 5 欄（F 欄）

　　整理的訣竅是，要先確認存放原始資料的儲存格位置是「固定」或是「變動」。若是固定就直接輸入該儲存格範圍，變動的話就寫下資料可能存放的儲存格範圍。

　　由於資料多為表格形式，因此對於變動儲存格範圍，只要找出目標項目分別在範圍內的哪一欄，再記錄起來即可。

　　接著以上面這張表為基礎，個別製作能抓出這整列資料的工具。就本例而言程式碼如下，結果會從輸入用工作表中，取得一整列資料再顯示。請在選取輸入用工作表的狀態下（使其成為當前工作表）再執行巨集。

巨集 18-1

```
Dim dataRng As Range, dataCount As Long, i As Long
'準備能容納整筆記錄中七個資料的陣列
Dim tmpRec(6) As Variant
'設定資料的變動儲存格範圍
Set dataRng = Range("B14:F23")
'從變動位置的儲存格中，計算出資料的總筆數
dataCount = _
    Application.WorksheetFunction.CountA(dataRng.Columns(1))
'算出的資料總數有幾筆，就製作幾筆轉錄用資料 ( 再直接輸出 )
For i = 1 To dataCount
    '固定部分：ID、交易日、客戶
    tmpRec(0) = Range("F1").Value
    tmpRec(1) = Range("F2").Value
    tmpRec(2) = Range("B4").Value
    '變動部分：商品名稱、單價、數量、金額
```

```
    tmpRec(3) = dataRng.Cells(i, 1).Value
    tmpRec(4) = dataRng.Cells(i, 3).Value
    tmpRec(5) = dataRng.Cells(i, 4).Value
    tmpRec(6) = dataRng.Cells(i, 5).Value
    '總之輸出看看
    Debug.Print "記錄：", Join(tmpRec, ",")
Next
```

實例 逐列取得資料

```
即時運算                                                          ×
記錄：  1,2018/4/24,樣本調查中心,桌上型電腦,85000,3,255000
記錄：  1,2018/4/24,樣本調查中心,筆記型電腦,124000,2,248000
記錄：  1,2018/4/24,樣本調查中心,多功能事務複合機,22000,1,22000
```

　　本例先建立了能容納七個項目的一維陣列，並將對應到每個項目的儲存格值放進陣列中。此處也可以採用結構體來整理資料，或是不逐列處理改成建立二維陣列一次性容納所有資料。總之到此完成了能揀出所有目標值的工具，就可以進行下一步了。

■ 製作追加新記錄的工具

　　接著要製作下一個工具，把上面的七個值轉錄到「儲存」工作表上輸入新記錄的位置，程式碼如下。另外，此處先隨意建立一個一維陣列當作輸入值，再將這個暫用陣列的值轉錄到「儲存」工作表上 B 欄輸入新資料的位置。這裡採用了 End 屬性來取得輸入新資料的位置（267 頁）。

巨集 18-2

```
Dim newRecordRng As Range, rowNo As Long
Dim newRecordList As Variant
'先隨意輸入暫用值
newRecordList = Array(1, 2, 3, 4, 5, 6, 7)
'取得輸入新資料的位置
With Worksheets("儲存")
    rowNo = .Cells(Rows.Count, "B").End(xlUp).Row + 1
```

```
    Set newRecordRng = .Range(.Cells(rowNo, "B"), .Cells(rowNo, "H"))
End With
' 轉錄
newRecordRng.Value = newRecordList
```

實例 轉錄資料到「儲存」工作表中

A	B	C	D	E	F	G	H	I
1								
2	訂單編號	發行日	客戶	商品	單價	數量	金額	
3	1	2	3	4	5	6	7	
4	1	2	3	4	5	6	7	
5	1	2	3	4	5	6	7	
6	1	2	3	4	5	6	7	
7	1	2	3	4	5	6	7	
8								

輸入 | 儲存 ⊕
就緒   田 圖 凹 − ━━●━━ + 100%

　　上圖總共執行了五次巨集，像這樣試著執行幾次以檢查是否能順利輸入「新資料」，確認無誤就可以進入下一個步驟了。

■■ 整合所有前面做好的工具

　　首先要將輸入新資料這部份，改良成包含引數的子程式，而引數為包含一筆待輸入記錄的一維陣列。本例中建立「addNewRecord」如下。

巨集 18-3

```
Sub addNewRecord(newRecordList() As Variant)
Dim newRecordRng As Range, rowNo As Long
'    Dim newRecordList As Variant
'    先隨意輸入暫用值
'    newRecordList = Array(1, 2, 3, 4, 5, 6, 7)
    ' 取得輸入新資料的位置
    With Worksheets("儲存")
        rowNo = .Cells(Rows.Count, "B").End(xlUp).Row + 1
        Set newRecordRng = .Range(.Cells(rowNo, "B"), .Cells(rowNo, "H"))
    End With
    ' 轉錄
    newRecordRng.Value = newRecordList
End Sub
```

　　子程式化的訣竅，就是將引數設成與先前的暫用變數同名後，刪除先前宣告暫用變數及指定其值的程式碼，這樣其他部份就不需要修正了（上例中並未刪除，而是將不需要的部份設為註解）。

　　完成子程式化後，就把之前將轉錄用資料輸出到即時運算視窗中這部份，改成傳遞到子程式中，其程式碼如下。試著選擇「輸入」工作表並執行巨集。

巨集 18-4

```
Dim dataRng As Range, dataCount As Long, i As Long
'準備能容納整筆記錄中七個資料的陣列
Dim tmpRec(6) As Variant
'設定變動資料的儲存格範圍
Set dataRng = Range("B14:F23")
'從變動位置的儲存格中，計算出資料的總筆數
dataCount = _
    Application.WorksheetFunction.CountA(dataRng.Columns(1))
'算出的資料總數有幾筆，就製作幾筆轉錄用資料（再直接輸出）
For i = 1 To dataCount
    '固定部分：ID、交易日、客戶
    tmpRec(0) = Range("F1").Value
    tmpRec(1) = Range("F2").Value
    tmpRec(2) = Range("B4").Value
    '變動部分：商品名稱、單價、數量、金額
    tmpRec(3) = dataRng.Cells(i, 1).Value
    tmpRec(4) = dataRng.Cells(i, 3).Value
    tmpRec(5) = dataRng.Cells(i, 4).Value
    tmpRec(6) = dataRng.Cells(i, 5).Value
    '將整理好的轉錄用資料傳遞到轉錄子程式內
    Call addNewRecord(tmpRec)
Next
```

實例 轉錄資料到「儲存」工作表中

這樣就全部完成了，待確認實際轉錄資料都順利後，還可以著手調整資料格式或儲存格欄寬等，使資料更容易閱讀。

▋▋將巨集指定到按鈕上

最後為了讓做好的巨集更容易呼叫，可以在「輸入」工作表上設置按鈕並指定巨集。

▶ 若提供按鈕就「更專業了」

A	B	C	D	E	F	G
8	桌上型電腦等交貨部分，請款內容如下。					
9	金額		567,000円		登錄	
10						
11	事由		桌上型電腦等交貨			
12						
13	商品	摘要		單價	數量	金額
14	1 桌上型電腦			85,000	3	255,000
15	2 筆記型電腦			124,000	2	248,000
16	3 多功能事務複合機			22,000	1	22,000
17	4					

在功能區上選擇**開發人員→插入**，開啟「表單控制項」後，點選**按鈕**並在工作表上拖曳，就會顯示「指定巨集」對話框，在此選擇要指定於按鈕上的巨集。

▶ 新增按鈕並指定巨集

①點選開發人員→插入

②點選按鈕

③選擇要指定的巨集

在按鈕上按右鍵成為選擇狀態後,就能調整按鈕的位置及大小。

這樣輸入用工作表就完成了,接著再依需求加上檢查輸入值、資料產生重複時刪除舊值、自動分配流水號給新訂單等功能,就能獲得一張更好用的工作表了。

製作這些功能時同樣採用「先為單一功能個別製作巨集,最後再整合所有功能」的方式,就能開發得更順暢了。

Column 在工作表上設置按鈕的另一個效果

在工作表上設置呼叫巨集的按鈕,其實還有另一個效果,就是「巨集執行時,當前工作表是確定的」。可以避免在非目標工作表上執行巨集,導致非預期的錯誤。

只不過即使設定了按鈕,巨集還是能從 VBE 或「巨集」對話框中執行(而且像前文的範例巨集,若不在「輸入」工作表上執行,也會產生奇怪的結果)。因此在整合巨集時,最好採用「指定操作目標時,不需依附當前工作表」的寫法。

18-3　表單控制項**的特徵**

　　在功能區的「開發人員」標籤中，點選「插入」會開啟「**表單控制項**」區塊，其中提供了各種控制項。製作輸入資料用的工作表時，建議先學會這些控制項的用法。

▶ 表單控制項

　　接下來，會大致介紹如何用 VBA 操作這些控制項。

██ 表單控制項的共通機制

　　在工作表上設置各種表單控制項後，若在上面按右鍵選擇**控制項格式**，就能因應控制項種類，在彈出的對話框中調整不同設定，而且光在這個對話框內就能將控制項設定個大概了。下圖是開啟清單方塊的「控制項格式」後的結果。

▶ 在對話框中能進行各種設定

開啟清單方塊的「控制項格式」後，能指定要列入清單值的儲存格，或是要輸出選擇狀態的儲存格等。

VBA 有兩種方式可以存取目標控制項，第一種是使用 **Shape 屬性**將控制項視為「圖形」取得物件，再利用其 **ControlFormat 屬性**進行存取。

如下圖般，在工作表上設置控制項（此例中是核取方塊）後，名稱欄中會顯示 ControlFormat 屬性的值，利用這個值就可以存取任意控制項。

▶ 工作表上的核取方塊

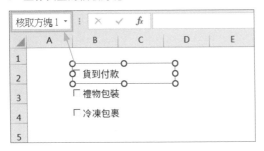

下列程式碼會輸出工作表上核取方塊（核取方塊 1）的勾選狀態。

巨集 18-5

```
Debug.Print ActiveSheet.Shapes("核取方塊 1").ControlFormat.Value
```

實例 取得控制項的資訊

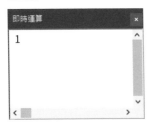

若核取方塊已勾選就會回傳「1」，未勾選則會回傳「-4146」。

使用 ControlFormat 屬性能存取的各種控制項，都能使用定義於 **ControlFormat** 物件上的各種屬性／方法。

▶ **ControlFormat 物件的屬性（摘錄）**

屬性	用途
Enabled	表單控制項可否利用。若設為 False，則控制項會顯示為灰色不可使用的狀態（但依然會顯示）
PrintObject	指定為 False 就會將控制項排除在印刷目標之外
Value	核取方塊或選項按鈕的選擇狀態
DropDownLines	下拉式方塊中同時顯示的清單項數
LinkedCell	要顯示選擇結果的儲存格位址字串
ListCount	清單項數
ListFillRange	要列入清單項目的儲存格的位址字串
ListIndex	已選清單項目的索引值
Max	微調按鈕等的最大值
Min	微調按鈕等的最小值
SmallChange	微調按鈕等每次按下按鈕的變化值

此外，ControlFormat 物件是「所有控制項都多少可以用一下的物件」，所以也是個內容較簡略的物件，依控制項不同可能無法使用部分屬性及方法。

各控制項特有的取得方式與利用方式

前面透過 Shapes 存取各種控制項的方式，無法深入到每個控制項各自的專屬功能。

所以若想使用這些專屬功能，要以 Worksheet 物件上對應到各種控制項的專用方法來存取控制項。

▶ 控制項與其對應方法（摘錄）

方法	控制項
Buttons	按鈕
CheckBoxes	核取方塊
DropDowns	下拉式清單方塊
ListBoxes	清單方塊
OptionButtons	選項按鈕
Spinners	微調按鈕

使用這些方法時，引數要指定為索引值或控制項名稱（顯示在名稱欄中的值）。

下列程式碼會顯示第一個清單方塊內，第三個項目的選擇狀態。

巨集 18-6

```
Debug.Print Worksheets(1).ListBoxes(1).Selected(3)
```

實例 顯示清單項目的選擇狀態

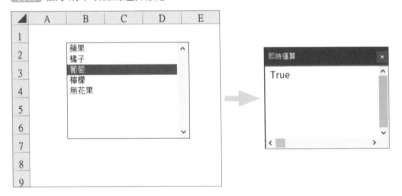

控制項會依據設置到工作表上的順序，按種類依序分配流水號。此外，清單方塊內已選擇的項目會回傳「True」，未選擇則會回傳「False」。

下列程式碼會輸出核取方塊（核取方塊 1）的勾選狀態。

巨集 18-7

```
Debug.Print Worksheets(1).CheckBoxes("核取方塊 1").Value
```

實例 核取方塊的勾選狀態

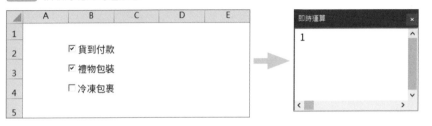

　　核取方塊的 Value 屬性會回傳其勾選狀態，已勾選會回傳「1」，未勾選則會回傳「-4146」。順帶一提，這些屬性在現在 2018 年已經成了「隱藏功能（雖然以前存在，但現在並未使用的功能）」。

較具代表性的控制項

　　以下要介紹幾個較具代表性的控制項，以及操作時會用到的屬性。

● 清單方塊

　　清單方塊用於顯示多個項目，並從中選取一個或多個。

▶ **操作清單方塊時可使用的屬性（摘錄）**

屬性／方法	用途
List	清單內顯示項目的陣列
ListCount	清單項數
ListIndex	所選項目的索引值
MultiSelect	指定複選模式為 xlNone（單一選擇）、xlSimple（多重選擇）或 xlExtended（延伸選擇）
Selected	若開啟複選模式，以陣列回傳選擇狀態

下列程式碼會設定第一個清單方塊內的項目。

巨集 18-8

```
Worksheets(1).ListBoxes(1) _
    .List = Array("蘋果", "橘子", "葡萄", "檸檬", "無花果")
```

下列程式碼會顯示在第一個清單方塊內所選的值，請在選擇了清單方塊內的項目後再執行。

巨集 18-9

```
With Worksheets(1).ListBoxes(1)
    MsgBox .List(.ListIndex)
End With
```

下列程式碼顯示可複選清單方塊的選擇狀態。

巨集 18-10

```
MsgBox "選擇狀態:" & vbCrLf & _
    Join(Worksheets(1).ListBoxes(1).Selected, vbCrLf)
```

實例 清單方塊的選擇狀態

在「控制項格式」對話框內（在控制項上按右鍵選擇**控制項格式**會顯示）的「控制」標籤下，將選擇方式勾選為**多重**，就能在清單方塊內選擇多個項目，請在選擇項目後執行上述程式碼。

● 下拉式清單方塊

下拉式清單方塊會在按下「▼」按鈕後,以下拉清單顯示多個選項,可以從中選擇一個。另外,它在「表單控制項」欄中顯示的名稱是「下拉式方塊」。

▶ 操作下拉式清單方塊時可使用的屬性(摘錄)

屬性	用途
List	清單內顯示項目的陣列
DropDownLines	清單中同時顯示的項數
ListIndex	所選項目的索引值
Value	所選項目的索引值(同 ListIndex)

下列程式碼會設定第一個下拉式清單方塊內的項目,並設定能同時顯示的選項數為「4」。

巨集 18-11

```
With Worksheets(1).DropDowns(1)
    .List = Array("蘋果", "橘子", "葡萄", "檸檬", "無花果")
    .DropDownLines = 4
End With
```

下列程式碼會使下拉式清單方塊中顯示清單中第二個項目。

巨集 18-12

```
Worksheets(1).DropDowns(1).ListIndex = 2
```

下列程式碼會顯示現在所選的值。

巨集 18-13

```
With Worksheets(1).DropDowns(1)
    MsgBox .List(.Value)
End With
```

實例 下拉式清單方塊

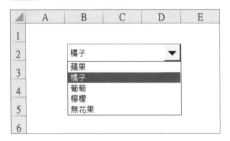

● 核取方塊與選項按鈕

核取方塊與選項按鈕均用於開關設定項目。核取方塊用於「開關個別項目」，選項按鈕則用於「對一個項目提供多個選項，僅能開啟其中一個」。

▶ 操作核取方塊／選項按鈕時可使用的屬性（摘錄）

屬性	用途
Caption	顯示在上面的文字
Value	以 1（選擇）、-4146（未選擇）回傳選擇狀態

下列程式碼能設定第一個核取方塊上顯示的文字。

巨集 18-14

```
Worksheets(1).CheckBoxes(1).Caption = " 貨到付款 "
```

下列程式碼會分別輸出三個核取方塊與選項按鈕的選擇狀態。

巨集 18-15

```
With Worksheets(1)
    Debug.Print " 核取方塊 1:", .CheckBoxes(1).Value
    Debug.Print " 核取方塊 2:", .CheckBoxes(2).Value
    Debug.Print " 核取方塊 3:", .CheckBoxes(3).Value

    Debug.Print " 選項按鈕 1:", .OptionButtons(1).Value
    Debug.Print " 選項按鈕 2:", .OptionButtons(2).Value
    Debug.Print " 選項按鈕 3:", .OptionButtons(3).Value
End With
```

實例 核取方塊與選項按鈕

Column　結合群組方塊製作出多個複選題

　　若工作表上設置了多個選項按鈕，只要選取其中一個，其他選項按鈕就會自動取消選取。因此預設用途就是「僅能從多個候選中挑選其一（指定選項）」。

　　若想在同一張工作表上設置多個「指定選項」的功能，必須先設置群組方塊，再將選項按鈕設置其中。這樣一來，選項按鈕的效果就只會影響同一群組的其他按鈕。

● **微調按鈕**

　　使用微調按鈕可利用按鈕增減任意儲存格內的值。

■ 操作微調按鈕時可使用的屬性（摘錄）

屬性	用途
Max	最大值
Min	最小值
SmallChange	按下按鈕時的變化量
LinkedCell	要以按鈕操作值的儲存格位址字串
Value	值

下列程式碼會把第一個微調按鈕設為最大值「1000」、最小值「0」、按下按鈕的變化量「10」、初始值「100」、連結到儲存格「B2」的值。

巨集 18-16

```
With Worksheets(1).Spinners(1)
    .Max = 1000
    .Min = 0
    .SmallChange = 10
    .LinkedCell = "$B$2"
    .Value = 100
End With
```

下列程式碼會輸出現在的值。

巨集 18-17

```
MsgBox Worksheets(1).Spinners(1).Value
```

實例 微調按鈕

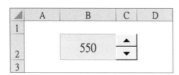

Chapter 19

自訂表單

本章將介紹如何在 VBA 內使用「自訂表單」。自訂表單是能隨意製作個人
獨一無二「自訂對話框」的工具。接下來將會學習自訂表單的製作方式和
所有控制項的使用方式。

19-1 自訂表單**的基礎**

　　自訂表單是用於製作自創「表單」的工具。可以在表單上隨心所欲地設置按鈕、下拉式方塊、核取方塊等，以輔助使用者輸入或選擇。

▶ 自訂表單

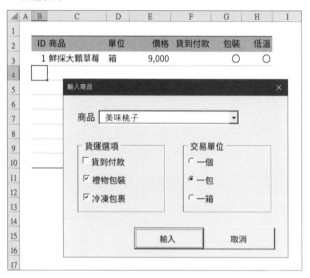

　　首先要看的是如何製作及使用自訂表單。

▇▇ 製作自訂表單

　　在 VBE 上點選**插入→自訂表單**，就會在專案總管中建立新的自訂表單「**UserForm1**」。在這張自訂表單上點兩下，就會在程式碼視窗中顯示表單預覽，同時顯示「工具箱」對話框。

　　「工具箱」內提供了標籤、按鈕等各種控制項，只要點選想用的控制項，再到自訂表單上拖曳，就能將控制項設置於該處。

▶ 自訂表單預覽

　　控制項設置完成後，能以滑鼠變更位置或大小，或是使用 VBE 畫面左下角的屬性視窗檢視／設定各種屬性。

▶ 屬性視窗

選擇中的控制項

可以檢視、設定控制項中
所提供各種屬性的值

　　還可以製作多張自訂表單，只要按照「建立新的自訂表單」→「設置必要的控制項」這個流程，就能做出符合心意的自訂表單了。

Column　若工具箱未顯示

　　點選檢視→工具箱，就能切換是否顯示工具箱。

Column　先從自訂表單的字型設定起

　　在設置控制項之前，若先以自訂表單整體的屬性設定好表單字型，此後設置於這張表單上的控制項，都會延續這個字型設定。

■■ 顯示自訂表單

　　若想實際看到完成的自訂表單，先在專案總管內選取該表單，按下工具列上的執行 **Sub 或 UserForm**，就會將表單實際顯示在 Excel 畫面上。在 VBE 內製作自訂表單的過程中，表單會呈現為圓角且表面還有定位格點的狀態，但實際顯示時，則如同現存的各種對話框般會是乾乾淨淨的樣貌。在開啟表單預覽後，只要按一下右上角的 ✕，即可關閉自訂表單。

▶ 顯示自訂表單的例子

此外，若要利用巨集顯示自訂表單，只需執行 **Show** 方法並指定該表單的物件名稱。

■ **Show** 方法

```
自訂表單 .Show〔顯示模式〕
```

執行 Show 方法時，若將表達顯示模式的引數指定為「vbModeless」，就會以「非強制回應模式（自訂表單顯示時，依然能操作儲存格等）」顯示；若不指定引數，或指定為「vbModal」，就會以「強制回應模式（自訂表單顯示時，無法操作儲存格等）」顯示。

下列程式碼會將自訂表單（UserForm1）顯示為非強制回應模式。

巨集 19-1

```
UserForm1.Show vbModeless
```

刪除自訂表單

使用 **Hide** 方法，就能暫時隱藏顯示中的自訂表單。下列程式碼會暫時隱藏自訂表單（UserForm1），請於自訂表單顯示時執行。

巨集 19-2

```
UserForm1.Hide
```

此時自訂表單只是「隱藏起來」。因此若以 Show 方法重新顯示表單，表單上依然會保留先前的輸入值或選擇狀態。

若改用 Unload 敘述，就會完全刪除表單。下列程式碼會刪除自訂表單（UserForm1）。

巨集 19-3

```
Unload UserForm1
```

此時自訂表單會連同選擇內容一起從記憶體中移除。因此重新顯示後，會恢復成 VBE 上的原始狀態。

要把自訂表單初始化寫在哪裡？

在 VBE 畫面中點兩下自訂表單的任意位置，程式碼視窗內就會從顯示表單預覽，切換成顯示模組（顯示程式碼）的畫面（之後只要在專案總管上，點兩下自訂表單就能切回表單預覽）。

這個模組是這張自訂表單自帶的物件類別模組，若要處理自訂表單本身或其內部控制項的事件處理，就要寫在這個模組內。

和先前寫工作表或活頁簿的事件處理時一樣，若在程式碼視窗上端的「物件」、「程序」兩個下拉式清單方塊中分別選擇物件及事件名稱，就會輸入事件處理的模板。而在模板中撰寫的程式碼，就會在事件發生時執行。

▶ 顯示物件類別模組

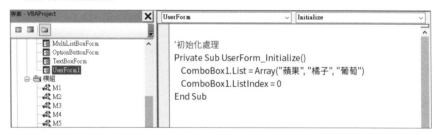

例如想製作「初始化處理」與「結束處理」這兩個常用處理，就要在自訂表單的可用事件中，使用下列幾個種類。

▶ 自訂表單的事件（摘錄）

事件	事件發生時機等
Initialize	初始化時
Activate	被選為當前目標時
QueryClose	正要關閉時（可用引數 Cancel 取消）
Terminate	終止時（不可取消）

　　利用 **Initialize 事件**可以實作「表單初次顯示時想先進行初期設定」的處理。下列程式碼會在初始化時，以程式碼設定下拉式方塊內的清單項目。請先在自訂表單中建立下拉式方塊再執行。

巨集 19-4

```
Private Sub UserForm_Initialize()
    ComboBox1.List = Array(" 蘋果 ", " 橘子 ", " 葡萄 ")
    ComboBox1.ListIndex = 0
End Sub
```

　　利用 **QueryClose 方法**，就能實作「自訂表單即將因為任意原因關閉時，執行處理」。下列程式碼會在自訂表單即將關閉時，顯示確認訊息。

巨集 19-5

```
Private Sub UserForm_QueryClose(Cancel As Integer, CloseMode As Integer)
    If MsgBox(" 真的要關閉表單嗎？ ", vbYesNo) = vbNo Then
        Cancel = 1    ' 這次用「1」指定取消而不用「True」
    End If
End Sub
```

　　順帶一提，QueryClose 事件會發生在按下「×」或是執行 Unload 敘述時，但並不會被 Hide 方法引發。而若沒有取消關閉的需求，也可以改用 Terminate 事件。

Column　可以等呼叫當下才設定各種控制項的值

　　「雖然自訂表單都是同一張，但希望依據所選儲存格不同改變表單內容」對於這類的需求，與其直接利用 Initialize 事件進行完全相同的初始化，不如依情況先設定好每個控制項的值，再顯示自訂表單更為方便。

　　下列程式碼會在以 Show 方法顯示自訂表單前，因應當前儲存格的位置，設定三種不同內容的清單到下拉式方塊中。

1
2
3
4
5
6
7
8
9
10
11
12
13
14
15
16
17
18
19

巨集 19-6

```
If Not Application.Intersect(ActiveCell, Range("B3:B10")) Is Nothing Then
    '若儲存格範圍在 B3:B10 內
    UserForm1.ComboBox1.List = Array(" 蘋果 ", " 橘子 ", " 葡萄 ")
ElseIf Not Application.Intersect(ActiveCell, Range("C3:C10")) Is
Nothing Then
    '若儲存格範圍在 C3:C10 內
    UserForm1.ComboBox1.List = Array(" 檸檬 ", " 鳳梨 ", " 奇異果 ")
Else
    '若非上述情況
    UserForm1.ComboBox1.List = Array(" 桃子 ", " 無花果 ", " 梨子 ")
End If
'共通設定
UserForm1.ComboBox1.ListIndex = 0
'顯示表單
UserForm1.Show
```

　　即使不需特別分類，還是有人因為「若初始化處理單獨寫在別的模組內，難以掌握程式碼的整體走向」的觀點，而採用「將初始化寫在要顯示自訂表單前」的撰寫規則，這方面就隨個人喜好了。

19-2　控制項的使用方式

設置自訂表單上的控制項，除了在屬性視窗中進行之外，也能透過 VBA 來操作。

以下會將主要控制項的用法介紹過一遍。但畢竟篇幅有限，無法針對每個控制項的屬性、方法、事件進行詳細的解說，還請見諒。

■ 多數控制項都具備的共同設定

在巨集中使用「自訂表單物件名稱.控制項物件名稱」這個寫法，就能存取自訂表單上的任意控制項。例如要變更「UserForm1」上「Label1」的垂直位置，程式碼可以寫成這樣：

```
UserForm1.Label1.Top = 0
```

此外，也可以透過 **Controls** 屬性存取自訂表單上的控制項，其引數需要指定從「0」開始的索引值，或物件名稱字串。

```
UserForm1.Controls("Label1").Top = 0
```

而多數控制項都具備以下共通屬性，除了能在屬性視窗內設定，也能利用 VBA 設定。

▶ 多數控制項都具備的共同屬性（摘錄）

屬性	用途
Top	垂直位置
Left	水平位置
Width	寬度
Height	高度
Font	字型設定

屬性	用途
Visible	顯示／隱藏
Enabled	可用／不可用（會顯示控制項但呈現灰色狀態）
TabStop	設定按「Tab」鍵是否能移動到此控制項
TabIndex	設定按下「Tab」鍵移動時的順序

標籤與文字方塊

標籤（**Label** 物件）是用於顯示說明文字的控制項，要以 **Caption** 屬性指定內部顯示的文字。下列程式碼會在自訂表單（LabelForm）上設定標籤（Label1）的字型、大小、顯示文字。請將自訂表單的名稱改為「LabelForm」再執行。

巨集 19-7

```
With LabelForm.Label1
    .Font.Name = "Meiryo"
    .Font.Size = 18
    .Caption = " 標籤的顯示文字 "
End With
' 顯示自訂表單
LabelForm.Show
```

實例 標籤

文字方塊（**TextBox** 物件）同樣身為處理文字的控制項，用於讓使用者輸入內容，可以用 **Text** 屬性設定／取得其值。

下列程式碼會在自訂表單（TextBoxForm）上，設定文字方塊（TextBox1、TextBox2）的初始值。請將自訂表單的名稱改為「TextBoxForm」再執行。

巨集 19-8

```
With TextBoxForm
    '設定值
    .TextBox1.Text = " 初始值 "
    '設定為可在文字方塊中輸入多行
    With .TextBox2
        .MultiLine = True
        .WordWrap = True
        .EnterKeyBehavior = True
    .Text = " 第一行 " & vbCrLf & " 第二行 "
    End With
    '顯示自訂表單
    .Show
End With
```

實例 文字方塊

　　若將 Text 屬性的值指定到儲存格的 Value 屬性中，就能將輸入於自訂表單上的值轉錄到儲存格中。

　　例如，想在按下自訂表單上的按鈕時，將兩個文字方塊（TextBox1、TextBox2）的值分別輸入到當前儲存格與其下方儲存格內，就要在自訂表單的模組內，將按下按鈕的事件處理程序寫成下面這樣。

巨集 19-9

```
Private Sub CommandButton1_Click()
    ActiveCell.Value = TextBox1.Text
    ActiveCell.Offset(1).Value = TextBox2.Text
End Sub
```

在自訂表單的物件模組內，只需要寫出物件名稱，如「TextBox1」、「TextBox2」，就能存取設置於表單本身的控制項。或者也可以利用表達自訂表單本身的關鍵字「**Me**」，寫成「Me.TextBox1」、「Me.TextBox2」。而且只要寫到「Me.」之後，就會在程式碼提示框內列出設置於表單上的控制項，因此比較容易輸入。

■■■ Column ■ **修改自訂表單的名稱**

從專案總管中選擇做好的自訂表單後，在屬性視窗中改變「（Name）」欄位的值，就能修改自訂表單的名稱。

■■ 命令按鈕

命令按鈕（**CommandButton 物件**）正如其名，就是個按鈕。將命令按鈕設置到自訂表單上後，點兩下就會自動輸入該按鈕 **Click 事件**的模板，要把按下按鈕時想執行的處理寫在裡面。

下列程式碼會設定按下「輸入」按鈕（CommandButton1）與「取消」按鈕（CommandButton2）時分別要進行的事件處理。按下「輸入」會轉錄文字方塊（TextBox1）的值到當前儲存格中，接著關閉自訂表單；按下「取消」則會直接關閉自訂表單。

巨集 19-10

```
Private Sub CommandButton1_Click()
    '將文字方塊的值輸入到當前儲存格後，關閉表單
    ActiveCell.Value = TextBox1.Value
    '關閉自訂表單
    Unload Me
End Sub
Private Sub CommandButton2_Click()
    '什麼都不做，直接關閉自訂表單
    Unload Me
End Sub
```

實例 命令按鈕

　　此外，自訂表單上還可以設定「預設按鈕」與「取消按鈕」。按下鍵盤上的「Enter」，視同引發預設按鈕的 Click 事件；而按下「Esc」則視同引發取消按鈕的 Click 事件，是一組有助於鍵盤操作的機制。

　　設定任意按鈕的 **Default** 屬性為「True」，就能將其設為「預設按鈕」；同樣的，設定 **Cancel** 屬性值「True」，則能將其設為「取消按鈕」。這兩個設定無論在屬性視窗內修改或用程式碼指定都沒問題。

　　下列程式碼會設定 CommandButton1 為預設按鈕、CommandButton2 為取消按鈕。請將自訂表單的名稱改為「ButtonForm」再執行。

巨集 19-11

```
With ButtonForm
    '設定預設按鈕及取消按鈕
    .CommandButton1.Default = True
    .CommandButton2.Cancel = True
    '顯示自訂表單
    .Show vbModeless
End With
```

Column 設定預設按鈕後的文字方塊

　　若設定了預設按鈕，在可輸入多行的文字方塊中，按下「Enter」要換行的同時，也會引發預設按鈕的 Click 事件。

　　為了防止這個問題，只需將文字方塊的「EnterKeyBehavior 屬性」設定成「True」，在文字方塊內按下「Enter」時就能順利換行，不會引發 Click 事件。

核取方塊

　　核取方塊（**CheckBox** 物件）用於顯示「開／關」、「有／無」這類二選一問題供使用者選擇。

　　核取方塊的 **Caption** 屬性可以取得／設定顯示文字，**Value** 屬性則是取得／設定勾選狀態。

　　下列程式碼會輸出三個核取方塊（CheckBox1 ～ CheckBox3）的顯示文字與勾選狀態，請寫在如自訂表單上按鈕的 Click 事件處以執行程式。

巨集 19-12

```
Dim cbIndex As Long, cb As MSForms.CheckBox
'對三個核取方塊進行迴圈
For cbIndex = 1 To 3
    '以「CheckBox1」等物件名稱取得核取方塊
    Set cb = Me.Controls("CheckBox" & cbIndex)
    '輸出顯示文字與勾選狀態
    Debug.Print cb.Caption, cb.Value
Next
```

實例　核取方塊

選項按鈕

　　選項按鈕（**OptionButton** 物件）可以讓使用者在多個選項中擇一。在自訂表單上設置多個選項按鈕後，會自動成為只能從中取一的狀態。

　　若想在同一張自訂表單上，於不同項目個別使用選項按鈕以供選擇，必須先設置框架（**Frame 物件**），再於框架內設置選項按鈕，這樣選擇效果就只會影響到同框架的其他選項按鈕了。**Value** 屬性可以取得選項按鈕的選擇狀態。

　　下列程式碼會檢視<u>自訂表單上三個選項按鈕</u>（OptionButton1 ～ OptionButton3）<u>的選擇狀態，以及設置在框架（Frame1）內三個選項按鈕的選擇狀態</u>，接著輸出已選擇的項目名稱。請寫在如自訂表單上按鈕的 Click 事件處以執行程式。

巨集 19-13

```
' 以索引值存取按鈕並確認其值
Dim opIndex As Long
For opIndex = 1 To 3
    If Me.Controls("OptionButton" & opIndex).Value = True Then
        Exit For
    End If
Next
' 遍歷特定框架內的控制項以確認值
Dim op As MSForms.OptionButton
For Each op In Frame1.Controls
    If op.Value = True Then Exit For
Next
Debug.Print "所選選項：", _
    Controls("OptionButton" & opIndex).Caption
Debug.Print "在 Frame1 內所選選項：", op.Caption
```

實例 選項按鈕

485

下拉式方塊

下拉式方塊（**ComboBox** 物件）在按下按鈕後，會出現下拉式清單，可以在清單中選擇其中一個選項。

只要將內含項目的一維陣列指定為下拉式方塊的 **List** 屬性，就能設定方塊中下拉顯示的項目。此外，可以利用 **ListIndex** 屬性，以從「0」開頭的索引值設定或取得選擇中的項目。

下列程式碼會設定下拉式方塊（ComboBox1）的清單項目，並選擇第一項。請將自訂表單的名稱改為「ComboBoxForm」再執行。

巨集 19-14

```
With ComboBoxForm.ComboBox1
    .List = Array("蘋果", "橘子", "葡萄", "檸檬", "草莓")
    .ListIndex = 0
    '顯示自訂表單
    ComboBoxForm.Show
End With
```

實例 下拉式方塊

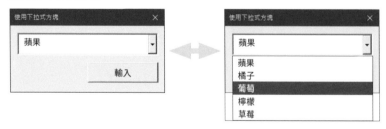

　　而使用 Text 屬性就能取得所選的值。此外，下拉式方塊不僅能選擇清單內的值，還能直接輸入不在清單中的值，此時 ListIndex 屬性會回傳「-1」。

```
' 輸出下拉式方塊中目前輸入的值
Debug.Print Me.ComboBox1.Text
' 若選擇了清單中的項目，輸出其索引值
Debug.Print Me.ComboBox1.ListIndex
```

　　請寫在如自訂表單上按鈕的 Click 事件處以執行程式。

清單方塊

　　清單方塊（**ListBox** 物件）用於顯示長條狀清單。將一維或二維陣列指定到清單方塊的 **List** 屬性中，就能指定要顯示的清單項目。
　　下列程式碼會設定清單方塊（ListBox1）內的清單項目。請將自訂表單的名稱改為「LabelForm」再執行。

巨集 19-15

```
ListBoxForm.ListBox1.List = _
    Array(" 蘋果 ", " 橘子 ", " 葡萄 ", " 檸檬 ", " 草莓 ")
' 顯示自訂表單
ListBoxForm.Show
```

實例 清單方塊

此外，要以二維陣列指定清單項目時，可以將任意儲存格範圍的 Value 屬性的值設定到清單方塊的 **List** 屬性裡，之後就能直接將儲存格上的值顯示到清單中。

例如，有一片儲存格範圍輸入了以下內容。

▶ 儲存格上的值

▲	A	B	C	D	E	F	G
1							
2		商品		ID	商品	庫存量	
3		啤酒		1	蘋果	504	
4		水梨乾		2	橘子	549	
5		印度奶茶		3	葡萄	460	
6		白巧克力		4	檸檬	784	
7		巧克力		5	草莓	149	
8		微辣墨西哥辣醬		6	鳳梨	383	
9		巧達蛤蜊濃湯					
10		咖哩醬					
11		咖啡					

此時若要在清單方塊中顯示儲存格範圍 B3:B22 的值，其程式碼如下。

巨集 19-16

```
ListBoxForm.ListBox1.List = Range("B3:B22").Value
'顯示自訂表單
ListBoxForm.Show
```

實例 將儲存格的值設定到清單中

　　若要在清單方塊中顯示儲存格範圍 D3:F8，需要加上調整欄數與欄寬的過程，程式碼如下。

巨集 19-17

```
With ListBoxForm.ListBox1
    .ColumnCount = 3                    '設定欄數
    .ColumnWidths = "20;120;50"         '對三欄分別設定欄寬
    .List = Range("D3:F8").Value        '設定清單
End With
'顯示自訂表單
ListBoxForm.Show
```

實例 將多欄的值設定到清單中

　　以 **ListIndex** 屬性可以取得／設定清單方塊內所選項目的索引值。還可以拿 ListIndex 屬性的值搭配 **List** 屬性所得到的清單陣列，取出所選項目的值。

　　下列程式碼會取得並顯示清單方塊（ListBox1）內所選的項目。設定好清單方塊內的清單後，請從自訂表單上按鈕的 Click 事件等地方執行程式。

巨集 19-18

```
Dim colIndex As Long, values() As Variant
With Me.ListBox1
    '若未選擇就跳出處理
    If .ListIndex = -1 Then
        MsgBox "未選擇"
        Exit Sub
    End If
    '準備元素個數和清單欄數一樣多的陣列
    ReDim values(.ColumnCount - 1)
```

489

```
    '進行迴圈將各欄的值容納到陣列中
    For colIndex = 0 To .ColumnCount - 1
        values(colIndex) = .List(.ListIndex, colIndex)
    Next
    '顯示陣列
    MsgBox Join(values, ",")
End With
```

實例 顯示清單方塊中所選的項目

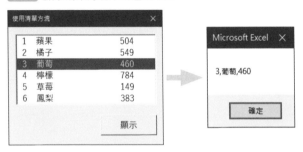

● 設定為可複選清單

若將 **fmMultiSelect** 列舉中的常數設定清單方塊的 **MultiSelect** 屬性，就能設定清單方塊可否複選。

▶ **fmMultiSelect** 列舉中的常數

常數	值	設定
fmMultiSelectSingle	0	單選
fmMultiSelectMulti	1	多重選擇（點選可切換選擇／解除）
fmMultiSelectExtended	2	延伸選擇（利用 Shift 與 Ctrl 鍵進行複選）

下列程式碼會設定出一個可複選清單方塊（ListBox1）。請將自訂表單的名稱改為「MultiListBoxForm」再執行。

巨集 19-19

```
With MultiListBoxForm.ListBox1
    .List = Array(" 蘋果 ", " 橘子 ", " 葡萄 ", " 檸檬 ", " 草莓 ")
    .MultiSelect = fmMultiSelectExtended
    ' 顯示自訂表單
    MultiListBoxForm.Show
End With
```

　　清單項目的選擇狀態會以陣列的形式儲存在 **Selected** 屬性中，只要以迴圈遍歷 Selected 屬性的值，就能獲得所選項目。

　　下列程式碼會在<u>可複選清單方塊中，取得並顯示所選項目</u>。請在設定好清單方塊內的清單後，從自訂表單上按鈕的 Click 事件等地方執行程式。

巨集 19-20

```
Dim tmpIndex As Long
With Me.ListBox1
    ' 確認個別項目的選擇狀態
    For tmpIndex = 0 To .ListCount - 1
        If .Selected(tmpIndex) = True Then
            Debug.Print " 已選擇：", .List(tmpIndex)
        End If
    Next
End With
```

實例 **可複選清單方塊**

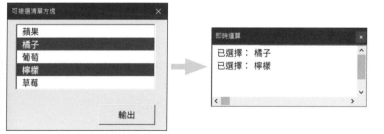

● 動態更新清單

　　清單中能以 **AddItem** 方法新增項目，或以 **RemoveItem** 方法刪除項目。下列程式碼會將左側清單（ListBox1）中所選的項目刪除，並新增至右側清單（ListBox2）中，請寫在如自訂表單上按鈕的 Click 事件處以執行程式。

巨集 19-21

```
' 在 ListBox2 中新增 ListBox1 中所選項目
ListBox2.AddItem ListBox1.List(ListBox1.ListIndex)
' 從 ListBox1 中刪除所選項目
ListBox1.RemoveItem ListBox1.ListIndex
```

實例 新增與刪除清單項目

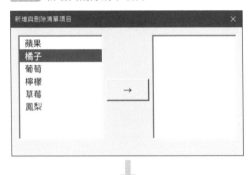

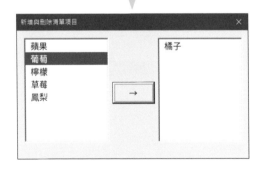

　　將要新增到清單中的值指定為 AddItem 方法的引數，待刪除項目的索引值則要指定為 RemoveItem 方法的引數。

`Column` **清除整張清單**

對清單方塊（ListBox 物件）執行 Clear 方法，就能清除整張已完成設定的
清單。

■ 調整定位順序

當自訂表單上設置了多個控制項，在操作控制項時按下 **Tab** 鍵就會跳到
「下一個控制項」，按下 **Shift** + **Tab** 鍵則會跳到「前一個控制項」，也就是可
以單用鍵盤操作自訂表單。而過程中按下 Tab 鍵在控制項間跳躍的順序，就稱
為定位順序。

針對想以 Tab 鍵移動到的控制項，在設定定位順序時，首先要這些控制項
的 TabStop 屬性設為「True」。此時若將框架的 **TabStop** 屬性設為「False」，
則該框架內所有的控制項，都會被排除在「Tab」鍵可移動的目標之外。

接著要將「0」開始的流水號（定位順序）分配到這些控制項的 **TabIndex**
屬性上。而框架內的控制項，要在該框架內以「0」開始重新指定定位順序。

完成上述設定後，只要按「Tab」鍵就能流暢地切換控制項。順帶一提，
在切換到核取方塊及選項按鈕時，按下空白鍵就能切換開／關。

若搭配「預設按鈕」這個機制（483 頁），就能完成一張只需鍵盤操作的自
訂表單。使用環境主要是以鍵盤操作的話，還請務必完成上述設定。

後記

本書的學習就在此告一段落，各位辛苦了。VBA 的機制與具體程式碼已經儘可能的在書中全盤介紹了一輪，是否有讀到與自身工作相關的部分呢？倘若讀完本書後能感到有所裨益，那就再好不過。

此外，書中未能詳盡介紹的 Excel 功能或 VBA 程式碼，建議採用「網路搜尋」以及「在 VBE 的瀏覽物件中查詢」這兩個方式進行更深入的了解。當然「從書中學習」也是一種手段，內文中也提到，建議在學習初期先將工具書瀏覽一番。

如今這個時代，只要上網搜尋「VBA 想要的功能」或是「VBA 範例」等關鍵字，就能找到許多前人提供的範例程式了。倘若還是找不到目標程式碼，還可以在網路上的 Q&A 社群發問，例如 Microsoft 的 MSDN 論壇上專屬 VBA 的板面（https://social.msdn.microsoft.com/forums/zh-tw/home）等。

對了，還有個方式能有效加深學習效果，那就是「向某個人解釋內容」。其實也不僅限於學習 VBA 時有效，畢竟要向人解釋一件事時，除非自己掌握的知識比對方更深入、更有系統，否則是無法好好說明的。具體來說，像是到 Q & A 社群上回答問題，或是在公司自己製作使用指南來解決其他員工的問題等（不見得需要當面回答或向對方解釋）。如此一來，就能釐清過去不甚理解的部分，彌補自身知識體系的漏洞。過程中最美好的，莫過於能夠解決困擾他人的難題，今日提出問題的人，明日能為他人解惑，知識的循環妙不可言。

所有讀過本書的讀者及其親朋好友，今後如能活用 VBA 並樂在其中，筆者亦深感萬幸。

讀者回函

讀 者 回 函

GIVE US A PIECE OF YOUR MIND

感謝您購買本公司出版的書，您的意見對我們非常重要！由於您寶貴的建議，我們才得以不斷地推陳出新，繼續出版更實用、精緻的圖書。因此，請填妥下列資料(也可直接貼上名片)，寄回本公司(免貼郵票)，您將不定期收到最新的圖書資料！

購買書號： **書名：**

姓　　名：＿＿＿＿＿＿＿＿＿＿＿＿＿＿＿＿＿＿

職　　業：□上班族　　□教師　　□學生　　□工程師　　□其它

學　　歷：□研究所　　□大學　　□專科　　□高中職　　□其它

年　　齡：□10~20　　□20~30　　□30~40　　□40~50　　□50~

單　　位：＿＿＿＿＿＿＿　部門科系：＿＿＿＿＿＿＿

職　　稱：＿＿＿＿＿＿＿　聯絡電話：＿＿＿＿＿＿＿

電子郵件：＿＿＿＿＿＿＿＿＿＿＿＿＿＿＿＿

通訊住址：□□□ ＿＿＿＿＿＿＿＿＿＿＿＿＿＿

＿＿＿＿＿＿＿＿＿＿＿＿＿＿＿＿＿＿＿＿＿＿

您從何處購買此書：

□書局＿＿＿＿　□電腦店＿＿＿＿　□展覽＿＿＿＿　□其他＿＿＿＿

您覺得本書的品質：

內容方面：	□很好	□好	□尚可	□差
排版方面：	□很好	□好	□尚可	□差
印刷方面：	□很好	□好	□尚可	□差
紙張方面：	□很好	□好	□尚可	□差

您最喜歡本書的地方：＿＿＿＿＿＿＿＿＿＿＿＿

您最不喜歡本書的地方：＿＿＿＿＿＿＿＿＿＿＿

假如請您對本書評分，您會給(0~100分)：＿＿＿＿分

您最希望我們出版那些電腦書籍：

請將您對本書的意見告訴我們：

您有寫作的點子嗎？□無　□有　專長領域：＿＿＿＿＿＿＿＿＿＿

歡迎您加入博碩文化的行列哦！

請沿虛線剪下寄回本公司

博碩文化網站　　http://www.drmaster.com.tw

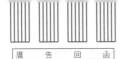

221

博碩文化股份有限公司　產品部

台灣新北市汐止區新台五路一段 112 號 10 樓 A 棟